KB152311

동의수세보원사상초본권 가이드

東醫壽世保元四象草本卷

장현수 지음

군자출판사

동의수세보원 사상초본권 가이드

첫째판 1 쇄 발행 | 2022 년 08 월 31 일
첫째판 1 쇄 인쇄 | 2022 년 09 월 15 일

지 은 이 장현수
발 행 인 장주연
출 판 기 획 김도성
책 임 편 집 이민지
편집디자인 양은정
표지디자인 김재욱
발 행 처 군자출판사
등록 제 4-139 호 (1991. 6. 24)
본사 (10881) 파주출판단지 경기도 파주시 회동길 338(서패동 474-1)
전화 (031) 943-1888 팩스 (031) 955-9545
홈페이지 | www.koonja.co.kr

ISBN 979-11-5955-915-0
정가 30,000 원

추천사

'동의수세보원사상초본권'은 1985년 10월 중국 연변조선족자치주 민족의학연구소에서 발간한 朝醫學의 부록에 실려 있던 '사상의학초본권'으로 그 원본에 해당되는 김구익 선생의 필사본인 동의수세보원사상초본권이 1989년 국내에 알려지게 되었습니다. 1999년 은사님이신 송일병 교수님께서 대학원 부교재로 사용하시고, 이후 2000년, 2002년 두 차례에 걸쳐 보수교육 특강을 진행하면서 학계에 많이 알려지게 되었습니다. 동의수세보원사상초본권에 관한 최초의 논문은 1999년 이수경, 송일병의 '동의수세보원사상초본권의 서지학적 연구'이고, 1999년 최초의 번역서 '동의수세보원 초고(김달래 역)'가 출판되었습니다. 2003년 그간의 연구성과를 정리하여 '동의수세보원사상초본권(박성식 역해)'이 출판되었습니다.

제가 동의수세보원사상초본권을 접한 것은 2003년 전문수련의 1년 차 시절, 의국 컨퍼런스를 통해서입니다. 첫인상은 그 내용이 매우 낯설고 어려웠던 기억이 있습니다. 다행히도 송일병 교수님의 가르침과 박성식 교수님의 저서를 통해 많은 도움을 받아 그나마 쉽게 공부할 수 있어서 감사한 마음을 전합니다. 2006년 이후에도 의국 컨퍼런스, 학부와 대학원 강의를 이 책으로 진행하면서 여러 번 통독하였습니다. 매번 이 책을 볼 때마다 전에 보지 못했던 사상의학의 새로운 시각을 접하는 경험을 합니다. 그렇기 때문에 저로서는 동의수세보원사상초본권이 사상의학의 중요한 출발점에 있는 중요한 저서라고 생각합니다.

동의수세보원사상초본권은 논란의 여지는 있으나 동무가 50세(1886년) 전후에 저술한 것으로 보입니다. 사상의학 초기 사고가 담겨 있기 때문에 사용되는 용어와 인간관, 병증관, 처방법 등이 낯설어 우리에게 익숙한 신축본과는 상당히 다른 부분이 많습니다. 이후 동의수세보원 갑오구본과 신축본에 거치면서 용어가 정제되고, 인간관, 병증관, 처방법 등이 많은 수정을 거쳐 발전되었습니다. 하지만 많은 수정과 발전을 거치면서도 일관되게 유지되고 있는 핵심적인 개념은 여전히 남아 있는데, 대표적인 몇 가지 예를 언급하고자 합니다.

첫째, 인-증(병)-약 순서입니다. 동의수세보원사상초본권은 원인, 병변, 약방의 3권으로 구성이 되어 있습니다. 먼저 인간에 대한 해석을 바탕으로 이후에 병과 약을 설명하는 구성입니다. 이러한 구성을 동의수세보원 신축본에서도 그대로 이어집니다. 성명론부터 장부론까지는 인간을 해석하고, 의원론부터 사상인별 병증-약리를 설명하는 순서입니다. 이러한 사상의학적 접근은 임상과정에서도 지인, 지증, 용약이라는 순서로 이어지게 됩니다. 병을 보기 전에 인간부터 봐야 된다는 점은 여전히 중요하다는 의미입니다.

둘째, 동의수세보원사상초본권에서 '성명'과 '지행'을 중심으로 한 인간과 사상인에 대한 해석은 신축본으로 거치면서 천인성명의 고도화된 사상체계로 발전됩니다. 그럼에도 성명과 지행을 중심으로 인간을 설명하는 접근은 여전히 강조되고 있습니다.

셋째, 동의수세보원사상초본권에서 '명맥실수'는 편소지장의 절반을 지칭하는 것으로 인간의 건강상태를 명맥실수의 단계에 따라 8단계로 구분합니다. 이후 갑오구본의 '보명지주'로 발전되며, 신축본에 이르러 병증의 순역 또는 경중험위증으로 발전하는 등 여전히 편소지장을 중심으로 한 보명지주가 강조되고 있습니다.

넷째, 동의수세보원사상초본권에서 사상의학의 치료법은 크게 두 가지 '문법'과 '무법'으로 제시합니다. 문법은 심욕의 조절을 의미하는 마음조절법이고, 무법은 침구 또는 약물의 일반적인 치료법을 의미합니다. 보다 더 중요하고 근본적인 치료는 무법이 아니라 문법입니다. 특히나 위중한 병증에서 심욕의 조절이 강조되는 문법이 더욱 중요시되는 인식은 신축본에서도 여전히 강조하는 부분입니다.

이번에 장현수 원장이 남다른 노력과 열정으로 동의수세보원사상초본권 가이드를 출간하게 되었습니다. 잘 정리된 역해와 도표, 새로운 지견들을 볼 수 있어서 인상적이었습니다. 이번 출간을 통해 사상의학에 대한 관심이 더욱 높아지고 공론의 장이 다방면으로 활성화되기를 기대합니다. 또한 사상의학을 공부하고자 하는 많은 사람들에게 첫걸음으로써 또한 새로운 시각을 확장하는 데 많은 도움이 되기를 바랍니다.

2022년 8월

慧潭 **황 민 우**
경희대학교 한의과대학 사상체질과 교수

저자 서문

2018년 '동의수세보원 가이드'를 지필하였습니다. 동의수세보원 가이드는 동의수세보원 신축본에 관한 해설서입니다. 그때 서문에서 추후 동의수세보원 초본권과 갑오본에 대한 가이드책도 여력이 되면 저술하겠다고 한 지 4년의 시간이 지났습니다. 틈틈이 동의수세보원 사상초본권에 대해 정리하였고, 이제야 책이 발간되었습니다. '동의수세보원 가이드'에서 초본권의 내용을 일부 인용하여 신축본의 내용을 설명하였지만, 신축본의 근간이 되는 초본권에 대한 자세한 설명은 하지 못하였습니다. 이번에 '동의수세보원 사상초본권 가이드'를 지필하게 된 가장 큰 이유는 동무의 최종 저작인 신축본의 뿌리인 초본권을 통해 동무의 생각을 좀 더 명확히 알리고 싶었기 때문입니다.

초본권에 대해 기존에 참고할 수 있는 서적은 동국대학교 박성식 교수님이 저술하신 '동의수세보원 사상초본권'이라는 책밖에 없습니다. 사상체질의학회나 다른 학회에서 초본권의 내용을 분석한 논문들은 있지만 전체 흐름을 볼 수 있는 서적은 극히 드물었습니다. 사상의학을 공부하는 사람들이 동의수세보원 사상초본권 가이드를 통해 초본권을 더 쉽고 깊게 이해할 수 있었으면 하는 게 이번 저술의 가장 큰 바람입니다.

현재 저는 보금한방병원에 병원장으로 한양방 통합의학을 통해 여러 암 환자분들을 치료 및 관리하고 있습니다. 사상의학은 암 환자분들에게 많은 도움이 되고 있습니다. 저희 병원은 사상의학을 중심으로 암 환자분들을 치료 및 관리하고 있습니다. 사상의학적 치료 측면에서 체질면역단, 체질오감치료, 체질침구치료 등을 시행하고 있으며, 사상의학적 관리 측면에서 체질면역차, 체질면역특식, 체질마음관리 등을 제공합니다.

초본권에서 암은 답답한 심정이 가득차서 생기는 병(積聚內癰 煩滿之疾)이라고 제시되어 있습니다. 그리고 중증 암 환자에게 나타날 수 있는 虛勞와 浮腫이 심한 증상은 危傾初分의 병이라 하였고, 虛勞, 疲勞, 浮腫이 시작하는 증상은 牢獄末分의 병이라고 하여 이러한 痼病의 경우에는 낫기가 어렵다고 볼 수 있으나, 10여 년의 病變의 과정을 거친다면 살 수 있는 이치는 있으니 마음과 몸을 다스려야 한다고 하였습니다.

즉, 암을 의미하는 積聚(積은 늘 한 곳에 있는 덩어리를 뜻함, 聚는 있다가 없다가 하고, 또 이리저리 돌아다님을 뜻함)나 內癰은 煩滿之疾로 정의되어 있습니다. 번거롭고 답답한 마음이 그득해져 기가 뭉쳐서 생기는 병이 바로 암입니다. 번만하다는 것은 현대적으로 이야기하면 바로 나쁜 스트레스, 즉 디스트레스를 의미합니다. 스트레스가 어떻게 암을 유발할까요? 우선 스트레스를 지속적으로 받으면 혈관이 수축됩니다. 그 결과 혈류가 감소하면서 해당 조직의 산소가 부족해지고 영양분 또한 부족해지며, 체온도 떨어지게 됩니다. 혈관이 수축이 되고 혈류가 감소된 상태를 한방에서는 어혈이라고 평가합니다. 결국 저산소, 저영양, 저체온 상태가 지속되면 해당 조직의 세포는 살아남기 위해 산소를 활용하지 않고 에너지를 생산하는 대사로 전환되는데, 이를 해당작용이라고 합니다. 해당작용은 산소 없이 주로 포도당을 이용한 빠르고 단순한 방식의 에너지 생산 방식입니다. 산소와 포도당, 지질, 단백질 등을 다양하고 복잡한 경로 통해 에너지를 생산하는 미토콘드리아 중심의 에너지 대사와는 차이가 뚜렷합니다. 저산소 상태이기 때문에 어혈이 발생한 조직의 세포는 살아남기 위해 당분을 흡수하여 무한 증식하며 생존하기 위해 노력합니다. 그 결과 세포 증식이 과도하여 덩어리가 된 것이 바로 암입니다. 이를 한방적으로 암을 지칭하여 久瘀成塊(구어성괴)라고 하는데, 즉 '오래된 어혈이 덩어리를 만든다'라는 용어의 의미가 이러한 과정을 반영합니다. 다시 정리하면 번만한 마음으로 인해 기가 뭉치고 소통이 되지 않아, 그 결과 어혈이 발생하여 풀리지 않아 결국 덩어리가 된 것이 바로 암입니다.

저는 번만함으로 인해 기가 뭉치고 막힌 것(氣滯)을 치료하는 방법을 '消滯通氣'라고 환자분께 항상 설명드립니다. 즉 막힌 것을 사그라지게 해서 기운을 소통시켜야 합니다. 사람이 스트레스를 받는 이유는 사실 다 다릅니다. 그렇기 때문에 저희 병원에서는 사상의학적 진료를 통해 체질을 나누고 그에 맞는 마음치료, 체질면역단, 체질면역차, 체질면역오감치료를 통해 암 환우 분들의 스트레스를 해소하고 막혀 있는 기운을 통하게 하기 위해 노력하고 있습니다.

초본권에 나오는 여러 체질별 마음 관리법, 양생법, 음식이나 처방에 대한 내용은 암 환자뿐만 아니라 일반 환자 치료에 있어서도 실제적으로 많이 활용되고 있습니다. 특히 신축본에서는 거의 제시되지 않은 체질별 치료에 도움이 되는 음식이나 금기가 되는 음식 같은 일상생활에서 환자분한테 티칭할 수 있는 내용들이 초본권에 제시되어 있습니다. 현재 사상의학을 통해 열정적으로 환자분을 치료하고 계시는 한의사분들이 많은 아이디어를 초본권에서 얻어 가시면 좋을 것 같습니다. 이 책을 통해 사상의학이 더욱 더 발전하고 여러 사람들에게 바르게 이해되길 기원합니다. 부족한 부분은 추후 발전적인 비판과 개정 과정을 통해 보완되기를 기대합니다.

끝으로 항상 제 옆에 든든하게 있어주는 보금한방병원 이한창 원장님, 저에게 삶의 다양한 지혜를 알려주시는 이호철 원장님, 김영진 원장님께 감사드립니다. 사상의학에 대해 한결같은 열정으로 후학들과 적극적으로 소통하고 연구하고, 사상의학의 발전을 위해 혼신의 힘을 다하고 계시는 경희대학교 한의과대학 사상체질과 황민우 교수님께 감사의 말씀을 드립니다. 이제 은퇴하시고 진정한 군자의 삶을 살고 계신 고병희 교수님께 감사의 말씀을 드립니다.

특히, 이 책의 발간을 위해 큰 힘이 되어준 사랑하는 아내(보미), 두 딸(호연, 아연), 그리고 저의 가장 큰 버팀목이 되어주시는 아버님(장종덕), 어머님(김영남)과 장인 어른(김병현), 장모님(정영순)께 무한한 감사를 드립니다.

장 현 수
사상체질과 전문의
경희대학교 한의과 대학 졸업
경희대학교 한방병원 인턴 레지던트 수료
62회 한의사 국가고시 수석
보금한방병원 병원장

저술방향 및 의도

- 東醫壽世保元 四象草本券과 東醫壽世保元 辛丑本를 비교하여 東武의 생각이 어떻게 변화했는지를 파악할 수 있도록 지필하였습니다. 두 판본의 비교만으로 해설의 한계가 있는 경우에는 '格致藁', '東醫壽世保元 甲午舊本' 등 東武의 기존 저작의 내용을 참고하고 각주로 표시하였습니다.

- 李濟馬 原著. 朴性植 譯解. 東醫壽世保元 四象草本卷. 집문당, 서울, 2003.의 조문번호와 주석을 따랐습니다.

- 辛은 東醫壽世保元 辛丑本, 甲은 東醫壽世保元 甲午舊本, 草는 東醫壽世保元 四象草本券을 의미합니다.

- 四象草本券 原人 파트에서는 辛丑本 및 格致藁 관련 조문과 비교를 통해 東武의 인간관이 辛丑本의 性命論, 四端論, 擴充論 등에서 어떻게 변화되고 확장되었는지 설명하였습니다.

- 四象草本券 病變 파트에서는 辛丑本의 臟腑論, 病證論, 辨證論 등과 비교를 통해 東武의 초기 生理觀, 病理觀, 方劑觀 등을 설명하였습니다.

- 四象草本券 藥方 파트에서는 草本券에서 甲午本 辛丑本으로 처방이 어떻게 변화되었는지 관련 처방을 비교 분석하여 설명하였습니다.

목 차

卷之三 藥方 205

표 목차

그림 목차

卷之一 原人

草本卷은 原人 → 病變 → 藥方의 순서로 기술되었다. 인간이 수세보원하기 위해서 가장 첫 번째로 해야 할 것은 인간이 어떤 존재인지 어떤 특성을 가지고 있는지를 파악해야 한다. 그래서 原人을 가장 먼저 기술하였다. 原의 의미는 '캐묻다', '찾다', '근본을 추구하다'라고 볼 수 있다. 인간이 무엇인지 캐묻고 찾는 과정이 바로 原人이다. 卷之一 原人 5통에는 인간이란 존재가 무엇인지에 대한 동무의 인간관이 다양한 측면에서 서술되어 있다.
그 다음 인간의 수세보원을 방해하는 病이라는 요소를 어떻게 變하게 할지에 대한 내용이 바로 病變이다. 病變하는 과정에서 고려해야 하는 것에 대해 6통으로 나누어 서술하였다.
끝으로 病變에 있어 도구로 사용할 수 있는 藥에 대한 내용이 藥方이다. 5통으로 구성되어 있으며 少陽人, 少陰人, 太陰人, 太陽人 순서로 약방을 제시하였다.

第一統

1-1[1] **天生萬民 性以知行 萬民之生也 有知行則生 無知行則死 知行者 德之所由生也**

註: 仁義禮智 忠孝友悌 諸般百善 皆出於知行

하늘이 만 백성을 생함에 알고 행함으로 性을 기르고, 萬民의 생함에 알고 행함이 있으면 사는 것이고 알고 행하는 것이 없으면 죽는 것이니 알고 행하는 것은 德(마음을 바르게 하여 처음 걸어감)이 말미암아 생하는 바이다.

仁(사람들 사이의 사랑), 義(나를 충실하게 하는 것), 禮(제단을 차리고 제사를 지내는 것), 智(하늘의 뜻을 화살같이 알아 말하는 것)와 忠(마음을 다함, 군신의 관계, 후천적, 인위적), 孝(부모에 대한 공경, 선천적, 자연적), 友(친구 사이에 서로 도움), 悌(순서를 중히 여기는 마음, 형제에 대한 우애) 모든 선함은 알고 행함에서 나온다.

*인간의 도덕적인 인식과 행동을 통해 생사가 결정된다. 그리고 이것은 性으로 길러 나가야 한다. 그래야 德이 생길 수 있다. 지와 행을 하는 과정을 통해 仁義禮智라는 四德과 忠孝友悌라는 인간관계의 善이 발현될 수 있다.

*辛 1-30
天生萬民 性以慧覺 萬民之生也 有慧覺則生 無慧覺則死 慧覺者 德之所由生也.

辛 1-32
仁義禮智 忠孝友悌 諸般百善 皆出於慧覺

辛丑本에서는 知行 대신 慧覺으로 표현했다. 인간은 지혜로운 깨달음을 통해 性을 기를 수 있는 능력을 가지고 있다. 草本卷과 달리 辛丑本에서는 性-知/命-行이라는 측면으로 나눠서 보는 시각이 더 뚜렷해져 용어를 바꾼 것으로 보인다. 한편, 草本卷 1-1에서는 知行을 性을 기를 수 있는 바탕으로 제시되었지만, 1-9 天下所成者 其理擴而難周 明知其理之善者 德也 性也 一人所作者 其欲膠着而易惑 誠行其欲之正者 道也 命也를 보면 辛丑本과 마찬가지로 性-知/命-行의 측면에서 기술하고 있다. 같은 1통에서도 용어를 명확히 구별하지 않고 쓰는 동무의 초기 시각을 볼 수 있다.

1) 李濟馬 原著. 朴性植 譯解. 東醫壽世保元 四象草本卷. 집문당, 서울, 2003. 의 조문번호와 주석을 따름

1-2 天生萬民 命以衣食 萬民之生也 有衣食則生 無衣食則死 衣食者 道之所由生也

註: 士農工商 田宅邦國 諸般百用 皆出於衣食

하늘이 만 백성을 낳음에 의식(衣食)으로써 命을 세우고 만민의 생함에 의식이 있으면 생하고 의식이 없으면 죽는다. 의식은 道(머리를 향해 쉬엄쉬엄 걸어감)가 말미암아 생하는 바이다.

士農工商 田宅邦國의 모든 쓰임은 의식(衣食)에서 나온다.

*命은 내가 衣食 즉 실제적인 삶을 살아가며 세워야 한다. 衣食 역시 생사를 결정하는 요소이다. 그리고 실제적인 삶을 통해 道가 생길 수 있다. 이러한 의식을 통해 인간은 직업(士農工商)을 가지고 각자의 공간(田宅邦國)에서 쓰임에 맞게 살아간다.

*辛 1-31
天生萬民 命以資業 萬民之生也 有資業則生 無資業則死 資業者 道之所由生也.

辛 1-32
士農工商 田宅邦國 諸般百用 皆出於資業

辛丑本에서는 衣食대신 資業으로 표현했다. 인간은 업을 쌓아가며 명을 세울 수 있는 능력을 가지고 있다. 衣食이란 표현 대신 자신의 업을 실제적인 삶을 통해 쌓아감을 강조하기 위해 자업이라는 용어를 사용한 것으로 보인다.

1-3 知行欲其兼人 衣食欲其潔己
知行私小者 薄德之謂也 衣食貪濫者 悖道之謂也

知行은 다른 사람과 함께하고자 하고 衣食은 나를 청렴하게 하고자 한다.
知行이 사사롭고 작으면 마음을 바르게 함이 얇음을 이름이요, 의식을 탐하고 멋대로 하는 것은 도리에서 벗어남을 이름이다.

*知行과 衣食을 실천하는 원칙을 설명하고 있다. 알고 행한다는 것은 혼자만 하는 것이 아니라 다른 사람과 같이 겸해서 하는 것이다. 衣食을 추구하다 보면 좀 더 좋은 옷, 맛있는 음식을 과하게 추구할 수 있다. 따라서 본인 스스로 절제가 필요하다. 알고 행하는 것을 다른 사람과 같이 하지 않고 혼자만 사사롭게 하면 덕이 두터울 수가 없다. 의식을 함에 탐하고 자신만을 위해서 하다 보면 도리에서 벗어날 수밖에 없다.

*辛 1-33
慧覺 欲其兼人 而有敎也
資業 欲其廉己 而有功也
慧覺私小者 雖有其傑 巧如曺操 而不可爲敎也
資業橫濫者 雖有其雄 猛如秦王 而不可爲功也.

辛丑本에서는 草本卷보다 내용이 추가되었다. 우선 지혜로운 깨달음은 다른 사람과 같이 하는 것이고 그래야 가르침이 있다고 하였다. 업을 쌓는 것은 본인이 청렴하게 해야 공이 있다고 하였다. 慧覺을 사사롭게 하는 사람의 예를 조조로 들었으며, 자업을 횡행하는 하는 사람의 예를 진시왕으로 들었다.

1-4 人稟臟氣 有四不同 肺大肝小者 名曰太陽人
肝大肺小者 名曰太陰人
脾大腎小者 名曰少陽人
腎大脾小者 名曰少陰人

註: 肺强則肝弱 肝强則肺弱 脾强則腎弱 腎强則脾弱
互相盈縮 迭爲進退 參伍以變 錯綜其數 求之有道 得之有命[2] 聖人與衆人 一同也

사람이 품부받은 장의 기운은 네 가지 같지 않음이 있다. 폐가 크고 간이 작은 자를 太陽人이라고 명하고, 간이 크고 폐가 작은 자를 太陰人이라 명하고, 비장이 크고 신장이 작은 자를 少陽人이라 명하고, 신장이 크고 비장이 작은 자를 少陰人이라 명한다.

폐가 강하면 간이 약하고 간이 강하면 폐가 약하고 비가 강하면 신이 약하고 신이 강하면 비가 약하다. 서로 차고 줄어들고 번갈아 나아갔다 물러나고, 섞여 변하고, 그 수가 뒤섞여 모이니 그것을 구하면 도가 있고 얻으면 명이 있다. 성인과 중인은 모두 같다.

*臟局의 대소를 강약을 통해 보충 설명하였다. 서로의 기운이 고정되어 있는 것이 아니라 섞이기도 하고 흩어지기도 하고 나아가기도 하고 물러나기도 하는데 그 변화를 구함에 道가 있고, 얻음에 命이 있다. 성인과 중인 모두 동일하다. 인간은 장국의 대소를 타고나는데 그 결과 체질이 나눠진다. 太陽人, 太陰人, 少陽人, 少陰人은 장국의 대소를 가지고 태어난 인간을 의미한다. 이러한 장국의 대소로 인해 강약이 발생하고 강약은 변화를 만들어낸다. 이러한 변화를 잘 살펴야 결국 수명을 얻을 수 있다. 이것은 모든 사람에게

2) 錯綜其數 求之有道 得之有命: 朝醫學에서는 "錯綜其數求之 有道得之有命"이라 하고 있으나 "錯綜其數 求之有道 得之有命"이 맞다.

동일한 조건이다.

*辛 2-23
太少陰陽之臟局短長 陰陽之變化也
天稟之已定 固無可論 天稟已定之外 又有短長而不全其天稟者 則人事之修不修 而命之傾也 不可不愼也.

辛丑本에서는 강약 대신 길고 짧음으로 표현했고, 음양의 변화라고 요약해서 설명하였다. '求之有道'는 '人事之修不修'를 의미하고, '得之有命'은 '命之傾也'를 의미한다. 辛丑本에서는 臟局大小가 결정된 채 인간이 태어나는 것은 바꿀 수 없지만, 후천적으로 장국의 장단으로 인한 변화가 발생하니, 품부받은 바가 완전하지 못한 것을 극복하기 위해서는 知行을 통해 性과 命을 기르고 세워 人事를 닦아 나가야 함을 이야기했다.

1-5 人趨欲[3] 心 有四不同 棄禮而放縱者 名曰鄙人(太陽人)
棄義而偸逸者 名曰懦人(少陰人)
棄智而飾私者 名曰薄人(少陽人)
棄仁而極慾者 名曰貪人(太陰人)

註: 四德爲慾心所陷而 有一面廢[4] 棄者 有二三四面俱廢棄者 有右明而左暗者 有左明而右暗者
四德爲誠心所擴而 有一體充備者 有四體具微者 有善人信人者 有充實光輝者 有散而參差 直而高低 間間自別 層層不同 間間參差者 衆人也 層層高低者 賢良也 聖人衆人萬殊也

사람이 욕심을 쫓음에 네 가지 다름이 있으니, 禮를 버리고 마음을 놓고 멋대로 하는 자를 鄙人이라고 하고, 義를 버리고 훔치려 하고 안일하려는 자를 懦人이라고 하고, 智를 버리고 꾸며 사사롭게 하려는 자를 薄人이라고 하고, 仁을 버리고 극도로 욕심을 부리는 자를 貪人이라고 한다.

네 가지의 덕이 욕심에 의해 빠지는 바는 한 면만 폐기되는 자가 있고, 두서너 면이 모두 폐기되는 자도 있고, 오른쪽은 밝고 왼쪽은 어둡고, 왼쪽은 밝고 오른쪽은 어두운 자가 있다. 네 가지 덕이 정성스러운 마음으로 넓어지는 바가 되는데, 한 가지만 충실히 구비된 자도 있고 네 가지 모두 구비된 자도 있다. 善人 信人은 충실하고 밝게 빛나는 자이고, 퍼짐에는 섞임과 어긋

3) 朝醫學에는 '欲'으로 되어 있으나 '慾'이 타당하다.
4) 手抄本에는 '癈'로 되어 있고, 朝醫學에는 '廢'로 되어 있다.

남이 있고 곧음에는 높고 낮음이 있다. 사이사이 스스로 구별되고, 층층이 같지 않고, 사이사이 조밀함과 성긴 자는 衆人이고, 층층이 높낮이가 있는 자는 어질고 선량한 사람이고, 聖人과 衆人은 만 가지로 다르다.

*太少陰陽人이 仁義禮智를 버리게 되면 鄙薄貪懦人이 되게 된다. 그 원인은 욕심을 좇음에 있다. 四德이 욕심에 함몰됨에도 편차가 있다. 모두 다 함몰되는 사람도 있고, 하나만 함몰되는 사람도 있다. 인간이 臟局大小를 타고 났다는 것은 모든 사람이 동일한 조건이지만 욕심에 빠진 정도에 따라 인간은 도덕적 편차가 발생한다.

1-6 **太少陰陽之兩偏長短　卽性情之變化　具天而盈縮者也　聖人與衆人　一同也**
貪懦鄙薄之人　四隅漏缺　卽私欲之桎梏　其人暴棄者也　聖人與衆人　萬殊也

太少陰陽의 양쪽으로 치우친 길고 짧음은 性과 情의 변화가 갖추고 모자람과 넘치고 줄어드는 것이니 성인과 중인이 한 가지로 같다. 貪懦鄙薄한 사람이 네 모퉁이가 새고 이지러지는 것은 사사로운 하고자 함의 얽매임으로 그 사람이 사납고 돌보지 않는 것이니 성인과 중인이 만 가지로 다르다.

*太少陰陽人의 장국의 길고 짧음은 性情의 변화로 인해 생기며, 太少陰陽人이 심욕에 빠져서 된 鄙薄貪懦人은 사사로운 욕심에 속박되어 사납고 돌보지 않아 생기는 것이다. 사람은 太少陰陽人과 鄙薄貪懦人으로 될 수 있는 두 가지 가능성이 있다. 만약 선천적으로 받은 性情을 잘 유지하면 太少陰陽人이 되지만 仁義禮智를 버리고 심욕을 좇으면 鄙薄貪懦人이 될 수 있는 것이다.

*동무가 생각하는 太少陰陽人은 타고난 性情의 변화를 잘 살펴서 四德의 치우침이 없도록 노력하는 인간이다. 鄙薄貪懦는 사사로운 욕심에 빠져 四德을 버린 인간이며, 도덕능력의 정도는 만 가지로 다르다. 동무는 욕심을 극복하는 정도의 차이에 대해서 중요하게 생각하였다. 좋은 사람, 더 좋은 사람, 나쁜 사람, 진짜 나쁜 사람 이렇게 나눈 것에 대해서 의미가 있다고 생각하였다. 자기가 타고난 도덕 능력을 최소한 기본적으로 잃지 않으면서 자기가 타고나지 못한 도덕 능력을 확충해 나가는 것이 동무가 생각하는 도덕적 인간이다.

1-7 **肺知事務　脾知交遇　肝知黨與　腎知居處**
肺行籌策　脾行謀猷　肝行材幹　腎行便宜

폐는 事務(일에 힘쓰는 것)를 알고, 비는 交遇(만나 예우함)를 알고, 간은 黨與(무리지어 함께 함)를 알고, 신은 居處(사는 곳 안정시킴)를 안다.
폐는 籌策(헤아려 책략함)을 행하고, 비는 謀猷(도모하고 꾀함)를 행하고, 간은 材幹(재주와 간능)을 행하고, 신은 便宜(이용함에 편안하고 마땅함)를 행한다.

*肺脾肝腎은 性情의 변화로 인해 臟局의 길고 짧음이 결정되고, 또한 知行을 하는 주체이다. 事務, 交遇, 黨與, 居處를 알고, 籌策 謀猷, 材幹, 便宜를 행해야 한다. 즉 性情에 의해 臟局短長이 결정되고 그로 인해 장국의 편차가 생긴다. 이러한 편차로 인해 발생될 수 있는 심욕에 빠지지 않기 위해서는 知行이 필요하다.

*辛 1-5
肺達事務 脾合交遇 肝立黨與 腎定居處.

辛 1-6
事務克修也 交遇克成也 黨與克整也 居處克治也.

辛 1-7
頷有籌策 臆有經綸 臍有行檢 腹有度量.

辛 1-9
頭有識見 肩有威儀 腰有材幹 臀有方略.

草本卷에서 肺脾肝腎은 知行을 하는 주체로 보았지만, 辛丑本에서는 天機, 人事, 知, 行으로 좀 더 세분화되었으며 肺脾肝腎은 人事를 행하는 신체부위로 제시하였다. 지를 행하는 신체부위는 頷臆臍腹으로, 행을 하는 신체부위는 頭肩腰臀으로 제시하였다. 동무는 辛丑本에서 신체부위를 耳目鼻口, 肺脾肝腎, 頷臆臍腹, 頭肩腰臀으로 세분화하여 각각의 신체가 실제적으로 도덕적 인식 및 행위를 하는 주체임을 더 명확히 제시하였으며 草本卷보다 발전된 시각을 보여준다.

1-8 事務衆同也 籌策由己也 交遇衆同也 謀猷由己也
黨與衆同也 材幹由己也 居處衆同也 便宜由己也
衆同者天也 由己者人也 天者 天下所成之局也 人者 一人所作之器也

事務는 모두 같고, 籌策은 자기로부터 비롯된다. 交遇는 모두 같고, 謀猷는 자기로부터 비롯된다. 黨與는 모두 같고, 材幹은 자기로부터 비롯된다. 居處는 모두 같고, 便宜는 자기로부터 비롯된다.

모두 같은 것은 하늘이고 자기로부터 비롯된 것은 사람이다. 하늘은 천하가 이루어지는 바의 큰 틀이고, 사람은 한 사람의 만드는 바의 그릇이다.

*我와 非我로 나누어 설명하였다. 知의 차원은 非我의 측면을 아는 것이고, 이러한 상황은 모든 이에게 동일한 상황이다. 그래서 天과, 同이라는 표현을 사용하였다. 我의 차원에서는 籌策, 謀猷, 材幹, 便宜 모두 자신이 판단하고 노력함으로써 만들 수 있는 것이다. 그래서 人과 器라는 표현을 사용하였다.

*辛 1-11
耳目鼻口 觀於天也 肺脾肝腎 立於人也 頷臆臍腹 行其知也 頭肩腰臀 行其行也.

辛 1-12
天時大同也 事務各立也 世會大同也 交遇各立也 人倫大同也 黨與各立也 地方大同也 居處各立也.

辛 1-13
籌策博通也 識見獨行也 經綸博通也 威儀獨行也 行檢博通也 材幹獨行也 度量博通也 方略獨行也.

辛 1-14
大同者天也 各立者人也 博通者性也 獨行者命也.

辛丑本에서는 草本卷의 我와 非我를 통해 지와 행을 설명한 것보다 확장된 시각을 보여 준다. 天, 人, 性, 命으로 더 확대되었으며 草本卷에서 지에 해당하는 事務, 交遇, 黨與, 居處는 人에 해당하는 요소로 바뀌었고, 同에서 各立한 개념으로 변경되었다. 행에 해당하는 籌策, 謀猷, 材幹, 便宜는 辛丑本에서는 性과 命에 해당하는 요소로 나뉘었다. 즉, 草本卷에서는 我와 非我의 이원구조에서 辛丑本에서는 天人性命이라는 사원구조로 확장되었으며 각각의 구조에 대한 생각 역시 명확해졌다.

1-9 **天下所成者 其理[5] 擴而難周 明知其理之善者 德也 性也**
一人所作者 其欲膠着而易惑 誠行其欲之正者 道也 命也

천하가 이루는 바는 그 이치가 넓고, 두루하기 어렵다. 그 이치의 선함을 밝게 아는 것이 德이고 性이다.

5) 手抄本과 朝醫學에서는 모두 '俗'으로 되어 있으나 의미가 명확하지 않다. 문장의 앞뒤를 고려하면 '理'로 보는 것이 타당하다.

한 사람이 만드는 바는 그 하고자 함이 교착되고, 쉽게 미혹된다. 그 하고자 함의 바름을 진실무망하게 행하는 것이 道이고, 命이다.

*하늘로부터 품부받은 바를 지극히 선한 것으로 보고 있으며, 인간으로서 품부받은 바는 바탕으로 후천적으로 살아감에 욕심에 미혹될 수 있다. 따라서 인간이 선하게 타고난 바를 밝게 아는 것이 性을 기르는 것이고 德을 쌓는 것이다. 또한 욕심에 빠질 수 있는 요소도 가지고 있으니 그 하고자 함에 있어 사사롭지 않고 바르고 진실무망하게 행하는 것이 命을 세우는 것이고 道를 이어가는 것이다.

*辛 1-34
好人之善 而我亦知善者 至性之德也
惡人之惡 而我必不行惡者 正命之道也
知行積 則道德也
道德成 則仁聖也
道德非他 知行也
性命非他 知行也.

草本卷의 明知其理之善은 辛丑本에서는 好人之善 而我亦知善으로 쉽게 설명된다. 이러한 지의 과정을 통해 性을 지극히 길러 德으로 쌓을 수 있다. 草本卷의 誠行其欲之正은 惡人之惡 而我必不行惡으로 쉽게 설명된다. 이러한 행을 통해 命을 바르게 세워 道를 이어갈 수 있다. 결국 知行을 쌓으면 도덕이 되는 것이고 도덕이 완성되면 聖人이 될 수 있다. 道德과 性命 모두 현학적이고 거창한 개념이 아니라 다른 사람의 선함을 좋아하고 나 역시 선함을 알고, 다른 사람의 악함을 미워하고 나 역시 악행을 하지 않는 것이 바로 도덕이고 性命이라고 동무는 명쾌하게 辛丑本에서 제시하였다.

1-10 **太陽人 哀局大而怒器[6] 直 哀大者仁也 怒直者[7] 義也**
是局者 哀他衆人之有成也
是器者 怒夫別人之欺己也

太陽人은 哀局이 크고 怒器는 곧으니 哀가 큰 것은 仁이고 怒가 곧은 것은 義다. 이 局은 다른 衆人의 이룸을 슬퍼하는 것이고, 이 器는 다른 사람이 나를 속임을 노여워하는 것이다.

6) 手抄本과 朝醫學에는 '氣'로 되어 있으나, 문맥상 '器'로 보는 것이 타당하다.
7) 朝醫學에는 '怒氣直者'로 되어 있으나 '怒直者'가 옳다.

少陰人 樂局大而喜器直 樂大者仁也 喜直者義也
是局者 樂他衆人之所居也
是器者 喜夫別人之助己也

少陰人은 樂局이 크고 喜器는 곧으니 樂이 큰 것은 仁이고 喜가 곧은 것은 義다. 이 局은 다른 衆人의 居處함을 즐거워하는 것이고, 이 器는 다른 사람이 나를 돕는 것을 기뻐하는 것이다.

太陰人 喜局大而樂器直 喜大者仁也 樂直者義也
是局者 喜他衆人之相助也[8)]
是器者 樂夫自己之有居也

太陰人은 喜局이 크고 樂器는 곧으니 喜가 큰 것은 仁이고 樂가 곧은 것은 義다. 이 局은 다른 衆人의 서로 돕는 것을 기뻐하는 것이고, 이 器는 자기의 居處함을 즐거워하는 것이다.

少陽人 怒局大而哀器直 怒大者仁也 哀直者義也
是局者 怒他衆人之相欺也
是器者 哀夫自己之有成也

少陽人은 怒局이 크고 哀器는 곧으니 怒가 큰 것은 仁이고 哀가 곧은 것은 義다. 이 局은 다른 衆人의 서로 속이는 것을 노여워하는 것이고, 이 器는 자기의 이룸을 슬퍼하는 것이다.

*局의 차원은 사상인 모두 뭇 사람들의 행태를 보고 느끼는 마음이다. 己의 차원은 太陽人 少陰人은 남이 자신에게 행하는 행태에서 느끼는 마음이고 太陰人 少陽人은 자신 스스로 느끼는 마음이다. 草本卷에서는 我-器/非我-局이라는 이원구조를 통해 설명하고 있음을 알 수 있다.

*인간이 知行을 하는 과정에서 哀怒喜樂이라는 감정이 발현되는데 이때 체질별로 다르게 발현되며, 我-非我의 상황에 따라서도 다르게 발현됨을 제시하였다.

*辛 3-1
太陽人 哀性遠散 而怒情促急
哀性遠散者 太陽之耳 察於天時 而哀衆人之相欺也 哀性 非他 聽也
怒情促急者 太陽之脾 行於交遇 而怒別人之侮己也 怒情 非他 怒也
少陽人 怒性宏抱 而哀情 促急
怒性宏抱者 少陽之目 察於世會 而怒衆人之相侮也 怒性 非他 視也

8) 手抄本과 朝醫學에서는 '人之衆相助也'라고 되어 있으나, '衆人之相助也'가 옳다.

哀情促急者 少陽之肺 行於事務 而哀別人之欺己也 哀情 非他 哀也
太陰人 喜性廣張 而樂情促急
喜性廣張者 太陰之鼻 察於人倫 而喜衆人之相助也 喜性 非他 嗅也
樂情促急者 太陰之腎 行於居處 而樂別人之保己也 樂情 非他 樂也
少陰人 樂性深確 而喜情促急
樂性深確者 少陰之口 察於地方 而樂衆人之相保也 樂性 非他 味也
喜情促急者 少陰之肝 行於黨與 而喜別人之助己也 喜情 非他 喜也.

辛丑本에서는 局 → 性으로 器 → 情으로 설명하고 있다. 性情은 草本卷과 마찬가지로 哀怒喜樂이라는 감정을 통해 발현된다. 草本卷과의 차이는 草本卷에서는 我-非我라는 이원구조를 통해 서술되었지만 辛丑本에서는 사원구조로 설명되고 있다. 辛丑本에서 제시되는 性情과 草本卷의 局器는 차이가 있다. 辛丑本은 性情은 臟局大小를 통해 발현되는 天機와 人事를 살피고 행하는 과정에서 발현되는 감정을 의미한다. 局器는 辛丑本의 관점에서 보면 性命을 기르고 세우는 과정의 知行의 의미가 섞여 있다. 즉 辛丑本에서 볼 수 있는 인간은 天機를 살피고, 人事를 행함에 현실에서는 私心과 怠心을 극복하며 知行을 실천한다는 사원구조의 구별이 草本卷에서는 명확하지 않고, 我-非我 이원구조에서 知行을 통해 性命을 기르고 세우는 것으로 귀결되고 있다.

표 1. 草本卷 辛丑本 構造比較

<table>
<tr><th colspan="6">草本卷</th><th colspan="6">辛丑本</th></tr>
<tr><td colspan="6">二元構造
器-局</td><td colspan="6">四元構造
天-人-性-命</td></tr>
<tr><td rowspan="2">我</td><td rowspan="2">行</td><td rowspan="2">器</td><td rowspan="2">非我</td><td rowspan="2">知</td><td rowspan="2">局</td><td rowspan="2">我</td><td>知</td><td>性</td><td rowspan="2">非我</td><td>知</td><td>天</td></tr>
<tr><td>行</td><td>命</td><td>行</td><td>人</td></tr>
</table>

표로 정리를 하면, 草本卷 辛丑本 모두 我-非我의 상황에서 발현되는 차이에 대한 동무의 인식을 확인할 수 있다. 즉 다른 사람들의 행태를 살피는 과정에서 간접적으로 느껴지는 감정과 내가 주체가 되어 직접적으로 느껴지는 감정의 양태가 다름을 동무는 알고 있었다. 그리고 체질별로 타고난 臟局大小에 의해 발현 양상 역시 차이가 있음을 草本卷에서도 명확히 제시하고 있다. 辛丑本으로 오면서 我의 측면에 知行이라는 요소가 모두 있고 이것을 性命으로 구체적으로 서술하였다. 草本卷에서는 行이라는 측면만 제시한 것과는 차이가 있다. 非我의 측면 역시 知行이라는 요소가 모두 있으며, 이것은 天人으로 구체적으로 서술하였다. 非我를 知의 측면에서만 서술한 草本卷과는 차이가 있다. 辛丑本으로 오면서 동무의 인간관이 다차원적으로 발전했음을 알 수 있다.

1-11 太陽人 哀性闊散而怒情促急 哀性[9] 闊散則氣注肺而肺益壯 怒情[10] 促急則氣激肝而肝益削 太陽人肺實肝虛者 此之故也

太陽人은 哀性은 널리 흩어지고, 怒情은 촉급하다. 哀性이 널리 흩어지면 기가 폐로 흐르고 폐는 더욱 굳세어진다.
怒情이 촉급하면 기가 간에 부딪쳐 간은 더욱 깎인다. 太陽人이 폐가 실하고 간이 허한 것은 이런 까닭이다.

少陽人 怒性闊散而哀情促急 怒性闊散則氣注脾而脾益壯 哀情促急則氣激腎而腎益削 少陽人脾實腎虛者 此之故也

少陽人은 怒性은 널리 흩어지고, 哀情은 촉급하다. 怒性이 널리 흩어지면 기가 비로 흐르고 비는 더욱 굳세어진다.
哀情이 촉급하면 기가 신에 부딪쳐 신은 더욱 깎인다. 少陽人이 비가 실하고 신이 허한 것은 이런 까닭이다.

太陰人 喜性闊散而樂情促急 喜性闊散則氣注肝而肝益壯 樂情促急則氣激肺而肺益削 太陰人肝實肺虛者 此之故也

太陰人은 喜性은 널리 흩어지고, 樂情은 촉급하다. 喜性이 널리 흩어지면 기가 간으로 흐르고 간은 더욱 굳세어진다.
樂情이 촉급하면 기가 폐에 부딪쳐 폐는 더욱 깎인다. 太陰人이 간이 실하고 폐가 허한 것은 이런 까닭이다.

少陰人 樂性闊散而喜情促急 樂性闊散則氣注腎而腎益壯 喜情促急則氣激脾而脾益削 少陰人腎實脾虛者 此之故也

少陰人은 樂性은 널리 흩어지고, 喜情은 촉급하다. 樂性이 널리 흩어지면 기가 신으로 흐르고 신은 더욱 굳세어진다.
喜情이 촉급하면 기가 비에 부딪쳐 비는 더욱 깎인다. 少陰人이 신이 실하고 비가 허한 것은 이런 까닭이다.

*1-6에서 太少陰陽之兩偏長短 卽性情之變化라고 하였다. 즉 性情의 변화를 통해 장국의 길고 짧음이 결정되는 과정을 체질별로 서술하고 있다. 여기서는 短長 대신 虛實로 표현하였다. 辛丑本에서는 주로 大小로 표현한다. 草本卷의 性情의 변화로 인해 장국

9) 手抄本과 朝醫學에는 '情'으로 되어 있으나, '性'이 옳다.
10) 手抄本과 朝醫學에는 '性'으로 되어 있으나, '情'이 옳다.

의 대소가 결정되는 관점은 辛丑本까지 이어진다. 다만 草本卷에서는 性情은 天人관점이 아니라 性命을 추구하는 知行의 과정에서는 나타나는 감정의 양태를 의미한다. 辛丑本에서 性은 天氣를 살피는 과정에서 발현되는 감정(好善之心)이고, 情은 人事를 행하는 과정에서 발현되는 감정(惡惡之心)이다. 性命의 性을 기르는 과정에서 나타나는 감정은 私心이고 命을 세우는 과정에서 나타나는 감정은 怠心이다. 草本卷과는 뚜렷한 차이가 있다.

右原人之第一統

☆原人 1통 요약

1통에서는 인간을 하늘의 선함을 타고난 존재로 보았으며, 동시에 인간 스스로 심욕을 좇고 미혹되기 쉬운 존재로 보았다. 따라서 이것을 극복하기 위해서는 知行이 필요하다. 즉 하늘의 선함을 타고났으나 하늘의 선함의 이치, 즉 마음을 곧게 하는 방법은 넓고 두루 하기 어렵기 때문에 知를 실천함이 필요하고, 또한 인간 스스로의 불완전성, 즉 心慾에 빠져 仁義禮智를 버리고 미혹되기 쉬운 가능성 때문에 行을 실천해야함을 제시하고 있다.

肺脾肝腎을 이러한 知行을 실행하는 대표적인 신체적인 요소로 제시하였다. 辛丑本에서 耳目鼻口, 肺脾肝腎, 頷臆臍腹, 頭肩腰臀이라는 신체부위를 天人性命이라는 사원구조에 대입하여 제시하였다. 이에 비해 肺脾肝腎만을 제시하였다는 점에서 아직은 초기관점으로 볼 수 있다.

器-我/ 局-非我의 이원구조를 통해 인간관을 서술하고 있음을 확인했다. 이 역시 辛丑本의 사원구조와 비교하면 초기 동무 시각임을 확인할 수 있다. 동무는 인간은 타고난 臟局大小가 존재하고 이것으로 인해 신체적, 정신적, 도덕적 차이가 체질별로 다름을 알고 있었다. 인간은 이러한 臟局大小에 의해 선천적으로 차이가 존재함은 공통적이 요소지만 이러한 대소로 인해 발생되는 문제는 결국 性命을 기르고 세우는 知行을 통해 극복해야 함을 1통에서 이야기하고 있다.

第二統

2-1 太陽之性氣 恒欲進而不欲退
太陰之性氣 恒欲靜而不欲動
少陽之性氣 恒欲擧而不欲措
少陰之性氣 恒欲處而不欲出

太陽人의 性氣는 항상 나아가려고 하고 물러나려고 하지 않는다.
太陰人의 性氣는 항상 고요하려고 하고 움직이려 하지 않는다.
少陽人의 性氣는 항상 일으키려고 하고 그만 두려고 하지 않는다.
少陰人의 性氣는 항상 처하려고 하고 나오려고 하지 않는다.

*1통에서 太少陰陽人의 臟局短長은 性情의 변화라고 하였다. 性情이 변화할 때는 氣의 양태로 발현이 된다. 체질별로 품부받은 性情이 다르며, 발현되는 양상도 다르다.

2-2 是故 太陽之學者 因其自然之性氣而 敏於進而不苟於退
故聞見日博[11] 而智慧[12] 日密也 賢者也
太陰之思者 因其自然之性氣而 安於靜而不妄於動
故威儀日愼 而行檢日成也 知者也
少陽之問者 因其自然之性氣而 堪於擧而不怠於措
故制度日審 而經倫日足也 能者也
少陰之辨者 因其自然之性氣而 重於處而不輕於出
故度量日明 而功績日至也 良者也

이와 같은 까닭에 太陽人의 배움은 그 자연스러운 性氣로 인하여 나아감에 민첩하고 물러남에 구차하지 않다. 따라서 聞見이 날로 넓어지고 智慧는 날로 주밀해지니 어진 사람이다.
太陰人의 사고함은 그 자연스러운 性氣로 인하여 고요함에 편안하고 움직임에 망령되지 않다. 따라서 威儀가 날로 신중해지고 行檢이 날로 이루어진다. 지혜로운 사람이다.
少陽人의 물음은 그 자연스러운 性氣로 일으킴을 감내하고 그만둠에 나태하지 않다. 따라서 制度(제정된 법규)가 날로 살펴지고, 經倫(실마리를 찾아 다스리고 유별하여 합침)이 날로 충족되니 능한 자이다.

11) 朝醫學에는 '傳'으로 되어 있다.
12) 手抄本과 朝醫學에는 '智賢慧'로 되어 있으나, 문맥상 '智慧'로 보는 것이 타당하다.

少陰人의 변별함은 그 자연스러운 性氣로 인하여 머무름을 중하게 하고 나아감에 가볍지 않다. 따라서 度量(헤아림)은 날로 밝아지고 공을 쌓음은 날로 지극해지니, 선량한 사람이다.

*學問思辨을 체질별로 대입하여 설명하였다. 체질별로 타고난 학문사변이 있고, 性氣의 특성에 의해 구체적인 능력으로 발전되어 賢知能良한 인간이 될 수 있다. 즉 인간은 품부받은 性氣의 특성에 의해 도덕적으로 능력 있는 사람이 될 가능성이 있다. 자신의 체질을 파악하여 그 가능성을 키워 나가야 한다.

*辛 3-8
太陽之進 量可而進也 自反其材而不莊 不能進也.
少陽之擧 量可而擧也 自反其力而不固 不能擧也.
太陰之靜 量可而靜也 自反其知而不周 不能靜也.
少陰之處 量可而處也 自反其謀而不弘 不能處也.

辛丑本에서는 이러한 性氣의 특성을 스스로 돌이키는 노력을 해야만 발현되는 것으로 설명하였다. 즉 타고난 바이고 역량도 있지만 반성하며 키워 나가지 않으면 그 능력은 莊固周弘해질 수 없다. 이것이 바로 性이 深着되는 것이다.

2-3 太陽之性氣 若進之而又[13]靜之 則非但聞見博也 威儀亦愼也 非但肺氣抑有餘也 肝氣[14]亦補不足也
太陰之性氣 若靜之而又進之 則非但行檢成也 知慧亦密也 非但肝氣抑有餘也 肺氣亦補不足也
少陽之性氣 若擧之而又處之 則非但制度審也 度量亦明也 非但脾氣抑有餘也 腎氣亦補不足也
少陰之性氣 若處之而又擧之 則非但功績至也 經綸亦足也 非但腎氣抑有餘也 脾氣亦補不足也

太陽人의 性氣가 만약 나아가고 또한 고요하면 즉 비단 聞見만 넓어지는 것이 아니라 威儀 또한 신중해지니 肺氣만 유여한 것을 억제할 뿐 아니라 肝氣가 부족한 것 또한 보충하게 된다.
太陰人의 性氣가 만약 고요하고 또 나아간다면 비단 行檢만 이루어지는 것이 아니라 知慧 또한 주밀해지니 肝氣만 유여한 것을 억제할 뿐 아니라 肺氣가 부족한 것 또한 보충하게 된다.
少陽人의 性氣가 만약 일으키고 또 머무른다면 비단 制度를 훤히 알 뿐만 아니라 度量 또한 밝아지니 脾氣만 유여한 것을 억제할 뿐 아니라 腎氣가 부족한 것 또한 보충하게 된다.
少陰人의 性氣가 만약 머무르고 또 일으킨다면 비단 功績이 지극해지는 것이 아니라 經綸 또한

13) 手抄本과 朝醫學에는 '情'으로 되어 있으나, 문맥상 '靜'이 타당하다.
14) 手抄本에는 '亦'이 누락되어 있고 朝醫學에는 '赤'으로 되어 있다.

충족하니 腎氣만 유여한 것을 억제할 뿐 아니라 脾氣가 부족한 것 또한 보충하게 된다.

*품부받은 장국의 短長을 보완하는 방법을 제시하였다. 그 방법은 자기가 타고나지 못한 性氣도 해보는 것이다. 하는 방법은 억지로 자기 방식대로 하는 게 아니라 잘 하는 사람에게 배워서 해야 한다. 예를 들어, 太陽人은 肺大肝小하다. 肝氣를 보충하기 위해서 肝氣에 해당하는 性氣를 발현해야 한다. 肝氣에 해당하는 性氣의 양태는 靜之하는 것이다. 이것을 가장 잘하는 체질이 바로 太陰人이다. 太陰人이 靜之하는 모습을 보고 따라 실천하다 보면 단순히 肝氣의 부족을 보충하는 것뿐만 아니라 肺氣의 과도함도 억제할 수 있다. 그리고 도덕적으로 타고난 능력인 문견은 더욱 넓어지고, 타고나지 못한 위의도 太陰人처럼 신중해질 수 있다.

*草本卷에서는 性氣를 통해 장국의 偏大偏小를 조절한다. 즉 자기의 편소한 性氣 또한 노력해야지만 편대한 장국의 유여을 억제하고 편소한 장국의 기운을 보충할 수 있다. 이는 性氣를 통해서 편소와 편대의 차이를 극복할 수 있다는 것을 제시하고 있다.

*호선한 마음의 편급을 막기 위해서는 상대되는 호선한 마음을 실천하는 것이 필요한데 이것은 知를 통해서 하는 것이다.

*辛 3-4
太陽之聽 能廣博於天時故 太陽之神 充足於頭腦 而歸肺者大也
太陽之嗅 不能廣博於人倫故 太陽之血 不充足於腰脊 而歸肝者小也.
太陰之嗅 能廣博於人倫故 太陰之血 充足於腰脊 而歸肝者大也
太陰之聽 不能廣博於天時故 太陰之神 不充足於頭腦 而歸肺者小也.
少陽之視 能廣博於世會故 少陽之氣 充足於背膂 而歸脾者大也
少陽之味 不能廣博於地方故 少陽之精 不充足於膀胱 而歸腎者小也.
少陰之味 能廣博於地方故 少陰之精 充足於膀胱 而歸腎者大也
少陰之視 不能廣博於世會故 少陰之氣 不充足於背膂 而歸脾者小也.

辛丑本에서는 性情의 性에 대응되는 天機를 통해 臟局大小를 설명하였다. 이 부분은 性氣를 통해 장국의 短長 및 有餘 不足을 이야기하는 草本卷의 관점과 비슷하다. 天機라는 것은 선천적인 측면이 강하다. 즉 체질별로 타고난 잘하는 능력과 잘하지 못하는 능력이 있다. 이러한 측면에 의해 정신과 신체가 차등 있게 구성된다. 天機라는 것은 人事에 비해 선천적인 영향을 더 받았다고 동무는 보고 있다. 하지만 臟局大小의 보완하는 법에 대해서는 草本卷과 달리 情氣의 暴動浪動을 조절하는 것으로 臟局大小의 편차를 보완하는 방향에 더 무게를 두고 있다.

2-4 太陽之安身　黠於居處而　不黠於事務
少陰[15]之安身　黠於事務而　不黠於居處
少陽[16]之安身　黠於黨與而　不黠於交遇
太陰之安身　黠於交遇而　不黠於黨與

太陽人의 몸을 편안히 함은 居處에는 약고 事務에는 약지 않다.
少陰人의 몸을 편안히 함은 事務에는 약고 居處에는 약지 않다.
少陽人의 몸을 편안히 함은 黨與에는 약고 交遇에는 약지 않다.
太陰人의 몸을 편안히 함은 交遇에는 약고 黨與에는 약지 않다.

*安身은 몸을 편안하게 한 상태에서 주변을 살피는 것을 의미한다. 黠은 약다, 영리하다, 교활하다 등의 의미를 가지고 있다. 신체적 능력을 의미하기보다는 지적능력을 의미하며, 부정적 의미이다.

약다는 것은 2-5에서 설명된다. 속이고, 인색하고, 나태하고, 자랑한다의 의미를 함축한 표현이다. 事務 交遇 黨與 居處는 1통에서 肺知事務 脾知交遇 肝知黨與 腎知居處로 설명되었다. 肺脾肝腎이라는 신체를 통해 事務 交遇 黨與 居處라는 지적 행위를 하는데 체질별로 臟局大小가 있기 때문에 체질별로도 차이가 있다.

2-5 是故　太陽之欲心　詐於居處而　不嗇於事務
少陰之欲心　嗇於事務而　不詐於居處
少陽之欲心　懶於黨與而　不侈於交遇
太陰之欲心　侈於交遇而　不懶於黨與

註: 有是黠而有是慝　衆人皆然　惟知命者不然

이와 같은 까닭에 太陽人의 하고자 하는 마음은 居處에서 속이고 事務에서는 인색하지 않다.
少陰人의 하고자 하는 마음은 事務에서는 인색하고 居處에는 속지 않는다.
少陽人의 하고자 하는 마음은 黨與에는 나태하고 交遇에는 스스로 많다고 자랑하지 않는다.
太陰人의 하고자 하는 마음은 交遇에는 스스로 많다고 자랑하고 黨與에는 나태하지 않는다.
약은 것이 있으면 사특한 것도 있다. 衆人들이 모두 그렇거늘 오직 命을 아는 자라야 그렇지 않다.

15) 手抄本과 朝醫學에는 '少陽'으로 되어 있으나, 다음 2-5, 2-7, 2-8 등을 고려해 볼 때 '少陰'으로 보는 것이 타당하다.
16) 手抄本과 朝醫學에는 '少陰'으로 되어 있으나, 다음 2-5, 2-7, 2-8 등을 고려해 볼 때 '少陽'으로 보는 것이 타당하다.

*몸을 편안하게 한 상태에서 주변을 살핌에 있어 사특한 마음이 발생할 수 있다. 이것을 극복하기 위해서는 命을 알아야 한다고 하였다. 1통에서 一人所作者 其欲膠着而易惑 誠行其欲之正者 道也 命也라고 하였다. 즉 하고자 하는 바의 바름을 진실무망하게 행하는 것이 바로 命이다. 安身이라는 것은 一人所作者 其欲膠着而易惑의 상황을 의미한다.

*辛 3-3
太陽之脾 能勇統於交遇 而太陽之肝 不能雅立於黨與
少陰之肝 能雅立於黨與 而少陰之脾 不能勇統於交遇
少陽之肺 能敏達於事務 而少陽之腎 不能恒定於居處
太陰之腎 能恒定於居處 而太陰之肺 不能敏達於事務.

辛丑本에서는 事務 交遇 黨與 居處는 人事로 규정하였으며 실행의 주체로 肺脾肝腎이라는 신체적 부위를 제시하였다. 草本卷과 마찬가지로 체질에 따라 能不能의 차이를 기술하였다. 하지만 배속에서는 차이가 있다.

표 2. 草本卷 辛丑本 체질별 能不能 비교

	太陽	少陰	少陽	太陰
草本卷	事務	居處	交遇	黨與
辛丑本	交遇	黨與	事務	居處

草本卷의 安身의 상황의 배속은 辛丑本의 天機의 能不能 배속에 더 가깝다. 草本卷에서는 事務 交遇 黨與 居處를 여러 상황에 혼재해서 사용하고 있다. 辛丑本에서 天-人-性-命으로 나눠서 설명한다.

표 3. 辛丑本 天人性命 능력 배속

	天	人	性	命
上焦	天時	事務	籌策	識見
中上焦	世會	交遇	經綸	威儀
中下焦	人倫	黨與	行檢	才幹
下焦	地方	居處	度量	方略

草本卷에서 지적 행위에 해당하는 事務 交遇 黨與 居處를 辛丑本에서 사원구조로 확장해서 설명하였다.

*인간은 몸이 편안한 상태에서 사특한 마음이 생기는 부분이 있다. 安身의 상황에서 발생하는 사특한 마음은 嗇侈懶詐이다. 이 표현은 辛丑本에서 怠心에 해당한다. 命을 세우는 과정에서 나타나는 마음이다.

辛 3-17

少陰之頭 宜戒奪心 少陰之頭 若無奪心 大人之識見 必在於此也.
太陰之肩 宜戒侈心 太陰之肩 若無侈心 大人之威儀 必在於此也.
少陽之腰 宜戒懶心 少陽之腰 若無懶心 大人之才幹 必在於此也.
太陽之臀 宜戒竊心 太陽之臀 若無竊心 大人之方略 必在於此也.

*安身은 一人所作의 상황이다. 이때 怠心이 나타날 수 있는데 이것을 극복할 수 있는 방법이 바로 誠行其欲之正하는 것이다. 安身은 辛丑本의 관점에서 보면 두 가지의 상황을 내포하고 있는 것으로 보인다. 天機를 살피는 상황과 命을 기르기 위해 獨行하고 있는 상황을 내포한다. 인간은 安身의 상황에서 다른 사람들이 서로 欺侮助保하는 것을 살핀다. 이때 哀怒喜樂의 性의 마음이 발현된다. 이때 체질별로 살피는 능력의 차이가 있다. 동시에 安身의 상황에서 홀로 묵묵히 명을 세워야 하는데 이때 怠心이 계속 발현된다. 결국 安身이라는 것은 직접적으로 남과 접촉하지 않고 살피거나 홀로 행하는 상황을 의미한다. 이것을 辛丑本에서는 天機와 獨行으로 나눠서 설명한 것으로 보인다.

2-6 太陽[17]之心 每不得所欲 而忿懥[18]之心[19] 恒放於胸中也
少陰之心 每欲得所欲 而好樂之心 恒放於胸中也
少陽之心 大不得所欲[20] 而憂患之心 恒放於胸中也
太陰之心 大欲得所欲[21] 而恐懼之心 恒放於胸中也

太陽人의 마음은 매번 하고자 하는 바를 얻지 못하여 분하고 성내는 마음이 항상 가슴속에서 방자하다.
少陰人의 마음은 매번 하고자 하는 바를 얻고자 하여 좋아하고 즐기는 마음이 항상 가슴속에서 방자하다.
少陽人의 마음은 하고자 하는 바를 크게 얻지 못하여 근심하고 걱정하는 마음이 항상 가슴속에서 방자하다.
太陰人의 마음은 하고자 하는 바를 크게 얻고자 하여 무서워하고 두려워하는 마음이 항상 가슴속에서 방자하다.

*체질별로 항상 방자하게 나타나는 마음에 대해 설명하고 있다. 太陽少陰人은 每라는 표현을 썼고, 少陽太陰人은 大라는 표현을 썼다. 또한 太陽少陽人은 不得이라는 표현을 썼고, 少陰太陰人은 欲得이라는 표현을 썼다. 인간이 원하는 것을 얻음에 있어 횟수를

17) 朝醫學에는 '太陽人'으로 되어 있다.
18) 手抄本에는 '忿捷'으로 되어 있고, 朝醫學에는 '忿捷'으로 되어 있으나, '大不得所欲'가 옳다.
19) 手抄本과 朝醫學에는 '心'이 누락되어 있으나 문맥상 있어야 한다.
20) 手抄本에는 '大不得欲所'로 되어 있으나, 朝醫學과 같이 '大不得所欲'으로 보는 것이 타당하다.
21) 手抄本에는 '慾'으로 되어 있으나 欲이 타당하다.

중시하는 사람도 있고, 양을 중시하는 사람도 있다. 그리고 얻지 못하는 것에 대해 크게 느끼는 사람도 있고, 얻지 못함보다는 얻음에 더 가치를 두는 사람도 있다. 동무는 인간의 욕망의 차이를 체질별로 每, 大, 不得, 欲得으로 나눠서 설명하고 있다. 太陽人은 욕망의 실현 횟수와 좌절을 중시한다. 少陽人은 욕망의 실현 정도와 좌절을 중시한다. 少陰人은 욕망의 실현 횟수와 성공을 중시한다. 太陰人은 욕망의 실현 정도와 성공을 중시한다. 이러한 상황에서 나타나는 마음도 체질별로 다르다. 태양인은 원하는 바가 자주 실현이 안 되는 것을 분노한다. 소음인은 원하는 바가 자주 실현되는 것을 좋아하고 즐긴다. 소양인은 원하는 바가 크게 실현되지 않음을 근심하고 걱정한다. 태음인은 원하는 바가 크게 실현되면 무서워하고 두려워한다.

표 4. 체질별 慾望의 양태

	욕망 실현 횟수 또는 정도	욕망 실현 유무	恒心
太陽人	횟수	無	忿懥
少陽人	정도	無	憂患
少陰人	횟수	有	好樂
太陰人	정도	有	恐懼

*辛 17-11
太陰人 恒有怯心 怯心寧靜 則居之安 資之深 而造於道也
怯心益多 則放心桎梏 而物化之也
若怯心 至於怕心 則大病 作而怔忡也 怔忡者 太陰人病之重證也.

辛 17-12
少陽人 恒有懼心 懼心寧靜 則居之安 資之深 而造於道也
懼心益多 則放心桎梏 而物化之也
若懼心 至於恐心 則大病 作而健忘也 健忘者 少陽人病之險證也.

辛 17-13
少陰人 恒有不安定之心 不安定之心寧靜 則脾氣 卽活也
太陽人 恒有急迫之心 急迫之心寧靜 則肝血 卽和也.

草本卷에 제시된 항심은 安身의 상황에서 발현되는 마음이다. 辛丑本에서는 怯心, 懼心, 不安定之心, 急迫之心으로 표현되었다. 또한 이러한 항심을 寧靜해야 편소한 장국이 보충된다. 이는 草本卷의 2-3의 제시된 편소한 장국을 보충하는 방법과 통한다. 즉, 항심을 안정시키기 위해서는 자기가 타고나지 못한 바를 잘하는 사람을 통해 배워야 편안해질 수 있다. 동시에 자기가 잘하는 바는 잘 가르쳐줘야 한다.

2-7 太陽之人 若不詐於居處則 忿懥[18]之心 無所恒放於胸中也
少陰之人 若不嗇[22]於事務則 好樂之心 無所恒放於胸中也
少陽之人 若不懶於黨與則 憂患之心 無所恒放於胸中也
太陰之人 若不侈於交遇則 恐懼之心 無所恒放於胸中也

太陽人은 만약 居處(살아 처하는 바)에서 속이지 않으면, 분하고 성내는 마음이 가슴속에서 항상 방자한 바가 없다.
少陰人이 만약 事務(직분에 힘씀)에서 인색하지 않으면, 좋아하고 즐거워하는 마음이 가슴속에서 항상 방자한 바가 없다.
少陽人이 만약 黨與(무리지어 이룸)에서 나태하지 않으면, 근심하고 걱정하는 마음이 가슴속에서 항상 방자한 바가 없다.
太陰人이 만약 交遇(만나 예우함)에서 자랑하지 않으면, 무서워하고 두려워하는 마음이 가슴속에서 항상 방자한 바가 없다.

*인간이 욕망에 의해 항심이 발현되는 근본적인 원인은 바로 事務 交遇 黨與 居處를 사특하게 하기 때문이다. 安身의 상황에서 誠行其欲之正하여 惟知命한다면 嗇侈懶詐하지 않을 수 있다. 辛丑本의 관점으로 본다면 인간은 홀로 편안히 天機를 살피는 능력을 가지고 있고, 또한 동시에 독행을 함에 나태한 마음이 발현되는 존재이다. 이때 나태한 마음에 빠지면 결국 욕망을 조절할 수 없다. 그 결과 항상 분노의 마음, 공포심 등이 가슴속에 가득하게 된다. 이를 극복하는 방법은 자신의 체질을 알아 본인이 진짜 잘하는 것과 잘하지 못하는 것을 알아 열심히 배우고 가르쳐야 한다.

2-8 太陽之接人 能於交遇 而不能於黨與
少陰之接人 能於黨與 而不能於交遇
少陽之接人 能於事務 而不能於居處[23]
太陰之接人 能於居處 而不能於事務

太陽人의 다른 사람과 접함에 交遇는 능히 할 수 있으나 黨與는 능히 할 수 없다.
少陰人이 다른 사람과 접함에 黨與는 능히 할 수 있으나 交遇는 능히 할 수 없다.
少陽人이 다른 사람과 접함에 事務는 능히 할 수 있으나 居處는 능히 할 수 없다.
太陰人이 다른 사람과 접함에 居處는 능히 할 수 있으나 事務는 능히 할 수 없다.

*接人은 安身과 달리 다른 사람과 실제적으로 접하고 경험하는 상황을 의미한다. 이러한 상황에서도 체질별로 能不能의 차이가 있음을 설명하고 있다.

22) 手抄本과 朝醫學에는 '詐'로 되어 있으나, 문맥상 '嗇'가 타당하다.
23) 手抄本과 朝醫學에는 '黨與'로 되어 있으나, 문맥상 '居處'가 타당하다.

接人과 安身의 차이는 직접적인지 또는 간접적인지에 대한 경험의 유무 등으로 나눌 수 있다. 1통에서 我-非我와는 차이가 있다. 我는 개별성을 의미하고, 非我는 보편성을 의미한다. 安身에는 我-非我의 의미가 들어 있고, 接人에도 我-非我의 의미가 모두 들어 있다.

2-9 是故 太陽之放心 驕於交遇而不譎[24)]於黨與
少陰之放心 譎於黨與而不驕於交遇
少陽之放心 傲於事務而不侮於居處
太陰之放心 侮於居處而不傲於事務

註: 有是能而有是惑 衆人皆然 有[25)]盡性者不然

이와 같은 까닭에 太陽人의 멋대로 하고자 하는 마음은 交遇에는 교만하고, 黨與에는 속이지 않는다.
少陰人의 멋대로 하고자 하는 마음은 黨與에는 속이고, 交遇에는 교만하지 않는다.
少陽人의 멋대로 하고자 하는 마음은 事務에는 거만하고, 居處에는 업신여기지 않는다.
太陰人의 멋대로 하고자 하는 마음은 居處에는 업신여기고, 事務에는 오만하지 않는다.
이러한 능함이 있으면 미혹함도 있다. 衆人이 모두 그러하니 성을 지극히 해야만 그렇지 않다.

※接人의 상황에서 능한 것을 할 때 傲驕譎侮한 마음이 발현되고, 능하지 못한 것을 할 때는 발현되지 않는다. 인간은 다른 사람과 접할 때 우선은 자기가 잘하는 방식으로 대하고 그 방식에 대한 방자한 마음이 들기가 쉽다. 자기가 못하는 것은 남을 대할 때 우선은 드러내지 않고 감추기 때문에 傲驕譎侮하지 않다고 본 것이다. 이런 방자한 마음에 빠지지 않기 위해서는 盡性해야 한다고 하였다. 盡性의 의미는 原人 1통의 天下所成者 其理[26)] 擴而難周 明知其理之善者 德也 性也에서 찾을 수 있다. 즉 그 이치의 선함을 밝게 하는 것이 바로 盡性이다. 天下所成은 接人의 상황이다.

동무는 原人 1통에서는 我-非我의 이원구조로 인간관을 설명하였다. 하지만 2통에서는 接人과 安身으로 나눠 인간관을 설명하고 있다. 그 차이를 살펴보면 接人과 安身의 차이는 직접적이냐 간접적이냐로 나눌 수 있다. 즉 직접적으로 다른 사람과 접하는가, 아니면 간접적으로 관찰만 하는가의 차이가 있다. 1통의 我-非我와는 차이가 있다. 我는 개별성을 의미하고, 非我는 보편성을 의미한다. 安身에는 我-非我의 의미가 들어 있고,

24) 手抄本과 朝醫學에는 '適'으로 되어 있으나, 문맥상 '譎'이 타당하다.
25) 手抄本과 朝醫學에는 '有'으로 되어 있으나, 문맥상 '惟'이 타당하다.
26) 手抄本과 朝醫學에서는 모두 '俗'으로 되어 있으나 의미가 명확하지 않다. 문장의 앞뒤를 고려하면 '理'로 보는 것이 타당하다.

接人에도 我-非我의 의미가 모두 들어 있다. 我-非我에도 역시 간접과 직접의 의미가 들어있다.

天下所成者 其理[27]擴而難周 明知其理之善者 德也 性也
一人所作者 其欲膠着而易惑 誠行其欲之正者 道也 命也

天下所成는 非我의 차원을 보여준다. 세상의 이룸은 이치가 넓고 두루 다 알기 어렵지만 이러한 이치라는 것은 모든 사람에게 보편적인 요소이다. 一人所作는 我의 차원을 보여준다. 한 사람이 만들어 내는 것은 개별성을 띄고 그 하고자 하는 바가 교착되고, 쉽게 미혹되는 것도 각자가 다르다. 安身은 개별성과 보편성을 모두 포괄한다. 인간은 安身이라는 一人所作상태에서 개별적(我)으로는 명을 세우기도 하고, 사특한 마음에 빠지기도 한다. 하지만 보편적(非我)으로는 다른 사람과 직접적으로 접하지 않고 인간들이 하는 행태를 간접적으로 살핀다. 이 살필 수 있는 능력있다는 것은 보편적으로 모든 사람에게 있다.

接人도 개별성과 보편성을 모두 포괄한다. 인간은 接人이라는 天下所成상태에서 보편적(非我)으로 人事를 추구한다. 즉 세상은 인간의 人事로 인해 만들어진다. 이러한 과정이 나타나기 위한 필수조건이 接人이다. 이것은 보편적이며 인간이 사회적 존재임을 의미한다. 하지만 이때도 개별성이 내포되어 있다. 직접적으로 다른 사람과 접하는 과정에서 느껴지는 감정의 양태나 정도는 모두가 다르다. 동무는 草本卷에서 我-非我, 安身-接人으로 나눠 인간을 여러 측면으로 보고자 했다. 하지만 이런 이것을 辛丑本에서 天人性命으로 재구성하였다.

표 5. 동무의 인간관 구조 비교

	직접	간접	개별	보편
我-非我	我, 非我	我, 非我	我	非我
安身-接人	接人	安身	安身, 接人	安身, 接人
天-人-性-命	人	天	性, 命	天, 人

2-10 蓋太陰之心 物慾[28]之過也 好家居之樂心 最重也
少陰之心 安逸之過也 黨人有利之喜心 最重也
少陽之心 自私之過也 大與事之哀心 最重也
太陽之心 放縱之過也 交人有害之怒心 最重也

27) 手抄本과 朝醫學에서는 모두 '俗'으로 되어 있으나 의미가 명확하지 않다. 문장의 앞뒤를 고려하면 '理'로 보는 것이 타당하다.
28) 朝醫學에는 '欲'으로 되어 있다.

대개 太陰人의 마음은 물을 탐하는 것이 과도하다. 집에 머무르기 좋아함의 즐거운 마음이 가장 중하다.
少陰人의 마음은 안일하고자 함이 과도하다. 다른 사람과 무리지음에 이득이 있음의 기쁜 마음이 가장 중하다.
少陽人의 마음은 스스로 사사로움이 과도하다. 크게 일을 꾸밈의 슬퍼하는 마음이 가장 중하다.
太陽人의 마음은 방자하고 멋대로 하는 것이 과도하다. 다른 사람과 만남에 해가 있음의 노여워하는 마음이 가장 중하다.

*草 1-5

人趨欲[29]心 有四不同 棄禮而放縱者 名曰鄙人(太陽人)
棄義而偸逸者 名曰懦人(少陰人)
棄智而飾私者 名曰薄人(少陽人)
棄仁而極慾者 名曰貪人(太陰人)

註: 四德爲慾心所陷而 有一面廢[30]棄者 有二三四面俱廢棄者 有右明而左暗者 有左明而右暗者
四德爲誠心所擴而 有一體充備者 有四體具微者 有善人信人者 有充實光輝者 有散而参差 直而高 低 間間自別 層層不同 間間参差者 衆人也 層層高低者 賢良也 聖人衆人 萬殊也

接人을 함에 1-5에서 나온 욕심이 체질별로 제시된다. 인간은 接人을 하면서 자기가 잘하는 능력에 대해 傲驕謫侮하는 마음이 발현된다. 이러한 마음이 결국 과해지면 욕심으로 치우쳐 鄙薄貪懦인이 되는 것이다. 여기서 동무는 接人할 때 나타나는 마음이 인간이 도덕적 인간에서 鄙薄貪懦로 빠질 수 있는 원인으로 보았음을 알 수 있다. 그 결과로 자기가 잘하는 능력까지도 발현되지 못하고 哀怒喜樂이 暴動浪動되는 것이다. 그리하여 장국의 대소는 더욱 더 벌어지게 된다.

인간의 가장 기본적인 감정인 哀怒喜樂도 결국 接人을 통해 발현됨을 이야기하고 있다. 1통에서 性情을 설명할 때 哀怒喜樂이라는 감정을 통해 설명하였다. 安身에서는 忿懥 好樂 憂患 恐懼라는 恒心으로 발현되는 감정을 표현했는데, 接人에서는 哀怒喜樂으로 설명한 것이 차이이다. 恒心은 주로 간접적으로 내가 관찰하거나 홀로 경험을 쌓아가는 과정에서 나타나는 감정이고, 哀怒喜樂은 性情에서 모두 발현되지만 接人과 같이 내가 다른 사람과 직접적으로 경험하는 과정에서 겉으로 확연하게 나타나는 감정(放心)으로 보았다.

29) 朝醫學에는 '欲'으로 되어 있으나 '慾'이 타당하다.
30) 手抄本에는 '癈'로 되어 있고, 朝醫學에는 '廢'로 되어 있다.

2-11 太陽之怒心 若始有見於其人之有害則 終不至暴傷於怒
而亦不敢輕易驕人也[31]
少陰之喜心 若始有見於其人之不利則 終不至暴傷於喜
而亦不敢輕易譎人也[32]
少陽之哀心 若始有見於其事之難與則 終不至暴傷[33]於哀
而亦不敢輕易傲人也[34]
太陰之樂心 若始[35]有見於其居之不好則 終不至暴傷於樂
而亦不敢輕易侮人也

太陽人의 노여워하는 마음이 만약 처음부터 그 사람이 해롭다는 것을 본다면 끝내 노여움에 갑자기 상함에 이르지 않을 것이며 또한 감히 가벼이 다른 사람에게 교만하지 않을 것이다.
少陰人의 기뻐하는 마음이 만약 처음부터 그 사람이 이롭지 않다는 것을 본다면 끝내 기쁨에 갑자기 상함에 이르지 않을 것이며 또한 감히 가벼이 다른 사람을 속이지 않을 것이다.
少陽人의 슬퍼하는 마음이 만약 처음부터 그 일에 더불어 하기 어렵다는 것을 본다면 끝내 애달픔에 갑자기 상함에 이르지 않을 것이며 또한 감히 가벼이 다른 사람에게 오만하지 않을 것이다.
太陰人의 즐거워하는 마음이 만약 처음부터 그 居處함에 좋지 않음을 본다면 끝내 즐거움에 갑자기 상함에 이르지 않을 것이며 또한 감히 가벼이 다른 사람을 업신여기지 않을 것이다.

*다른 사람과 접함에 있어서는 자기가 능한 능력으로 대하게 된다. 그 능력에는 능함이 있고 또한 거기에는 미혹되기 쉬운 마음이 즉 교만한 마음, 속이는 마음, 오만한 마음, 업신여기는 마음이 있게 된다. 이러한 마음은 私放逸慾의 마음으로 빠지게 되고 결국 四德인 仁義禮智마저 버려 鄙薄貪懦가 된다. 따라서 이것을 극복하는 방법은 처음부터 事務, 交遇, 黨與, 居處를 가벼이 하지 말고, 明知其理之善하여 盡性해야 한다. 즉 성을 기르는 노력을 하는 것이 哀怒喜樂의 暴動浪動을 예방할 수 있는 것이다.

*辛 3-16
太陰之頷 宜戒驕心 太陰之頷 若無驕心 絶世之籌策 必在於此也.
少陰之臆 宜戒矜心 少陰之臆 若無矜心 絶世之經綸 必在於此也.
太陽之臍 宜戒伐心 太陽之臍 若無伐心 絶世之行檢 必在於此也.
少陽之腹 宜戒夸心 少陽之腹 若無夸心 絶世之度量 必在於此也.

31) 手抄本과 朝醫學에는 '不敢輕易而驕人也'로 되어 있으나, 문맥상 '而'를 빼고 '不敢輕易驕人也'로 보는 것이 타당하다.
32) 手抄本과 朝醫學에는 '不敢輕易而譎人也'로 되어 있으나, 문맥상 '而'를 빼고 '不敢輕易譎人也'로 보는 것이 타당하다.
33) 手抄本과 朝醫學에는 '傷'이 없으나, 문맥상 '傷'이 있어야 타당하다.
34) 手抄本과 朝醫學에는 '不敢輕易而傲人也'로 되어 있으나, 문맥상 '而'를 빼고 '不敢輕易傲人也'로 보는 것이 타당하다.
35) 手抄本과 朝醫學에는 '有'이 없으나, 문맥상 '有'이 있어야 타당하다.

接人에서 발현되는 傲驕謫侮의 마음은 辛丑本에서 驕矜伐夸의 마음과 통한다. 驕矜伐夸는 성을 기르는 과정에서 나타나는 私心이다. 接人은 天下所成의 상황이다. 이때 私心이 나타날 수 있는데 이것을 극복할 수 있는 방법이 明知其理之善하는 것이다. 接人은 辛丑本의 관점에서 보면 두 가지 상황을 내포한다. 인간은 接人의 상황에서 다른 사람들이 본인을 欺侮助保하는 것을 경험한다. 이때 哀怒喜樂의 情의 마음이 발현되고 동시에 私心이 나타난다. 이러한 邪心을 극복하기 위해서는 慧覺을 박통하여 性을 길러야 하고 그래야 情이 暴動浪動하지 않는다. 결국 接人이라는 것은 직접적으로 남과 접촉하고 경험하는 상황을 의미한다. 이것을 辛丑本에서는 人事와 慧覺으로 나눠서 설명한 것으로 보인다.

右原人第二統

☆原人 2통 요약

原人 2통에서 우선 性氣를 제시하여 性氣에 의한 편소한 장국에 해당하는 영역의 노력이 필요함을 제시하였다. 그리고 原人 1통에서 知의 영역으로 제시된 事務, 交遇, 黨與, 居處를 安身과 接人의 상황으로 나눠서 설명하였다. 각각의 상황을 黠-不黠/能-不能으로 나누었다. 安身의 상황은 辛丑本의 관점에서 보면 天機과 命을 중심으로 恒心, 怠心과 관련지어 설명하고 있다. 接人의 상황에서는 人事와 性을 중심으로 哀怒喜樂(放心), 私心과 관련지어 설명하고 있다. 安身은 간접적인 관찰이나 경험 속에서 恒心을 조절하고, 命을 세움에 사특하여 怠心에 빠지는 것을 경계해야 하는 상황이다. 接人은 직접적인 행위나 경험 속에서 동하는 喜怒哀樂이라는 마음을 조절하고, 性을 기름에 私心에 빠지는 것을 경계해야 하는 상황이다. 原人 1통의 我-非我의 인간관, 原人 2통의 安身-接人의 인간관은 辛丑本에서 天人性命으로 재편성된 것으로 보인다.

第三統

3-1 健剛柔順　性理之四偏也
喜怒哀樂　情欲之四偏也
性理之偏　行之而察中焉則　求也
情欲之偏　行之而察節焉[36]則　得也
欲求性理之偏者　富貴顯達[37]　雖則求之　而不可以汲汲也
　　　　　　　　貧賤困窮　雖則達之　而不可以戚戚也
欲得[38]情欲之偏者　財權酒色　雖則難節　而不可以不節也
　　　　　　　　語謀行止[39]　雖則[40]難正　而不可以不正也

굳셈, 강함, 부드러움, 순함은 性의 이치의 네 가지 치우침이다.
喜怒哀樂은 情의 하고자 하는 바의 네 가지 치우침이다.
性理의 치우침은 그것을 행함에 中을 살피면 구하게 된다.
情欲의 치우침은 그것을 행함에 節을 살피면 얻게 된다.
性理의 치우침을 구하고자 하면 富貴顯達은 비록 그것을 구함에 급급해서는 안 된다.
貧賤困窮은 비록 그것에 이르더라도 두려워해서는 안 된다.
情欲의 치우침을 얻고자 하는 사람은 財權酒色을 비록 절도 있게 하기 어렵더라도 절도 없게 해서는 안 되며, 말 생각 행실 그침을 비록 바르게 하기 어렵더라도 바르게 하지 않아서는 안 된다.

*健剛柔順은 성리의 치우침인데 이것은 富貴顯達 貧賤困窮과 같이 내 뜻대로 되는 것이 아니라 선천적으로 주어지는 측면이 강하다. 喜怒哀樂은 정욕의 치우침인데 財權酒色 語謀行止와 같이 나 자신이 하고자 하는 바에 의해 결정되는 것이다. 따라서 성리는 주어진 상황에서 중도를 지키기 위해 노력해야 하고 정욕은 내가 하고자 하는 바에 있어서 절도 있게 해야 하는 것이다.

*性은 행함에 중도 있게 하는 것이 중요하다고 하였는데, 즉 한쪽으로 치우치기 쉽다는 의미이다. 情은 그것을 행함에 있어 절도를 살피고 바르게 해야 한다고 하였는데, 즉 절도 있게 하기 어렵다는 의미가 역으로 내포되어 있다. 즉 인간의 性情은 두 가지 측면 모두 네 가지로 치우쳐 있는데 이것을 中節하기 위해 노력해야 한다.

36) 朝醫學에는 '奪'로 되어 있으나, 문맥상 '焉'이 옳다.
37) 朝醫學에는 '達'로 되어 있으나, 문맥상 '違'가 옳다.
38) 手抄本과 朝醫學의 원문에는 없는 말이다. 문맥을 고려하여 추가하였다.
39) 朝醫學에는 '行正'으로 되어 있으나 문맥상 '行止'로 보는 것이 타당하다.
40) 手抄本과 朝醫學에는 '其'로 되어 있으나, 문맥상 '則'으로 보아야 한다.

*辛 2-26
喜怒哀樂之未發 謂之中
發而皆中節 謂之和
喜怒哀樂 未發而恒戒者 此非漸近於中者乎
喜怒哀樂 已發而自反者 此非漸近於節者乎.

辛丑本에서 中節에 대한 표현은 미발과 이발과 연관되어 서술되었다. 健剛柔順은 性理가 四偏된 것을 의미한다. 喜怒哀樂은 情欲이 四偏된 것을 의미한다. 辛丑本에서 喜怒哀樂으로 性情을 모두 표현하였다. 性情의 차이를 미발과 이발로 나눠서 보았다. 性이라는 것은 原人 2통의 安身의 상황에서 간접적으로 관찰하는 과정에서 느껴지는 감정이다. 그래서 아직 겉으로 발현되지 않았기 때문에 미발이라고 표현했다. 이 상황에서도 감정은 한쪽으로 치우칠 수 있기 때문에 항상 경계하고 중심을 살펴야 한다. 情이라는 것은 原人 2통의 接人의 상황에서 직접적으로 경험하는 과정에서 느껴지는 감정이다. 직접적인 경험을 통해 나타나는 감정이기 때문에 성보다는 겉으로 드러나고 폭발적으로 표출될 수 있다. 그래서 이발이라고 표현하였다. 이미 발현된 감정을 스스로 반성하여 절제해야 한다. 동무는 原人 1통과 2통에서 我-非我/安身-接人의 측면에서 인간관을 설명하였다. 原人 3통에서는 性情을 통해 체질별 인간관을 설명하고자 했다. 辛丑本에서는 天人性命의 사원구조와 性情을 통해 인간관을 설명한다.

3-2 聖人之喜怒哀樂 不暴傷者 行其誠而知人明知之故也
賢人之喜怒哀樂 猶暴傷者 行其未免有失 而知人不明之故也
不肖人之喜怒哀樂 每暴傷者 知人未嘗[41]全昧[42] 而行己不誠之故也
修練人之喜怒哀樂 不暴傷者 愛身絶慾[43] 畏人遠遁之故也

聖人의 喜怒哀樂이 멋대로 상하지 않는 것은 행함에 진실무망하고 다른 사람을 앎을 밝게 알기 때문이다.
賢人의 喜怒哀樂이 오히려 갑자기 상하는 것은 행함에 실수가 있는 것을 면하지 못하고, 다른 사람을 앎에 밝지 못하기 때문이다.
못난 사람의 喜怒哀樂이 매번 갑자기 상하는 것은 사람을 앎이 일찍이 전부 어둡고 자신을 행함에 정성스럽지 않기 때문이다.
수련인의 喜怒哀樂이 갑자기 상하지 않는 것을 몸을 사랑하여 욕심을 끊고 사람을 두려워하여 멀리 피해 있는 까닭이다.

41) 朝醫學에는 '賞'으로 되어 있으나, '嘗'이 타당하다.
42) 朝醫學에는 '味'로 되어 있으나, '昧'가 타당하다.
43) 朝醫學에는 '欲'으로 되어 있으나, '慾'이 타당하다.

*聖人, 賢人, 不肖人, 修練人의 감정 조절 능력의 차이를 설명하고 있다. 그 핵심은 行誠과 明知이다. 행동함에 있어 진실무망하고 사람을 밝게 아는 것은 인간의 노력 여하에 따라 차등이 발생한다. 그 결과 喜怒哀樂이라는 감정이 폭발하여 자기 자신을 상하게 하는 것이다. 동무가 생각하는 병리적 원인은 도덕적인 행동과 인식의 추구 여부에 있다. 인간의 기본 감정 역시 도덕적인 행동과 인식과정에서 나타난다고 보았다.

*辛 2-20
三復大禹之訓 而欽仰之 曰帝堯之喜怒哀樂 每每中節者 以其難於知人也
大禹之喜怒哀樂 每每中節者 以其不敢輕易於知人也.
天下喜怒哀樂之暴動浪動者 都出於行身不誠 而知人不明也
知人 帝堯之所難 而大禹之所吁也 則其誰沾沾自喜乎 蓋亦益反其誠而必不可輕易取舍人也.

辛丑本에서도 行身不誠과 知人不明에 의해 喜怒哀樂이 暴動浪動한다고 서술하였다. 草本卷 1-9[44]에서 明知은 明知其理之善을 의미하고, 行誠은 誠行其欲之正을 의미한다. 즉 欲求性理之偏 하는 것은 그 이치의 선함을 밝게 아는 것이고, 欲得情欲之偏하는 것은 그 하고자 함의 바름을 진실무망하게 행하는 것이다. 이러한 性情의 擴充을 통해 道德과 性命으로 쌓을 수 있다. 辛丑本에서는 性情을 天機와 人事의 측면으로 설명하였고, 性命은 박통과 독행으로 기르고 세우는 것으로 구별하였다. 草本卷에서는 性情과 性命의 구별이 명확하게 되지 않고 혼재되었는데 辛丑本에서 天人性命의 사원구조로 동무의 생각이 확장된 것을 알 수 있다.

표 6. 草本卷 辛丑本 性情 知行 性命 道德 비교

草本卷	辛丑本
性->知->性->德	天機 → 知 → 性
	博通 → 知 → 性 → 德
情->行->命->道	人事 → 行 → 情
	獨行 → 行 → 命 → 道

辛丑本에서 天機와 人事는 성인과 중인에게 차등 없이 네 가지로 치우쳐 타고나는 요소이다. 天機를 살필 수 있는 능력은 체질별로 네 가지로 나뉘는데 이것을 草本卷에서는 性理之偏으로 설명하였다. 人事를 행할 수 있는 능력도 체질별로 네 가지로 나뉘는데 이것이 情欲之偏이다. 동무는 草本卷에서 性情과 性命에 대해서 명확히 구별해서 설명하지 않았다. 辛丑本에서 性情은 선천적으로 타고난 능력인 天機와 人事라는 개념을 통해 설명하였고, 性命은 性情을 확충하는 과정에서 나타나는 邪心과 怠心을 知行을 통해

44) 天下所成者 其理擴而難周 **明知其理之善者** 德也 性也 一人所作者 其欲膠着而易惑 **誠行其欲之正者** 道也 命也

극복하면서 기르고 세워가야 하는 요소로 명확히 구별하였다. 즉 性情의 性과 性命의 性은 글자만 같을 뿐 뜻은 많은 차이가 있다.

☆性情과 性命에서 性의 차이[45]

性情에서의 性과 性命의 性은 다르다. 性情의 性은 好善之心으로 인해 발현되는 哀怒喜樂의 감정을 의미한다. 즉 好善하는 마음을 통해 天機를 살피는 과정에서 나타나는 哀怒喜樂의 감정이 바로 性이다. 하지만 性命의 性은 감정이 아니다. 이것은 邪心을 극복하여 기른 絶世의 籌策, 經綸, 行檢, 度量을 의미한다. 즉 인간이 도덕적으로 더 나은 존재가 되기 위해 추구해야 하는 목표이다. 글자는 같지만 명확히 구별해서 사용해야 한다.

3-3 頻起怒而頻伏怒則 兩脇暴盛而暴衰也 兩脇暴盛而暴衰則 肝血傷也

乍發喜而乍收[46]喜則[47] 胸膛暴闊而暴窄也 胸膛暴闊而暴窄則 脾氣傷也

忽動哀而忽止哀則 膂脊暴伸而暴屈也 膂脊暴伸而暴屈則 腎精傷也

屢得樂而屢失樂則 肩臂暴揚而暴抑也 肩臂暴揚而暴抑則 肺神傷也

자주 노하고 자주 노함을 참으면 양 옆구리가 멋대로 盛하고 멋대로 衰한다. 양 옆구리가 멋대로 盛하고 멋대로 衰하면 肝血이 상한다.

잠깐 기쁘고 잠깐 기쁨을 거두면 가슴이 갑자기 넓어지고 갑자기 좁아진다. 가슴이 갑자기 넓어지고 멋대로 좁아지면 脾氣가 상한다.

홀연히 슬픔이 동하고 홀연히 슬픔이 그치면 膂脊이 갑자기 펴지고 갑자기 굽는다. 膂脊이 갑자기 펴지고 갑자기 굽으면 腎精이 상한다.

누차 즐거움을 얻고 누차 즐거움을 잃으면 肩臂가 갑자기 올라가고 갑자기 눌린다. 肩臂가 갑자기 올라가고 갑자기 눌리면 肺神이 상한다.

*喜怒哀樂이라는 情의 동함에 의해 신체의 움직임 역시 영향을 받으며 그 결과 肺脾肝腎과 神氣血精이 손상된다. 동무는 실제적으로 감정의 폭발이 어떻게 병을 유발할 수 있는지를 보여주고 있다.

45) 장현수,『동의수세보원가이드』군자출판사, 2018, p33.

46) 手抄本에는 '受'로 되어 있고, 朝醫學에는 '收'로 되어 있으나, 문맥상 '收'가 타당하다.

47) 手抄本의 글씨는 알아보기 힘들고, 朝醫學에는 '胸重'으로 되어 있다. 이 부분이 北韓 保健省 東武遺稿에는 '胸堂'으로 표현되어 있다. 그러나 가슴을 지칭하는 바른 표현은 '胸膛'이므로 본문을 '胸膛'으로 바꾸었다.

*辛 2-17
頻起怒而頻伏怒 則腰脇 頻迫而頻蕩也 腰脇者 肝之所住着處也 腰脇迫蕩不定 則肝其不傷乎.
乍發喜而乍收喜 則胸腋 乍闊而乍狹也 胸腋者 脾之所住着處也 胸腋闊狹不定 則脾其不傷乎.
忽動哀而忽止哀 則脊曲 忽屈而忽伸也 脊曲者 腎之所住着處也 脊曲屈伸不定 則腎其不傷乎.
屢得樂而屢失樂 則背顀 暴揚而暴抑也 背顀者 肺之所住着處也 背顀抑揚不定 則肺其不傷乎.

辛丑本에서도 情氣의 暴動浪動에 의해 편소한 장국이 손상되는 과정을 草本卷보다 구체적이고 명확하게 제시하고 있다. 草 2-3에서 체질별로 性氣의 특성에 의해 장국편차가 발생하는 모습이 기술되었다. 이것이 바로 性理之偏이다. 즉 인간은 선천적으로 性氣의 차이에 의해 장국의 편차를 가지고 태어나는데 이러한 편차를 더욱 더 벌어지게 하는 것이 바로 情欲이다. 草 3-3은 타고난 性理의 편차가 情欲에 의해 더 벌어지는 것을 보여준다. 동무는 草本卷에서 性理는 선천적인 측면 情欲은 후천적인 측면을 지닌 것으로 본 것 같다. 이러한 관점이 辛丑本에서 天機와 人事라는 개념을 통해 설명되었다. 天機와 人事 모두 성인과 중인에게 보편적으로 타고난 요소이다. 하지만 이러한 보편성에서도 개별성이 존재한다. 辛 1-14 大同者天也 各立者人也 博通者性也 獨行者命也.이라고 제시하였다. 이 부분에 대한 설명은 과거에 저술했던 동의수세보원 가이드에 기술하였다.

☆東武의 시간관[48]
格致藁를 보면 巽箴下節[49]에 未來와 過去라는 표현이 나온다. 未來는 하늘에 있고 하늘은 위에 있으며, 過去는 땅에 있고 땅은 아래에 있다. 左右(知行과 財祿)는 現在를 의미한다고 유추할 수 있다. 東武는 八卦를 事心身物에 배속하였는데, 乾兌(하늘)는 事에 坤艮(땅)은 物에 離震(知行)은 心에 坎巽(財祿)은 身에 배속하였다. 이 구조는 天機, 人事, 性, 命의 구조와 관련이 있다. 藏書閣 東武遺稿 膀胱編[50]에 보면 事-天, 物-人,

48) 장현수, 『동의수세보원가이드』, 군자출판사, 2018, p11.
49)
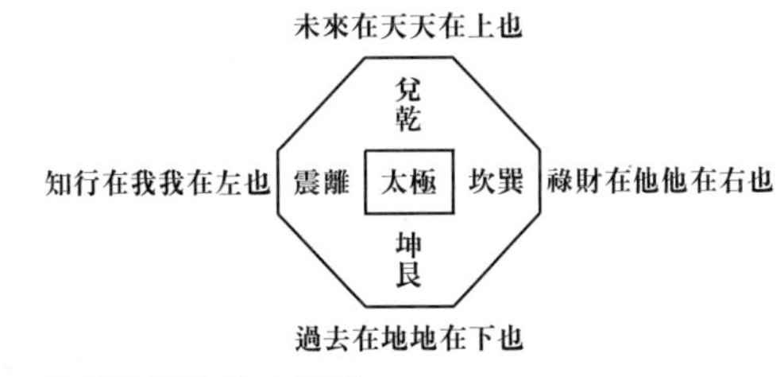

표 巽箴下節의 太極圖
50) 膀胱物也. 腰臍身也. 胸膈心也. 面目事也.
事卽天也. 物卽人也. 身卽命也. 心卽性也.天在上也. 人在下也. 身向左也. 心向右也.

身-命, 心-性으로 연결하였으며 하늘은 위에 인간은 아래에, 몸은 왼쪽으로 향하고, 마음은 오른쪽으로 향한다고 하였다.

이러한 관계를 시간적으로 재구성하면 天機는 未來에 해당하고, 人事는 過去에 해당하며, 性과 命은 現在에 해당한다. 性命을 現在로 보는 또다른 근거는 兌箴 下節[51]에서 性理는 未來이고 心欲은 見在(現在와 같은 말이다)라고 하였다. 즉 未來라는 것은 아직 오지 않았다는 측면에서 가능성을 의미한다. 聖人과 小人에게 있어 모두 大同하다. 하지만 現在는 인간이 어떠한 선택을 하는 가에 따라 즉 慾心에 빠지는가 아닌가에 따라 만가지로 다르다. 心慾을 극복하여 이룰 수 있는 것이 바로 性命이고, 인간이 性命을 이룰 수 있는 도덕적인 근거가 性情인 것이다. 즉 인간은 未來를 예측하고 살필 수 있는 天機를 알 수 있는 능력(性)을 가지고 있다. 또한 동시에 人事를 행하여 過去를 만들고 그것을 反省할 수 있는 능력(情)도 가지고 있다. 이 점은 聖人과 衆人 모두 동일하다. 好善하는 마음을 바탕으로 未來를 살피고, 惡惡하는 마음을 바탕으로 過去를 반성하는 인간의 마음 그것이 바로 性情이다. 하지만 未來를 살피고 過去를 반성하여 이성적으로 現在의 시점에서 판단하고 행동할 때 방해하는 요소가 바로 邪心과 怠心이라는 心慾이다. 이것은 인간의 酒色財權을 추구하는 본능적 욕구이며 무조건 부정한 대상만은 아니다. 하지만 이것이 지나치면 결국 現在의 자신이 鄙薄貪懦로 전락할 뿐 아니라 결국 자신이 타고난 好善하고 惡惡하는 도덕적 능력, 즉 性情까지도 偏急되어 深着되고 暴動浪動하게 된다. 결국 未來 現在 過去가 다 망가지게 된다. 즉 東武가 未來 現在 過去가 서로 영향을 주고 있음을 도덕적으로 육체적으로 풀어내기 위한 얼마나 노력했음을 東醫壽世保元을 통해 알 수 있다.

天心惡私也, 人心惡慾也, 命理戒逸也, 性理戒放也
天心惡私, 故我身忘於天, 而漸向左也.
人心惡慾, 故我心忘於人, 而漸向右也.
忘於天者, 不以私要天也.
忘於人者, 不以慾要人也.不以私要天, 則身益正大而天必應也.
不以慾要人, 則心益光明而人必與也 .
盖天心不可以私得, 而可以無逸得也 .
人心不可以慾得, 而可以無放得也.
伯夷以一善而興善於天下, 故必求越等之賢.
柳下惠以衆惡而制惡於地上, 故不厭時俗之賢.
盖善可以一人興而惡不可以一人制也.
惡可以衆人制而善不可以衆人興也.

51) 性純善也 聖人與君子小人 一同也 心可以善惡也 聖人與君子小人 萬殊也
性理也 未來也 聖人與君子小人 一同理於未來也
心欲也 見在也 聖人與君子小人 萬殊欲於見在也
一同者 善也 一同 故易知也 萬殊者 惡也 萬殊 故難知也

3-4 怒極者 怒之不勝其忿 而悲哀動中則 肝魂亂也
喜極者 喜之長往不返 而逸樂無已[52]則 脾靈亂也
哀極者 哀之極渴癲思 而恐愼守失則 腎志亂也
樂極者 樂之必充侈心 而[53]喜嗜無節則 肺意亂也

노함이 극심하면 노여움이 그 분함을 이기지 못하고 悲哀가 동하니 肝魂이 어지러워진다.
기뻐함이 극심하면 기뻐함이 길게 갔다가 돌아오지 못하고 안일한 즐거움이 그침이 없으니 脾靈이 어지러워진다.
애달픔이 극심하면 애달픔이 극히 속을 끓여 생각하고 실수를 두려워하고 삼가니 腎志가 어지러워진다.
즐거움이 극심하면 즐거움이 반드시 스스로 많다고 자랑하는 마음으로 채워져 기뻐하고 즐김에 절제가 없으니 肺意가 어지러워진다.

*辛 2-22
哀怒相成 喜樂相資
哀性極則怒情動
怒性極則哀情動
樂性極則喜情動
喜性極則樂情動
太陽人 哀極不濟則忿怒激外
少陽人 怒極不勝則悲哀動中
少陰人 樂極不成則喜好不定
太陰人 喜極不服則侈樂無厭
如此而動者 無異於以刀割臟 一次大動 十年難復
此死生壽夭之機關也 不可不知也.

*辛丑本에서 性이 극하면 情이 동한다고 하였다. 草本卷에서는 性이 지극하면 情이 동한다는 명확한 설명은 없다. 辛丑本의 怒極者 怒之不勝其忿 而悲哀動中이라는 표현과 草本卷의 怒極不勝則悲哀動中이란 표현은 유사하다. 辛丑本의 관점에서 草本卷의 표현을 보면 性이 지극해지면 情이 동하는데 이때 性이 지극해지는 것도 병리적인 원인이 될 수 있다는 것을 알 수 있다. 草 3-4에서 이야기하는 怒極喜極哀極樂極은 性理之偏이 中을 잃은 것을 의미한다. 그 결과 肺脾肝腎에 영향을 주고 특히 의령혼백이라는 정신적 측면을 어지럽게 한다. 동무는 草本卷에서 辛丑本과 마찬가지로 性의 深着도 臟局大小에 영향을 주는 병리적인 원인으로 보았음을 알 수 있다. 결국 性情 발현 양상의 차이는 있지만 치우치게 되면 臟局大小에 영향을 주고 그 결과 인간은 병이 발현되게 된

52) 手抄本과 朝醫學에는 '己(몸 기)'로 되어 있으나, 문맥상 '已(그칠 이)'로 보는 것이 타당하다.
53) 手抄本과 朝醫學에는 없으나 문맥상 '而'가 있는 것이 타당하다.

다. 草 3-3에 제시되고 있는 喜怒哀樂은 情의 차원에서 기술된 것으로 보인다. 情의 차원에서 폭동하게 되면 이때는 肺脾肝腎의 神氣血精이라는 물질적 측면이 손상된다.

3-5 是故 善養肺者 戒貪慾[54]而寬其語[55]則 神清而意豁也
善養脾者 戒喜好而直其謀則 氣雄而[56]魄聳也
善養肝者 戒嗔怒而閑其行則 血化而魂往也
善養腎者 戒勇敢而安其所則 精足而志充也

이와 같은 까닭으로 肺를 잘 기르기 위해서는 탐욕을 경계하고 그 말을 너그럽게 하면 神이 맑아지고 意가 탁 트이게 된다.
脾를 잘 기르기 위해서는 기뻐하고 좋아하는 것을 경계하고 그 도모함을 곧게 하면 氣가 웅장해지고 魄이 우뚝 솟게 된다.
肝을 잘 기르기 위해서는 성내고 노여워하는 것을 경계하고 그 행함을 한가하고 여유롭게 하면 血이 化하고 魂이 가게 된다.
腎을 잘 기르기 위해서는 용감함을 경계하고 그 처하는 바를 편안히 하면 精이 충족되고 志가 충족된다.

*肺脾肝腎을 잘 기르기 위해서는 性情으로부터 발현되는 마음을 모두 경계하고 그리고 도덕적 행동을 실천해야 한다. 즐거워하는 마음이 과도해지면 결국 그것에 빠져 계속 탐하려는 욕심이 생긴다. 기뻐하는 마음이 과도해지면 계속 그것만 선호함에 빠지게 된다. 노하는 마음이 과도해지면 노발대발하게 된다. 애달파하는 마음이 과도해지면 속임을 당하지 않기 위해 만용을 부리게 된다. 貪慾 喜好 嗔怒 勇敢은 과도한 욕심을 부리고, 안일함을 탐하고, 사사로이 꾸며내고, 제멋대로 행동하는 것을 의미한다. 草 1-5[57]에서 제시한 仁義禮智를 버리고 鄙薄貪懦가 되어가는 과정에서 나타나는 행동들이다. 이것을 극복하기 위한 기본이 바로 人事를 함에 邪心과 怠心에 빠지지 않고 達合立定하게 하는 것이다. 말을 너그럽게 한다는 것은 事務를 하는 태도를 의미하고, 그 도모함을 곧게 한다는 것은 交遇를 하는 방식을 의미한다. 행동을 한가하게 한다는 것은 黨與를 세우는 방식을 의미하고, 그 처하는 바를 편안히 한다는 것은 居處를 定하게 하는 방식을 의미한다.

54) 朝醫學에는 '欲'으로 되어 있다.
55) 手抄本의 글씨는 알아보기 힘들고 朝醫學에는 '衣'로 되어 있다. 그러나 '衣'로 하거나 '依'로 하면 문맥이 어색하다. 3-1조문의 "語謀行止 雖則難正 而不可以不正也"를 참고하여 본문에서 '語'로 기록하였다.
56) 手抄本과 朝醫學에는 없으나 문맥상 '而'가 있는 것이 타당하다.
57) 人趨欲心 有四不同 棄禮而放縱者 名曰鄙人(太陽人)
棄義而偸逸者 名曰懦人(少陰人)
棄智而飾私者 名曰薄人(少陽人)
棄仁而極慾者 名曰貪人(太陰人)

표 7. 肺脾肝腎의 善養

	경계해야 하는 마음	노력해야 하는 행동	善養의 물질적 결과	善養의 정신적 결과
肺	貪慾-極慾-樂心	寬其語-事務-達	神淸	意豁
脾	喜好-偸逸-喜心	直其謀-交遇-合	氣雄	魄聳
肝	嗔怒-飾私-怒心	閑其行-黨與-立	血化	魂往
腎	勇敢-放縱-哀心	安其所-居處-定	精足	志充

3-6 太陽人 未怒前 預備暴怒則 怒易安也
少陰人 未喜前 預備暴喜則 喜易安也
太陰人 未樂前 預備暴樂則 樂易安也
少陽人 未哀前 預備暴哀則 哀易安也

太陽人은 아직 노하기 전에 갑자기 노하는 것을 미리 대비하면 노여움이 쉽게 편안해진다.
少陰人은 아직 기뻐하기 전에 갑자기 기뻐하는 것을 미리 대비하면 기쁨이 쉽게 편안해진다.
太陰人은 아직 즐거워하기 전에 갑자기 즐거워하는 것을 미리 대비하면 즐거움이 쉽게 편안해진다.
少陽人은 아직 애달파하기 전에 갑자기 애달파하는 것을 미리 대비하면 애달픔이 쉽게 편안해진다.

*체질별로 폭발하기 쉬운 감정을 제시하고 그러한 감정이 폭발하기 전에 미리 예상하고 대비한다면 안정될 수 있다. 여기에서 나타나는 哀怒喜樂은 情에 해당한다고 볼 수 있다. 즉 太陽人의 怒情, 少陽人의 哀情, 少陰人의 喜情, 太陰人의 樂情이 폭발할 수 있는데 폭발하기 전에 미리 폭발하지 않도록 대비하는 것이 가장 쉽게 그러한 마음을 안정시킬 수 있다.

3-7 蓋未怒前 預備暴怒之偏 已怒時 坐思不必過怒之理 此術最好 喜哀樂倣[58]此.

대개 아직 노하기 전에 갑자기 노하는 치우침을 미리 대비하고, 이미 노했을 때는 앉아서 과하게 노할 이치가 필요 없음을 생각해야 한다. 이렇게 하는 것이 최고로 좋다. 기뻐하고 슬퍼하고 즐거워하는 것도 이와 같이 한다.

58) 朝醫學에는 '做'로 되어 있다.

※폭발하기 쉬운 마음이 발현되기 전에는 미리 발현되지 않도록 대비하고, 발현한 이후에는 불필요하게 발현될 까닭이 없었음을 앉아서 반성한다면 이것이 제일 좋은 방법이다. 草本卷에서는 辛丑本처럼 性情을 명확히 구별해서 설명하지는 않고 있다. 原人 1통에서 哀怒喜樂으로 체질별 性情을 서술하긴 했지만 原人 3통에서 哀怒喜樂을 情欲의 측면으로 이야기하고 情欲을 어떻게 조절할지에 대해서 서술했다. 하지만 性에서 발현되는 마음과 情에서 발현되는 마음이 모두 肺脾肝腎에 영향을 주는 것은 동무도 인식하고 있지만 명확히 구별되지 않고 혼재되어 설명되고 있다. 결론적으로 情에 해당하는 마음이 暴動하여 肺脾肝腎에 미치는 영향이 크니 그것을 강조해서 조절할 것을 이야기하고는 있지만 설명에 한계가 보인다.

3-8 太陽人少陽人　深警哀怒之過度　而祇可少引喜樂之不及
而不必大做喜樂事而强擭[59]之也.
若强擭喜樂則　喜樂不出於眞[60]情而慾[61]心動　而哀怒益偏也.
太陰人少陰人　深警喜樂之過度　而祇可少引哀怒之不及
而不必大做哀怒之事强擭之也.
若强擭哀怒則　哀怒不出於眞情而慾心動　而喜樂益偏也.

太陽人 少陽人은 哀怒의 過度를 깊이 경계하고 다만 喜樂의 不及을 조금씩 끌어내는 것이 옳다. 그러나 喜樂의 일을 크게 짓거나 억지로 끌어낼 필요는 없다. 만약 억지로 喜樂을 끌어내면 喜樂는 진정으로 나오지 않고 욕심이 동하고 哀怒는 더욱 편급해진다.

太陰人 少陰人은 喜樂의 過度를 깊이 경계하고 哀怒의 不及을 조금씩 끌어내는 것이 옳다. 그러나 크게 哀怒의 일을 지어 낼 필요가 없고 억지로 할 필요도 없다. 만약 억지로 哀怒를 끌어내면 哀怒는 진정으로 나오지 않고 욕심이 동하며 喜樂은 더욱 편급해진다.

※과도하기 쉬운 감정들은 그렇지 않도록 깊이 경계하고 불급하기 쉬운 것은 억지로 끌어내지 말고 약간만 끌어내어야 한다. 과도하기 쉬운 면을 경계할 수 있는 방법은 肺脾肝腎을 善養할 때 하듯이 寬其語, 直其謀, 閑其行, 安其所하는 것이다. 자신의 불급한 면을 억지로 하지 않고 조금씩 끌어내는 것은 그 부분을 잘 하는 사람에게 배워가며 천천히 자기 것으로 만들어가며 하는 것을 의미한다. 결국 급하게 자기가 잘하는 방식으로 못하는 것을 급하게 하면 결국 자기의 과도한 감정은 더욱 더 폭발하게 된다.

---

59) 朝醫學에는 '㩼'으로 되어 있으나 '擭'이 옳다.
60) 朝醫學에는 '其'로 되어 있으나, '眞'이 옳다.
61) 朝醫學에는 '欲'으로 되어 있다.

辛 2-25
太陽少陽人 但恒戒哀怒之過度 而不可强做喜樂 虛動不及也
若强做喜樂 而煩數之 則喜樂 不出於眞情 而哀怒益偏也
太陰少陰人 但恒戒喜樂之過度 而不可强做哀怒 虛動不及也
若强做哀怒 而煩數之 則哀怒 不出於眞情 而喜樂益偏也.

辛丑本에서도 비슷하게 설명하였다. 자기가 과도할 수 있는 부분은 항상 경계하고, 부족한 부분은 억지로 지어내지 말라고 하였다. 즉 學不厭教不倦을 통해 천천히 자기 것으로 만들어가야 한다. 이 과정이 바로 性命을 기르고 세우는 것이다. 자신의 불급한 부분을 할 때 邪心과 怠心에 빠지기 쉽다. 그 결과 자기가 잘하는 측면으로만 과도하게 못하는 부분을 해결하려고 하니 결국 性氣는 더욱 深着되고 情氣는 더욱 暴動浪動하게 된다.

3-9 蓋警之而少引則 過之者退 適於中 而不及者亦暗進 守中矣
若强揠[62]之而大做則 非徒無益而又害之

대게 경계하고 약간 끌어내면 과한 것은 물러나고 中에 맞으며 불급한 것 또한 슬그머니 나아가고 中을 지키게 된다. 만약 억지로 끌어내어서 크게 지어내면 단지 이익이 없을 뿐 아니라 또한 해를 끼칠 것이다.

※强揠은 배우지 않고 급하게 자기가 잘하도록 타고난 방식으로 못하는 부분을 억지로 하는 것을 의미한다. 이렇게 하는 것은 무익하고 오히려 해가 된다.

3-10 是故恭敬也已矣 誠信也已矣
喜怒哀樂 未發而預備者 非恭敬之道乎 喜怒哀樂 既發而不强揠者 非誠實之德乎
未發而預備者 非中之謂乎 既發而不强揠者 非節之謂乎

이와 같은 까닭으로 공경할 뿐이요 정성스럽게 믿을 뿐이다.
喜怒哀樂이 未發하기 전인데도 미리 대비하는 것은 공경하는 道가 아니겠는가? 喜怒哀樂이 이미 발했는데도 억지로 뽑아내지 않는 것은 성실한 德이 아니겠는가?
未發할 때 미리 경계하는 것이 中道를 이름이 아니겠는가, 已發 했을 때 억지로 뽑아내지 않는 것이 節度에 맞는 것이 아니겠는가?

62) 朝醫學에는 '楃'으로 되어 있으나 '揠'이 옳다.

*草 3-1[63]에서 喜怒哀樂은 情欲의 치우침으로 서술했고, 健剛柔順은 性理의 치우침으로 설명했다. 3-1에서 性理之偏 行之而察中焉이라고 했는데 3-10에서 喜怒哀樂 未發而預備하는 것을 非中之謂라고 하였다. 즉, 健剛柔順은 喜怒哀樂이 未發의 상황을 의미하고 이때도 喜怒哀樂의 감정은 존재한다. 다만 情欲의 상황처럼 겉으로 드러나지 않기 때문에 健剛柔順으로 표현했다. 즉 관찰자적 입장에서 간접적으로 경험하기 때문에 喜怒哀樂이라는 감정이 드러나지는 않지만 과도해질 수 있는 가능성이 있고 추후 情氣가 동하여 폭발할 수 있다. 따라서 未發而預備는 性氣를 조절하는 원칙을 의미한다. 辛丑本에서 性氣가 지극해지면 情氣가 동한다고 하였다. 즉 喜怒哀樂이라는 감정이 폭발적으로 겉으로 드러나는 것의 시작은 바로 未發의 상황에서 中을 잃었을 때이다. 草 3-4[64]의 상황은 未發而預備 하지 못했을 때 나타나는 결과를 의미한다. 喜怒哀樂 既發而不強握은 이미 喜怒哀樂이 情氣가 促急된 상황을 의미한다. 즉 자기가 타고난 능력으로 억지로 타고나지 못한 면을 하려 하는 상황이다. 이러한 상황을 극복하기 위해서는 우선 편급된 喜怒哀樂에 대해 굳이 이렇게까지 감정을 폭발할 필요가 있는지 앉아서 생각해봐야 한다. 그것이 바로 節이다. 그 후에 자기의 타고난 바를 고집하지 않고 타고나지 못한 부분을 잘하는 사람에게 배워서 진정한 자기 것으로 만들어가야 한다.

3-11 **人非堯舜 何能仁義禮智 事事盡善**
人非孔孟 何能喜怒哀樂 節節必中
雖不善也 不太不善則 已[65]近於善矣
雖不節也 不太不節則 已近於節矣
如此做去則 自然避凶 趍吉免危 而祗安五臟完 而福壽至矣

사람이 요순과 다르지만 어찌 仁義禮智를 일마다 善을 다할 수 있으며, 사람이 공자, 맹자가 아닌데 어찌 喜怒哀樂이 적절하여 中을 지키는가?

---

63) 草 3-1
健剛柔順 性理之四偏也
喜怒哀樂 情欲之四偏也
性理之偏 行之而察中焉則 求也
情欲之偏 行之而察節焉則 得也
欲求性理之偏者 富貴顯達 雖則求之 而不可以汲汲也
貧賤困窮 雖則達之 而不可以戚戚也
欲得情欲之偏者 財權酒色 雖則難節 而不可以不節也
語謀行止 雖則難正 而不可以不正也

64) 草 3-4
怒極者 怒之不勝其忿 而悲哀動中則 肝魂亂也
喜極者 喜之長往不返 而逸樂無已則 脾靈亂也
哀極者 哀之極渴瘧思 而恐愼守失則 腎志亂也
樂極者 樂之必充侈心 而喜嗜無節則 肺意亂也

65) 手抄本과 朝醫學에는 '己(몸 기)'로 되어 있으나, 문맥상 '已(그칠 이)'로 보는 것이 타당하다.

비록 선함이 아니나 크게 不善하지 않으면 이미 善에 가까우며, 비록 節은 아니나 크게 節度에 어긋나지 않으면 이미 節에 가깝다. 이와 같이 지어가면 자연히 흉함을 피하고 길함을 좇아 위험을 면하니 마침내 五臟은 완전히 편안해지고 복과 장수가 이른다.

*健剛柔順(굳셈, 강함, 부드러움, 순함)은 인간이 간접적으로 경험하는 과정에서 느껴지는 哀怒喜樂이라는 감정이 속에 내포되어 있고 밖으로 드러나지 않은 상태를 의미한다. 이러한 性理가 구체적으로 발현되는 양상을 仁義禮智라고 이야기하였다. 仁義禮智라는 性理가 있다는 것은 요순이나 중인이나 대동한 요소이다. 하지만 이렇게 선한 이치라도 知行의 실천여부에 따라 차등이 존재한다.

인간이 직접적으로 경험하고 살아감에 있어 喜怒哀樂의 감정이 뚜렷하게 발현된다. 이러한 측면은 공자 맹자나 중인도 모두 공통적으로 가지고 있는 요소이다. 하지만 이 역시 知行의 실천 여부에 따라 차등이 존재한다. 하지만 동무는 요순이나 공자 맹자 수준의 도덕성을 모든 사람에게 요구하는 것은 아니다. 비록 선하지 않더라도 크게 어긋날 정도로 불선하지 않고, 비록 절제하지 못하더라도 크게 어긋나게 절제하지 못한 것만 아니라면 그 노력만으로 이미 선하고 절도 있는 것으로 인정할 수 있다고 하였다. 이러한 노력이 결국 화를 당하지 않고 복을 받으며 건강하게 장수할 수 있는 방법이다.

3-12 善思[66]可也　敬行可也
善思不錠[67]　敬行不殆
善思醫也　敬行藥也
善思活血　敬行順氣　則可也

선한 생각은 옳고, 공경하며 행동하는 것은 옳다.
선한 생각은 얽매이지 않고, 공경하는 행동은 위태롭지 않다.
선한 생각은 醫이고, 공경하는 행동은 藥이다.
선한 생각은 血을 활발하게 하고, 공경하는 행동은 氣를 순조롭게 하니 즉 옳다.

*善思는 明知를 의미하고, 敬行은 誠行을 의미한다. 즉 선한 생각과 진실무망한 행동은 기혈을 순환시키고 사람을 살리는 근본이다.

*辛 16-23
天下之惡 莫多於妬賢嫉能
天下之善 莫大於好賢樂善 不妬賢嫉能而爲惡 則惡必不多也

66) 手抄本과 朝醫學에는 '事'로 되어 있으나, 문맥상 '思'가 타당하다.
67) 手抄本에는 '錠'으로 되어 있고, 朝醫學에는 '鐲'으로 되어 있으나, 문맥상 '錠'으로 보는 것이 타당하다.

不好賢樂善而爲善 則善必不大也.
歷稽往牒[68] 天下之受病 都出於妬賢嫉能
天下之救病 都出於好賢樂善
故曰 妬賢嫉能 天下之多病也
好賢樂善 天下之大藥也.

辛丑本에서 好賢樂善과 妬賢嫉能이라는 표현을 통해 善惡 및 病藥을 설명하였다. 好賢樂善하고 妬賢嫉能하지 않는 것이 中節을 지키는 기본원칙이다. 이것을 바탕으로 인간을 병에서 구할 수 있다.

善思는 好賢樂善 하는 것과 통하고 敬行은 不妬賢嫉能과 통한다. 즉 어질고 선한 사람을 좋아하고 즐기는 게 바로 선한 생각을 하는 것이고, 어질고 능력 있는 사람을 질투하지 않는 것이 공경하며 행동하는 것이다.

표 8. 喜怒哀樂 未發과 已發

	喜怒哀樂 未發	喜怒哀樂 已發
性情	-性氣가 지극해지고 같은 방향성을 가진 情氣도 같이 動하고 있는 상태 -偏大한 臟局이 過度해지는 상태	-情氣가 폭발한 상태 -偏小한 臟局이 不及해지는 상태
克服	預備: 情氣가 暴發에 이르지 않도록 대비	不强擐而少引: 情氣가 暴發한 뒤에 폭발된 情氣로 자기가 타고나지 못한 부분을 억지로 하지 않고, 不及한 부분은 잘하는 체질로부터 배워서 해야 함
中節	行之而察中	行之而察節
知行	善思 → 活血 → 醫	敬行 → 順氣 → 藥
廣濟	好賢樂善	不妬賢嫉能

3-13 少年不惜生 中年已未及學問者 愛道德養生者 措身命 詩云 戰戰兢兢 如臨深淵 如履薄冰 非徒然畏葸窘促之義也 卽善思敬行之謂也

소년에 生을 아끼지 않고 중년에 이미 학문에 미치지 못한 사람은 道德을 사랑하고 養生하는 것에 몸과 命을 둔다.
시경에 이르길 "두려워하듯 조심하기를 깊은 못에 임하듯이 얇은 얼음을 밟듯이 하라" 했는데, 비단 공연히 두려워하여 군색하고 촉박하다는 뜻이 아니라 선한 생각과 공경하는 행동을 이름이다.

68) 歷稽: 차례차례로 상고함 往牒: 지나간 기록

※젊었을 때 몸을 아끼지 않고, 중년이 되어도 학문에 힘쓰지 않은 사람이 오래 살기 위해서는 도덕을 사랑하고 양생에 힘써야 한다. 그 방법은 선한 생각을 하고 공경하는 행동을 하는 데 있어 마치 깊은 연못 앞에 있거나, 얇은 얼음을 밟을 때 조심하고 경계하듯이 해야 한다. 멋대로 해서는 안 된다. 돌다리도 두드리면서 가듯이 계속 살피면서 생각하고 행동해야 한다.

右原人之第三統

☆原人 3통 要約

3통에서는 性理와 情欲 모두 치우침이 있기 때문에 中節을 지키는 것에 대해서 설명하였다. 그 구체적인 방법을 哀怒喜樂, 肺脾肝腎, 太少陰陽人이라는 체질적인 측면을 통해 설명하였다. 性은 未發의 감정상태, 情은 已發의 감정상태로 보았다. 未發의 상태는 性의 감정이 지극해지고, 情의 감정이 動한 상태를 의미하고, 已發의 상태는 情의 動함이 暴發한 상태를 의미한다. 未發의 상황에서 편대한 장국은 더욱더 과도해지고 已發의 상황에서 편소한 장국은 더욱더 불급해진다. 이것을 극복하는 방법은 폭발에 빠지지 않도록 미리 대비하고, 폭발했다면 반성해서 다시 진정시켜야 한다. 이것이 中節을 지키는 방법이다.

第四統

4-1 神安意　氣安魄　血安魂　精安志
首能伸　肱能收　腹能放　股能屈
肺安學[69] 脾安問　肝安思　腎安辨
耳能聽　目能視　舌能言　頤能貌

神은 意를 편안하게 하고 氣는 魄을 편안하게 하고 血은 魂을 편안하게 하고 精은 志를 편안하게 한다.
머리는 펴는 것을 능히 하고 팔뚝은 거두는 것을 능히 하고 배는 내놓기를 능히 하고 허벅지는 능히 굽힌다.
肺는 배우는 것을 편안히 하고 脾는 묻는 것을 편안히 하고 肝은 생각하는 것을 편안히 하고 腎은 분별하는 것을 편안하게 한다.
귀는 듣는 것을 능히 하고 눈은 보는 것을 능히 하고 혀는 능히 말하고 턱은 능히 모습을 잘 낸다.

*인간을 사원구조로 설명하려는 동무의 생각이 原人 4통에서 나타난다. 原人 1, 2, 3통에서는 我-非我/安身-接人의 이원구조로 주로 性情과 연관지어 설명하였다. 辛丑本의 天人性命 사원구조에 대한 초기 동무 생각을 확인할 수 있는 것이 4통이다.

표 9. 몸을 통해 나타나는 變靜動化

身	變靜動化
神氣血精	安-意魄魂志
首肱腹股	能-伸收放屈
肺脾肝腎	安-學問思辨
耳目鼻口	能-聽視言貌

*신체 부위를 제시하고 각각의 부위가 하는 작용을 서술하였다. 神氣血精과 肺脾肝腎은 정신적인 행위를 편안하게 하는 신체 부위이고, 首肱腹股와 耳目鼻口는 몸의 움직임과 인지를 능동적으로 하는 신체 부위로 보았다.

*辛 4-11
膩海之濁滓 則頭 以直伸之力 鍛鍊之而成皮毛
膜海之濁滓 則手 以能收之力 鍛鍊之而成筋

69) 手抄本과 朝醫學에는 '覺'으로 되어 있으나, 문맥상 '學'이 타당하다.

血海之濁滓 則腰 以寬放之力 鍛錬之而成肉
精海之濁滓 則足 以屈强之力 鍛錬之而成骨.

辛 4-12
是故 耳必遠聽 目必大視 鼻必廣嗅 口必深味
耳目鼻口之用 深遠廣大 則精神氣血 生也
淺近狹小 則精神氣血 耗也.
肺必善學 脾必善問 肝必善思 腎必善辨
肺脾肝腎之用 正直中和 則津液膏油 充也
偏倚過不及 則津液膏油 爍也.

*辛 4-13
膩海藏神 膜海藏靈 血海藏魂 精海藏魄.

*辛 4-14
津海藏意 膏海藏慮 油海藏操 液海藏志.

*辛 4-17
心爲一身之主宰 負隅背心 正向膻中 光明瑩徹
耳目鼻口 無所不察 肺脾肝腎 無所不忖 頷臆臍腹 無所不誠 頭手腰足 無所不敬.

*辛丑本에서는 草本卷에 비해 실제적인 능력을 발휘하는 신체를 명확히 제시하였다. 草本卷에서 제시된 神氣血精은 사실 부위로 한정할 수 없는 신체의 구성요소인대 제시방식이 논리적으로 애매하다.

4-2 **精神氣血之能 周而暢也 周而暢 故載萬物也**
首腹肱股之能 堅而勤也 堅而勤 故行萬物也
肺脾肝腎之能 忍而容也 忍而容[70] 故知萬物也
耳目鼻口之能 敏而捷也 敏而捷 故覆萬物也

精神氣血의 능함은 두루 펼치는 것이다. 두루 펼치는 까닭에 만물을 싣는다.
首腹肱股의 능함은 굳고 근면하다. 굳고 부지런한 까닭에 만물을 행한다.
肺脾肝腎의 능함은 인내하고 포용한다. 인내하고 포용하는 까닭에 만물을 안다.
耳目鼻口의 능함은 민첩하다. 민첩한 까닭에 만물을 덮는다.

70) 手抄本과 朝醫學에는 '能忍而容'으로 되어 있으나, 문맥상 '忍而容'이 타당하다.

*만물을 싣고 덮고 행하고 아는 것은 육체를 가진 사람에게 내재된 능력이다. 몸을 통해 능력을 설명하는 것은 동무가 인간의 도덕능력은 형이상학적인 것이 아니라 노래 잘 하고 그림 잘 그리는 능력처럼 하나의 타고난 생물학적 능력임을 강조하기 위해서다. 載萬物은 땅의 역할이다. 覆萬物은 하늘의 역할이다. 이와 비슷한 방식의 설명은 격치고에 제시된다.[71] 동무는 原人 4통에서는 天-地-知行-載錄과 같은 사원구조를 통해 인간관을 기술하고자 함을 볼 수 있다. 이러한 초기 사원구조는 辛丑本에서 天-人-性-命으로 개념이 변화되었다. 草 4-7[72]에서는 止動覺決의 四象으로 요약하였다.

표 10. 몸의 능력과 四象

身	事物에 대한 능력	四象
精神氣血	載萬物(魄魂心意)	止有四象(地)
首腹肱股	行萬物(屈放收伸)	動有四象(祿財)
肺脾肝腎	知萬物(辨思問學)	覺有四象(知行)
耳目鼻口	覆萬物(貌言視聽)	決有四象(天)

4-3 心與胸腹之能 居中通四旁而無爲而無不爲也
居中通四旁而無不爲 故譬如北辰居所而衆拱之

마음과 胸腹의 능함은 가운데 거처하여 사방으로 통하고, 하는 것도 없고 하지 않음도 없다. 가운데 거처하여 사방으로 통하고, 하지 않음이 없는 까닭에 비유하면 북극성이 거처하는 곳으로 뭇별들이 조아리는 것과 같다.

*辛 4-17
心爲一身之主宰 負隅背心 正向膻中 光明瑩徹
耳目鼻口 無所不察 肺脾肝腎 無所不忖 頷臆臍腹 無所不誠 頭手腰足 無所不敬.

71)
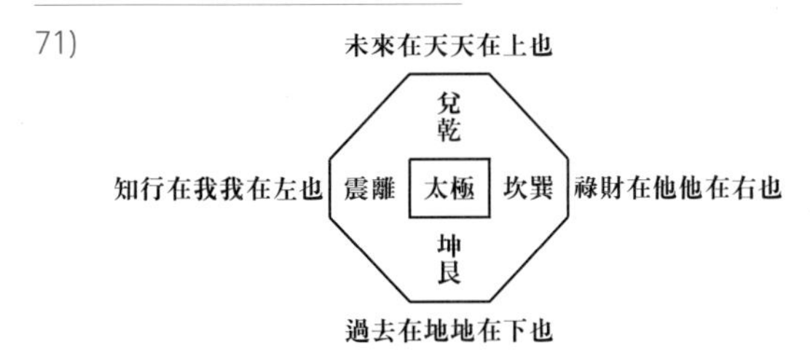

표 2 巽箴下節의 太極圖

72) 止有四象 魄魂心意也
動有四象 屈放收伸也
覺有四象 辨思問學也
決有四象 貌言視聽也

*마음은 인체의 중심에서 몸을 주재한다. 마음이 몸을 주재하는 과정에서 각각의 신체 부위를 통해 四象으로 드러난다.

4-4 **天生萬物 有物有則 人形物也 人性則也**
以人形其人性 有物有則 一而不二者 謂之太極

하늘이 만물을 생함에 사물과 법칙이 있다. 사람의 形은 사물이고 사람의 性은 법칙이다. 사람의 모습과 사람의 性으로 사물과 법칙이 있으니, 하나이면서 둘이 아닌 것을 太極이라고 이른다.

*太極 → 陰陽 → 四象으로 인간이 드러나는 것을 설명하고 있다. 4-4는 태극에 대한 설명으로 모든 생명에는 형태와 원리가 존재한다. 이러한 형태와 원리는 분리할 수 있는 요소는 아니다. 인식할 때는 둘로 나눠서 생각할 수 있지만 항상 동시에 같이 존재하는 요소이다. 人性은 하늘의 원칙에 가깝고 人形은 땅의 원칙에 가깝다. 즉 땅이라는 실체적인 존재가 있어야 하늘이라는 무형의 존재도 있을 수 있다. 그렇기 때문에 하나로 통합해서 봐야 하며 둘로 분리할 수는 없다.

표 11. 人形과 人性

人形-物-地	人性-則-天
精神氣血	載萬物-魄魂心意
首腹肱股	行萬物-屈放收伸
肺脾肝腎	知萬物-辨思問學
耳目鼻口	覆萬物-貌言視聽

4-5 **性有性用 性用知也 形有形用 形用行也**
一知一行 一生一成 易簡相得者 謂之兩儀

性은 性의 쓰임이 있고 性의 쓰임은 아는 것이다. 形은 形의 쓰임이 있고 形의 쓰임은 행하는 것이다. 한번 알고 한번 행하고 한번 생하고 한번 이루고 쉽고 간단하게 서로 얻는 것을 이르러 兩儀라고 한다.

*4-5는 태극을 음양의 차원에서 살폈다. 태극은 음양으로 나누면 性과 形으로 나누어 볼 수 있다. 性은 마음의 앎을 통해 쓰인다. 形은 몸의 행동을 통해 쓰인다. 알아가게 되면 생하는 것이고 시작하는 것이고, 행동하게 되면 결과가 발생하고 이룸이 된다.

※形과 性에는 알기 쉽고, 따르기 쉬운 법칙이 있는데, 이것이 바로 知行이다. 즉 알고 행하면 이로써 생하고 완성되니 이것을 兩儀라고 한다. 사람에게 하늘과 땅의 이치가 太極으로 같이 내재되어 있고, 이것이 知行으로 서로 쉽게 알고 서로 행하면 兩儀이다. 兩儀는 두 가지의 올바른 행동이라고 할 수 있다. 태극이라는 하늘의 원리와 땅의 실체가 인간을 통해 구현될 때는 知行을 통해 두 가지 올바른 행동으로 나타난다.

4-6 知有舒卷 舒而決[73] 卷而覺也
行有進退 進而動 退而止也
一決一覺 一動一止 一舒一卷 一進一退 變靜動化者 謂之四象

아는 것에는 펴는 것과 마는 것이 있고 펴는 것은 결정하는 것이고 마는 것은 깨닫는 것이다. 행함에 나아가고 물러남이 있으니 나아가는 것은 動하는 것이고 물러나는 것은 그치는 것이다.

한번 결정하고 한번 깨닫고 한번 動하고 한번 그치고 한번 펴고 한번 말고 한번 나아가고 한번 물러나고 변하고 고요하고 움직이고 화합하는 것을 四象이라고 한다.

※知行의 모습이 나타나는 양상은 크게 네 가지로 요약할 수 있다. 아는 것은 결정하고 깨닫는 것이고, 행한다는 것은 움직이고 그치는 것이다. 동무는 인간 자체는 태극으로 보았다. 몸과 마음을 形性으로 보았으며, 몸과 마음은 知行을 할 수 있는 능력이 있다. 이러한 知行은 變靜動化라는 네 가지 象으로 드러난다.

4-7 止有四象[74] 魄魂心意也
動有四象 屈放收伸也
覺有四象 辨思問學也
決有四象 貌言視聽也

그침에는 사상이 있으니 魄魂心意이며,
움직임에 사상이 있으니 굽히고 내놓고 거두고 펴는 것이다.
깨닫는 것에 사상이 있으니 분별하고 판단하고 묻고 배우는 것이다.
결정하는 것에 사상이 있으니 용모를 드러내고 말하고 보고 듣는 것이다.

73) 朝醫學에는 '洪'으로 되어 있다.
74) 手抄本과 朝醫學에는 '志'로 되어 있으나, 문맥상 '象'이 옳다.

*4-1[75]에서 魄魂心意 屈放收伸 辨思問學 貌言視聽은 인간이 신체 부위를 통해 발휘되는 요소이다. 이것은 止動覺決이 四象으로 드러난 것이라고 4-7에서 서술하였다. 止動覺決은 인간의 知行이 四象으로 드러난 것을 의미한다. 이러한 知行의 드러남을 구체적으로 서술한 것이 魄魂心意 屈放收伸 辨思問學 貌言視聽이며 행위의 주체는 바로 인간의 몸이다.

*인간의 결정은 貌言視聽을 통해 이루어지고, 깨달음은 辨思問學의 과정을 통해 이루어진다. 이 두 가지는 知에 해당하는 인간의 능력이다. 인간의 행동은 屈放收伸을 통해 이루어지고, 그침은 魄魂心意의 과정을 통해 이루어진다. 이 두 가지는 行에 해당하는 인간의 능력이다.

4-8 **志膽心意 利勇謀知也 利勇謀知 物之用也**
屈放收伸 勤[76]能慧誠也 勤能慧誠 身之用也
辨思問學 明愼審博也 明愼審博 心之用也
貌言視聽 肅艾[77]哲謀也 肅艾哲謀 事之用也

志膽心意는 이롭게 하려는 뜻(利), 용기 있는 담력(勇), 도모하려는 마음(謀), 아는 것을 말로 밖으로 나타냄(知)이다. 利勇謀知는 사물의 쓰임이다.
屈放收伸은 부지런히 굽힘(勤), 능히 내 놓음(能), 지혜롭게 거둠(慧), 정성스럽게 폄이다(誠). 勤能慧誠은 몸의 쓰임이다.
辨思問學은 밝게 분별함(明), 신중히 판단함(愼), 자세히 물음(審), 널리 배움(博)이다. 明愼審博은 마음의 쓰임이다.
貌言視聽은 엄숙한 용모(肅), 다스리는 말(艾), 명철한 시각(哲), 도모하는 들음(謀)이다. 肅艾哲謀은 일의 쓰임이다.

*事心身物이라는 개념이 草本卷에서 처음 등장한다. 이 개념은 격치고에 등장한 개념이다.

格致藁 卷之一 1-9
貌言視聽 事四端也 辨思問學 心四端也

---

75) 草 4-1
神安意 氣安魄 血安魂 精安志
首能伸 肱能收 腹能放 股能屈
肺安學 脾安問 肝安思 腎安辨
耳能聽 目能視 舌能言 頤能貌
76) 朝醫學에는 '動'으로 되어 있으나, '勤'이 타당하다.
77) 朝醫學에는 '庸人'으로 되어 있으나, '肅艾'가 타당하다.

屈放收伸 身四端也 志膽慮意 物四端也

格致藁 卷之二 9-37
易曰易有太極 是生兩儀 兩儀生四象 四象生八卦 八卦定吉凶 吉凶生大業
太極 心也 兩儀 心身也 四象 事心身物也
八卦 事有事之終始 物有物之本末 心有心之緩急 身有身之先後

格致藁 卷之二 9-38
太極之心 中央之心也
心身之心 兩儀之心也
事物心身之心 四象之心也

草 4-4, 5, 6을 통해 太極 → 兩儀 → 四象을 形性, 物則, 知行, 止動覺決 등으로 설명하였다. 격치고에서 동무는 太極 – 心/兩儀 – 心身/四象 – 事心身物으로 본인만의 관점으로 설명하였다. 草本卷의 관점으로 보면 事心은 知의 측면이고, 身物은 行의 측면으로 볼 수 있다.

*동무는 세상을 事心身物로 나눠서 보려고 하였고 이 기준으로 인간관을 설명하고자 하였다.

표 12. 事心身物

四象	실현부위	실현행위	실현원칙
事	耳目鼻口	貌言視聽	肅艾哲謀
心	肺脾肝腎	辨思問學	明愼審博
身	首腹肱股	屈放收伸	勤能慧誠
物	神氣血精	志膽心意	利勇謀知

4-9 利勇[78]謀知 物隨身也 君子于止 萬物化也
勤能慧誠 身帥[79]物也 君子于動 萬物動也
明愼審博 心觸事[80]也 君子于覺 萬物靜也
肅艾[81]哲謀 事明心[82]也 君子于決 萬物變也

78) 手抄本과 朝醫學에는 '身'으로 되어 있으나, 문맥상 '勇'으로 보는 것이 타당하다.
79) 手抄本과 朝醫學에는 '師'로 되어 있으나, 문맥상 '帥'로 보는 것이 타당하다.
80) 手抄本과 朝醫學에는 '物觸心'로 되어 있으나, 문맥상 '心觸事'로 보는 것이 타당하다.
81) 朝醫學에는 '庸人'으로 되어 있으나, '肅艾'가 타당하다.
82) 手抄本과 朝醫學에는 '心明'物로 되어 있으나, 문맥상 '事明心'으로 보는 것이 타당하다.

利勇謀知는 사물이 몸을 따르는 것이다. 군자는 그치고 만물은 化한다.
勤能慧誠은 몸이 사물을 통솔하는 것이다. 군자는 움직이고 만물은 움직인다.
明愼審博은 마음이 일에 접촉하는 것이다. 군자는 깨닫고 만물은 고요하다.
肅艾哲謀는 사물이 마음을 밝히는 것이다. 군자는 결단하고 만물은 변한다.

*兩儀는 知行이다. 物과 身은 行이 象을 갖춘 것이고, 事와 心은 知가 象을 갖춘 것이다. 行은 止하기도 하고 動하기도 한다. 知는 覺하기도 하고 決하기도 한다. 君子는 도덕적 삶을 추구하는 인간을 의미한다. 즉 性命을 기르고 세우기 위해 노력하는 인간이다. 이러한 인간의 삶의 양태는 止動覺決로 드러난다. 萬物은 인간이 관찰하고 행위하는 모든 사물을 의미한다. 이 과정에서 만물은 變靜動化로 드러난다.

利勇謀知는 志膽心意를 통해 나타나는 모습이다. 이러한 利勇謀知는 物과 身의 상호작용을 통해 발현된다. 즉 行이라는 측면도 다시 음양으로 나눌 수 있다. 멈춰(止)야만 움직일(動) 수 있다. 志膽心意로 物을 利勇謀知할 때 동시에 首腹肱股를 통해 動한다. 그래야 군자는 진정으로 止할 수 있고 만물을 化할 수 있다.

勤能慧誠은 首腹肱股를 통해 나타나는 모습이다. 이러한 勤能慧誠은 身과 物의 상호작용을 통해 발현된다. 즉 行이라는 측면도 다시 음양으로 나눌 수 있다. 움직이면서(動) 때로는 멈춰야 한다(止). 首腹肱股으로 身을 勤能慧誠할 때 동시에 志膽心意를 통해 止한다. 그래야 군자는 진정으로 動할 수 있고 만물을 動할 수 있다.

明愼審博은 肺脾肝腎을 통해 나타나는 모습이다. 이러한 明愼審博은 心과 事의 상호작용을 통해 발현된다. 즉 知라는 측면도 다시 음양으로 나눌 수 있다. 깨달으면(覺) 결단할(決) 수 있다. 肺脾肝腎으로 心을 明愼審博할 때 동시에 耳目鼻口를 통해 決한다. 그래야 군자는 진정으로 깨달을 수 있고 만물을 안정시킬 수 있다.

肅艾哲謀는 耳目鼻口를 통해 나타나는 모습이다. 이러한 肅艾哲謀는 事와 心의 상호작용을 통해 발현된다. 즉 知라는 측면도 다시 음양으로 나눌 수 있다. 결단(決)하면 깨달음(覺)이 있다. 耳目鼻口로 事를 肅艾哲謀할 때 동시에 肺脾肝腎을 통해 覺한다. 그래야 군자는 진정으로 결단할 수 있고 만물을 변하게 할 수 있다.

物隨身하고 心觸事하며 身帥物하고 事明心한다. 상호작용에 있어 物과 心은 수동적으로 事와 身은 능동적으로 작용한다. 그치고 깨닫는 것은 움직이고 결단하는 것에 비해 음적인 측면이 있다. 이러한 隨觸帥明은 음양적 차원의 특성을 반영한 설명이라 볼 수 있다.

※格致藁 卷之一 1-10
心應事也 博而周也 事湊心也 察而恭也
身行物也 立而敬也 物隨身也 載而效也

격치고에서도 이러한 草本卷과 유사한 事心身物의 관계가 제시된다. 여기서도 心과 物은 수동적인 측면으로 제시된다. 事와 身은 능동적인 측면으로 제시된다. 이러한 음양적인 상호작용를 통해 인간은 周恭敬效하고, 사물을 察博立載 할 수 있다.

4-10 利勇謀知　太公之兵法也　一心處在　天下之所爲也
明愼審博　夫子之敎詔也　一心交遇　衆人之所爲也
勤能慧誠　擧一隅而三隅反也　一身自幼至老之所爲也
肅艾[83] 哲謀　孔明之智略也　一身務圖國家之所爲也

利勇謀知는 태공의 공법이다. 한 마음은 천하의 하는 바에 거처한다.
明愼審博은 공자의 가르쳐 알리는 바이다. 한 마음은 衆人들의 하는 바에 만나 예우한다.
勤能慧誠은 한 모퉁이를 들어 세 모퉁이를 돌이키는 것이다. 한 몸이 아이부터 노인까지 하는 바이다.
肅艾哲謀는 공명의 지략이다. 한 몸이 국가의 하는 바를 힘써 도모하는 것이다.

※4-9에서는 物과 身을 묶어서 설명하였고, 事와 心을 묶어서 설명하였다. 각각은 行과 知가 사상으로 분화된 모습이기 때문에 음양적 속성으로 묶어서 설명하였다. 4-10에서는 物과 心을 心으로, 事와 身을 身으로 설명하고 있다. 物과 心은 4-9에서 수동적인 특성이 있고, 事와 身은 능동적인 특성이 있는데 이러한 특성으로 새롭게 묶어서 설명하였다.

一心處在 天下之所爲也는 人事 중 居處와 의미가 통한다. 利勇謀知라는 것은 개인에 있어 마음으로 천하의 하는 바에 대해 안정되게 처하기 위한 원칙이다. 그래야만 止할 수 있다. 一心交遇 衆人之所爲也는 人事 중 交遇와 의미가 통한다. 明愼審博이라는 것은 개인에 있어 마음으로 여러 사람들이 하는 바에 만나서 예우하기 위한 원칙이다. 그래야만 覺할 수 있다. 一身自幼至老之所爲也는 人事 중 黨與와 의미가 통한다. 勤能慧誠은 개인에 있어 몸으로 아이부터 노인까지 의롭게 무리 짓는 원칙이다. 그래야 動할 수 있다. 一身務圖國家之所爲也는 人事 중 事務와 의미가 통한다. 肅艾哲謀는 개인에 있어 몸으로 국가의 하는 바에 있어 일을 결정하는 원칙이다. 그래야만 決할 수 있다.

83) 朝醫學에는 '庸人'으로 되어 있으나, '肅艾'가 타당하다.

표 13. 肅艾哲謀 明愼審博 勤能慧誠 利勇謀知

肅艾哲謀	一身務圖國家之所爲也	事明心也
明愼審博	一心交遇 衆人之所爲也	心觸事也
勤能慧誠	一身自幼至老之所爲也	身帥物也
利勇謀知	一心處在 天下之所爲也	物隨身也

*인간이 決覺動止를 함에 있어 耳目鼻口 肺脾肝腎 首腹肱股 志膽心意라는 신체 부위를 통해 실현한다. 이때 실현하는 원칙은 肅艾哲謀 明愼審博 勤能慧誠 利勇謀知이다. 4-9에서는 이러한 것이 발현되는 조건을 제시하고 있는데, 行의 차원에서의 상호작용, 知의 차원에서의 상호작용을 제시하였다. 物과 心은 수동적으로 身과 事에 영향을 받고, 身과 事는 능동적으로 物과 心에 영향을 준다. 이러한 관계는 사단론의 哀怒는 相成하고, 喜樂은 相資한다는 구절과 통하며[84], 즉 知의 차원과 行의 차원은 서로 이루고, 돕는다는 것을 알 수 있다. 이러한 음양적 작용을 통해 사상으로 발현되어 인간은 決覺行止할 수 있는 것이고, 만물은 變靜動化할 수 있다. 4-10에서는 이러한 四端의 쓰임이 한 개인에게 있어 발현됨에 다시 心과 身이라는 음양의 차원에서 四端을 살피고 있다. 利勇謀知와 明愼審博은 발현됨에 있어 마음을 통해 발현되고, 勤能慧誠과 肅艾哲謀는 몸을 통해 발현된다. 이때 4-9에서 수동적인 특성인 物과 心을 묶어서, 능동적인 특성이 事와 身을 묶어서 설명하였다. 동무는 다양한 측면에서 事心身物의 관계를 제시하여 인간관을 설명하고자 한 것으로 보인다.

4-11 喜怒哀樂之 未發無妄曰中 旣發中節曰和 無妄者行誠 中節者知明也
愛憂天下而至誠不措則 雖愚必明[85]
憂愛一身而不放至敬則 雖柔必剛

喜怒哀樂의 未發시 망령됨이 없음을 中이라고 하고 이미 발하였을 때 節度에 맞는 것을 和라고 한다. 망령됨이 없는 것은 진실무망함을 행하는 것이고, 절도에 맞는 것은 밝음을 아는 것이다.
천하를 사랑하고 걱정하고 지극히 정성스럽고 그만두지 않으면 어리석어도 반드시 밝다.
一身을 걱정하고 사랑하면 멋대로 하지 않고 지극히 공경하면 비록 유순하더라도 강해질 것이다.

*喜怒哀樂의 未發의 상황에서 情이 폭발되지 않도록 대비하는 것이 바로 中을 지키는 것이다. 喜怒哀樂이 이미 발하였으면 반성하는 것이 節度가 있는 것이다. 原人 3통에서 未發은 知의 차원으로 설명하였고 已發은 行의 차원에서 설명했다. 4-11에서는 原人

84) 辛 2-22 哀怒相成 喜樂相資
85) 手抄本과 朝醫學에는 모두 '剛'으로 되어 있으나, 中庸에는 '强'으로 되어 있다.

3통의 善思와 敬行[86]으로 각각의 未發과 已發의 상황을 극복하는 원칙으로 제시한 것과 달리 行誠와 知明으로 반대로 설명하고 있다. 이는 原人 4통에서 다양한 음양적 특성으로 사상을 살폈던 시각이 반영된 것으로 보인다. 善思를 하기 위해서는 당연히 行誠을 해야 한다. 敬行을 하기 위해서는 당연히 知明해야 한다. 동무는 자신의 知行에 대한 관점을 독자들이 이분법적으로만 생각하지 않기 위해 4-11에서 반대로 서술한 것으로 보인다.

4-12 志膽心意 愛天下而至誠
學問思辨 憂天下而不措
貌言視聽 憂一身而不放
屈放收伸 愛一身而至敬
至誠不措者 自誠明也 自誠明者 知明也
不放至敬者 自明誠也 自明誠者 行誠也
知明行誠 恭敬天命 而無所怒天則 喜怒哀樂 自無暴發而未發中也
行誠知明 通達人性 而無所尤[87]人則 喜怒哀樂 自不暴發而皆中節也

志膽心意는 천하를 사랑함을 지극히 정성스럽게 한다.
學問思辨은 천하를 걱정함을 그만두지 않는다.
貌言視聽은 一身을 걱정함을 방자하게 하지 않는다.
屈放收伸은 一身을 사랑함을 지극히 공경한다.

지극히 정성스럽게 하고 그만두지 않음은 스스로 진실무망함을 통하여 밝아지는 것이다. 스스로 진실무망함을 통하여 밝아지는 것이 밝음을 아는 것이다.
방자하지 않고 지극히 공경하면 스스로 밝힘을 통하여 진실무망하다. 스스로 밝음을 통하여 진실무망하면 진실무망함을 행하는 것이다.
밝음을 알고 진실무망함을 행하고 하늘의 명함을 공경하고 하늘을 노하는 바가 없으면 喜怒哀樂은 스스로 폭발함이 없고 발동하지 않고 中을 지킨다.
진실무망함을 행하고 밝음을 알고 사람의 性에 통달하고 다른 사람을 탓함이 없으면 즉 喜怒哀樂이 스스로 폭발하지 않고 절도에 맞는다.

86) 善思可也 敬行可也
善思不錠 敬行不殆
善思醫也 敬行藥也
善思活血 敬行順氣 則可也
87) 手抄本에는 '尤'로 되어 있고, 朝醫學에는 '憂'로 되어 있다.

*4-11의 내용을 부가설명하고 있다. 수동적인 측면인 物心을 묶고, 능동적인 측면인 事身을 묶어서 설명하였다. 4-10에서도 物心을 一心으로 묶어서 설명하고, 事身을 一身으로 묶어서 설명하였다. 능동적 속성인 事身은 一身이라는 자기 자신을 통해 발현된다. 수동적 속성인 物心은 자기를 제외한 天下를 통해 발현된다. 동무는 事心身物의 속성을 능동과 수동의 측면에서 나눠서도 사고한 것으로 보인다. 物心은 인간이라면 아무리 어리석어도 知明할 수 있는 능력을 의미한다(愛憂天下而至誠不措則 雖愚必明). 事身은 인간이라면 유순하더라도 강직하게 行誠할 수 있는 능력을 의미한다(憂愛一身而不放至敬則 雖柔必剛).

喜怒哀樂이 未發의 상황에서 自無暴發而 未發中하기 위해서는 物心을 통해 우선 知明하고 동시에 事身으로 行誠해야 한다. 愛天下而至誠하고 憂天下而不措하는 것이 바로 恭敬天命하는 과정이다.

喜怒哀樂이 旣發한 상황에서 自不暴發而 皆中節하기 위해서는 事身을 통해 우선 行誠하고 동시에 物心으로 知明해야 한다. 憂一身而不放하고 愛一身而至敬하는 것은 바로 通達人性하는 과정이다.

동무는 4-12에서 天과 命을 묶고(恭敬天命), 人과 性(通達人性)을 묶었다. 藏書閣 東武遺稿 膀胱編에서 天人性命을 事心身物로 연결해서 설명하였다. 藏書閣 東武遺稿 膀胱編[88]을 보면 事-天, 物-人, 身-命, 心-性으로 연결하였으며 하늘은 위에 인간은 아래에, 몸은 왼쪽으로 향하고, 마음은 오른쪽으로 향한다고 하였다. 天命은 事身의 차원이고, 人性은 心物의 차원이다. 草本卷의 시각으로 보면 物心을 통해 事身을 확충하고, 事身을 통해 物心을 확충함을 의미한다. 事心身物의 특성을 알고 상호작용을 통해 喜怒哀樂의 中節을 지키도록 하는 게 동무 인간관의 핵심이다.

88) 膀胱物也. 腰臍身也. 胸膈心也. 面目事也.
事卽天也. 物卽人也. 身卽命也. 心卽性也.
天在上也. 人在下也. 身向左也. 心向右也.
天心惡私也, 人心惡慾也, 命理戒逸也, 性理戒放也.
天心惡私, 故我身忘於天, 而漸向左也.
人心惡慾, 故我心忘於人, 而漸向右也.
忘於天者, 不以私要天也.
忘於人者, 不以慾要人也.
不以私要天, 則身益正大而天必應也.
不以慾要人, 則心益光明而人必與也.
盖天心不可以私得, 而可以無逸得也.
人心不可以慾得, 而可以無放得也.
伯夷以一善而興善於天下, 故必求越等之賢.
柳下惠以衆惡而制惡於地上, 故不厭時俗之賢.
盖善可以一人興而惡不可以一人制也.
惡可以衆人制而善不可以衆人興也.

표 14. 事心身物의 특성

事	貌言視聽	능동	憂	一身	不放
心	學問思辨	수동	憂	天下	不措
身	屈放收伸	능동	愛	一身	至敬
物	志膽心意	수동	愛	天下	至誠

*왜 物과 心을 天下를 살피고, 身과 事는 一身을 살피는가?

物과 心은 수동적 특성을 가지고 있고 身과 事는 능동적인 특성을 가지고 있다. 수동적인 것은 天下와 연결하고 능동적인 것은 一身과 연결되는데, 4-10에서 수동적인 物과 心은 天下와 衆人을 통해서 마음으로 알게 되는 것으로, 능동적인 身과 事는 一身의 주체적인 행위를 중심으로 서술되고 있다. 즉 物과 心은 각각 事와 身에 의해 영향을 받는 입장으로 발현되고, 事과 身은 物과 心에 영향을 주는 존재로 발현된다. 영향을 받는 입장은 知의 차원에서 다시 서술되며, 영향을 주는 입장은 行의 차원에서 다시 서술됨을 알 수 있다. 그리고 喜怒哀樂의 未發의 상황은 외부로부터 영향을 받는 입장에서 서술하였고, 喜怒哀樂의 已發의 상황은 내가 주체가 되어 외부에 영향을 주는 입장의 서술이다. 따라서 영향을 받음에 있어서 밝게 알아야 진실무망할 수 있으며, 영향을 주는 입장에서는 행동이 진실무망해야 비로서 알아 밝힐 수 있다.

右原人之第四統

☆原人 4통 요약

原人 4통은 太極 → 兩儀 → 四象으로 분화됨을 知行과 事心身物이라는 동무의 독창적인 개념으로 설명하였다. 4-1에서 인간의 人形과, 人性을 개괄적으로 제시하고, 4-2에서는 각각의 人性, 人形 즉 知行의 성격과 그로 인해 만물을 覆知行載할 수 있음을 밝히고 있다. 4-3에서는 마음의 능력을 북극성에 비유하여 가운데에 거하여 하지 않음이 없고 사방으로 통하여 있으며 공경해야 할 대상으로 제시하고 있다. 4-4부터 4-6까지는 太極 → 兩儀 → 四象의 순으로 인간에게 각각 어떻게 내재되어 있는지를 서술하고 있다. 4-4에서는 만물에는 物과 則이 있는데, 인간 역시 物과 則이 있고, 이것은 人形과 人性으로 내재되어 있다. 그리고 4-5에서 人性과 人形은 각각의 쉽고 간단하여 서로 얻는 올바른 행동이 내재되어 있는데, 이것이 바로 知行이다. 그리고 4-6에서 知行이 발현됨에 있어 舒卷進退와 決覺行止, 變靜動化 등의 방식으로 발현된다. 사람에 있어서는 決覺行止의 형태로 발현되며 4-7에서 각각에 또 네 가지 상이 있음을 제시하고 있다. 4-7에서 각각의 네 가지 상을 씀에 있어 발현원칙이 제시되어 있으며, 4-8에서 각각의 쓰임들 사이의 관계가 제시되는데, 行의 차원끼리, 知의 차원끼리 관련된다. 이때 物과 心은 수동적으로, 身과 心은 능동적으로 역할을 한다. 이러한 쓰임은 사람에 있어서는 決覺行止로 만물에 있어서는 變靜動化로 나타난다. 4-9에서는 다시 쓰임을 수동적인 것은 마음으로 능동적인 것은 몸으로 묶어서 서술하며, 마음으로 묶은 것은 知의 차원으로, 천하와 중인 즉 자신이 주체가 되어 외부를 바라봄에 알게 되는 것 느끼게 되는 것으로 각각 居處와 交遇의 개념으로 제시하였다. 몸으로 묶은 것은 行의 차원으로 一身이 주체가 되어 내가 외부에 대해 어떻게 대응하고 어떻게 가꾸어 갈 것인가에 대해 黨與와 事務의 개념으로 제시하였다. 즉 體의 측면에서 事와 心은 知로, 身과 物은 行으로 내재되나 이것을 用함에 있어서는 心과 物은 知로, 身과 事는 行으로 사용함을 알 수 있다. 4-11에서는 이제 앞에서 논하였던 喜怒哀樂과 四象의 관계를 확장하여 설명하였다. 喜怒哀樂의 未發은 과도함을 경계해야 하며, 不及은 조금씩 끌어다 써야 한다고 原人 3통에서 제시하였는데, 그렇기 위한 방법을 四象을 통해 제시하고 있다. 즉 心과 物은 知를 중심으로 知明을 통해 天命을 공경하여 결국 行誠에 이를 것을, 事와 身은 行을 중심으로 行誠을 통해 人性을 통달하여 知明에 이를 수 있다고 결론을 지었다.

第五統

5-1 初一齡　至十六齡　曰幼
十七齡　至三十二齡　曰少
三十三齡　至四十八齡　曰壯
四十九齡　至六十四齡　曰老

1세부터 16세까지를 幼年이라 한다.
17세에서 32세까지를 少年이라 한다.
33세에서 48세까지를 壯年이라 한다.
49세에서 64세까지를 老年이라 한다.

*辛 16-1
初一歲至十六歲 曰幼
十七歲至三十二歲 曰少
三十三歲至四十八歲 曰壯
四十九歲至六十四歲 曰老.
辛丑本의 나이 구별과 같다. 동무는 16년 단위로 인간의 일생을 나눠 설명하였다.

5-2 凡人　幼年　好聞見　而能愛敬　如春生之芽
少年　好勇猛　而能騰捷　如夏長之苗[89]
壯年　好結交　而能修飭[90]　如秋斂之實
老年　好計策　而能秘密　如冬藏之根

사람은 유년에는 듣고 보는 것을 좋아하고 능히 사랑하고 공경하니 봄에 생하는 싹과 같다.
소년에는 용맹을 좋아하고 능히 날 뛰고 빠르니 여름에 자라는 묘목과 같다.
장년에는 결합하고 交遇하는 것을 좋아하고 능히 닦고 삼가니 가을에 수렴하는 열매와 같다.
노년에는 계산하고 책략하기를 좋아하고 능히 비밀스럽게 하니 겨울에 감추는 뿌리와 같다.

*辛 16-2
凡人 幼年 好聞見而能愛敬 如春生之芽
少年 好勇猛而能騰捷 如夏長之苗

89) 手抄本과 朝醫學에는 '如夏之苗'로 되어 있으나, 東醫壽世保元 廣濟說에 근거해 보면 '如夏長之苗'로 하는 것이 타당하다.
90) 朝醫學에는 '飾', 手抄本의 글씨는 명확하지 않다. 그러나 東醫壽世保元 廣濟說에는 '飭'으로 되어 있다.

壯年 好交結而能修飭 如秋斂之實
老年 好計策而能秘密 如冬藏之根.

辛丑本과 내용이 동일하다. 각 時期別로 좋아하는 것과 잘하는 것을 기술하였는데, 체질이란 요소 이전에 인간이 보편적으로 각 시기에 따라 좋아하는 것과 잘 할 수 있는 특성이 있음을 이야기하고 있다.

5-3 幼年 慕賢能黠文字者 極肖兒也 憚能賢痴文字者 不肖兒也
少年 眞謙遜而有壯者 志豪俊男也 輕老成趍俗習者 駑駱男也
壯年 擇善友樹功勳者 君子類也 結淫朋圖位勢者 小人類也
老年 愛端士爲地方計者 大人心也 誘勢客爲私家計者 老奴心也

유년기에는 어질기를 바라고 능히 문자에 약으면 지극히 본받을 아이다. 능력 있고 어진 사람을 싫어하고 문자에 어두우면 못난 아이다.
소년기에는 진실로 겸손하고 굳세면 의지가 호탕한 뛰어난 남자다. 노인을 가벼이 여기고 이룸에 세속의 습관을 쫓으면 못난 남자다.
장년기에 좋은 벗을 택하고 공훈을 세우는 것은 군자의 부류다. 음란한 친구와 결탁하고 지위와 세력을 도모하는 것은 소인의 부류다.
노년기에 단정한 선비를 사랑하고 지방을 위하는 계책을 세우는 것은 대인의 마음이다. 세력을 가진 손님을 유혹하고 사사로이 집안을 위한 계책을 가진 자는 늙은 노비의 마음이다.

*辛 16-3
幼年好文字者 幼年之豪傑也
少年敬長老者 少年之豪傑也
壯年能汎愛者 壯年之豪傑也
老年保可人者 老年之豪傑也
有好才能而又有十分快足於好心術者 眞豪傑也
有好才能而終不十分快足於好心術者 才能而已.

草本卷에서는 시기별 호걸이 되는 사람과 못난 사람을 모두 설명하였다. 辛丑本에서는 호걸만 서술하였다. 5-3에서 시기별 좋아하는 것과 잘하는 능력이 있다고 하였다. 5-4에서는 각 시기별 인간으로써 더 나은 사람이 되기 위해 노력해야 하는 기본 원칙을 제시하였다.

표 15. 幼少壯老에 따른 善惡

	草本卷		辛丑本
	善	惡	
幼年	慕賢能黠文字	憚能賢痴文字	好文字
少年	眞謙遜而有壯	輕老成趍俗習	敬長老
壯年	擇善友樹功勳	結淫朋圖位勢	能汎愛
老年	愛端士爲地方計	誘勢客爲私家計	保可人

5-4 幼年 慕賢能痴文字 少年 有謙遜趍俗習 壯年 取善友艷位勢
老年 親端士圖家計者
在唐虞夏禹成湯伊尹太甲太戊祖甲盤庚武丁文武周公成康宣王之
世則 皆爲賢德者也
在中等之世則 維持風俗者也
在衰亂之世則 皆爲手篅者也
孟子曰 自棄者 不可與有爲也 此之謂也

유년기에는 어질고 능력 있는 사람을 사모하나 문자에 어둡고, 소년기에는 겸손은 있으나 세습을 쫓고, 장년기에는 좋은 벗을 취하지만 지위와 세력을 부러워하고, 노년기에는 바른 선비와 친하지만 집안을 위한 계책을 도모하면, 唐 虞 夏禹 成湯 伊尹 太甲 太戊 祖甲 盤庚 武丁 文武 周公 成康宣王의 세상에는 대개 어질고 덕이 있는 사람이 된다.
中等의 세상에는 풍속을 유지한다.
쇠하고 혼란의 세상에는 대개 손이 묶인다.
맹자가 이르길 스스로 버리는 자는 더불어 해서는 안 되니 이를 이르는 것이다.

*각 시기별로 호걸이 되기 위해 노력은 하지만 욕심에 빠진 측면이 있을 수 있다. 성인들의 시대에는 그 정도 노력에도 어질고 덕이 있는 사람이 될 수 있다. 하지만 점점 도덕적 가치가 약해지고 세속화될수록 그 정도 노력을 해서는 점점 도덕적 역량을 발휘하기가 어려워진다.

5-5 幼年憚賢能黠文字 少年輕老成矜在志 壯年結淫朋欲切名
老年誘勢客擅地方計者
在唐虞夏禹成湯伊尹太甲太戊祖甲盤庚武丁文武周公康宣王之世則
皆爲知能者也
在中等之世則 包[91] 藏愁者也
在衰亂之世則 皆爲豺狼之者也
孟子曰 自暴者 不可與有言也 此之謂也

유년기에는 어질고 능한 것을 꺼리지만 문자에는 약고, 소년기에 노인의 이룸을 가벼이 여기지만, 스스로 뜻에 자긍을 가지고, 장년기에 음란한 벗과 사귀지만 욕심을 끊고자 하고, 노년기에는 세력 있는 손님을 유혹하지만 지방을 위한 계책을 물려주면, 唐 虞 夏禹 成湯 伊尹 太甲 太戊 祖甲 盤庚 武丁 文武 周公 成康宣王의 세상에는 대개 지혜롭고 능력 있는 사람이 된다.
中等의 세상에는 근심을 품는다.
쇠하고 혼란의 세상에는 대개 승냥이와 이리 같은 사람이 된다.
맹자가 이르길 스스로 해치는 자는 더불어 해서는 안 되니 이를 이르는 것이다.

표 16. 幼少壯老의 自暴自棄

	自棄(知를 하지 않음)	自暴(行을 하지 않음)
幼年	痴文字	憚賢能
少年	趍俗習	輕老成
壯年	艶位勢	結淫朋
老年	圖家計	誘勢客

*5-4와 5-5에서 自暴自棄에 대한 설명을 하고 있다. 5-3에서 시기별 더 나은 사람이 되기 위해 노력해야 하는 것과 해서는 안 되는 것을 설명하였다. 각각 해야 하는 것 2가지, 하면 안 되는 것 2가지를 제시하였다. 해야 하는 것을 하더라도 하지 말아야 할 것을 한다면 만약 도덕이 무너진 시기에는 스스로를 해치고 버리는 사람이 될 수 있다. 동무는 시대와 상관없이 시기별로 자포자기해서는 안 됨을 강조하였다. 自棄하더라도 慕賢能, 有謙遜, 取善友, 親端士하면 성인의 시대에 賢德한 사람이 된다고 하였다. 知行의 측면에서 보면 慕賢能, 有謙遜, 取善友, 親端士은 行을 하는 것이고, 痴文字, 趍俗習, 艶位勢, 圖家計 知를 버린 것으로 볼 수 있다. 自暴하더라도 黠文字, 矜在志, 欲切名, 擅地方計 하면 성인의 시대에 知能한 사람이 된다고 하였다. 知行의 측면에서 보면 黠文字, 矜在志, 欲切名, 擅地方計은 知를 행하는 것이고, 憚賢能, 輕老成, 結淫朋, 誘勢客은 行을 하지 않는 것으로 볼 수 있다. 즉 自棄는 知를 하지 않는 것, 自暴는 行을 하지 않는 것이다.

91) 朝醫學에는 '色'으로 되어 있다.

5-6 肺旺春　脾旺夏　肝旺秋　腎旺冬
春氣生　夏氣長　秋氣收　冬氣藏
肺象木　脾象火　肝象金　腎象水
木氣發　火氣鬱　金氣溢　水氣泄
肺以呼　脾以束　肝以緩　腎以吸[92]
呼則遠　束則大　緩則廣　吸則深
肺能哀　脾能怒　肝能喜　腎能樂
哀則直　怒則栗　喜則寬　樂則溫
肺充神　脾充氣　肝充血　腎充精
神凝[93]散　氣完聚　血和行　精畜止
肺藏意　脾藏魄　肝藏魂　腎藏志
意妙伸　魄活動　魂安靜　志忽屈

肺는 봄에 왕성하고 脾는 여름에 왕성하고 肝은 가을에 왕성하고 腎은 겨울에 왕성하다.
봄에는 기운이 생하고 여름에는 기운이 자라고 가을에는 기운이 수렴하고 겨울에는 기운이 저장된다.
肺는 나무를 본뜨고 脾는 불을 본뜨고 肝은 쇠를 본뜨고 腎은 물을 본뜬다.
木氣는 발하고 火氣는 울체되고 金氣는 껄끄럽고 水氣는 샌다.
肺는 내쉬고 脾는 묶고 肝은 느슨하고 腎은 들이쉰다.
내쉬면 멀어지고 묶으면 커지고 느슨하면 넓어지고 들이마시면 깊어진다.
肺는 능히 애달파하고 脾는 능히 노여워하고 肝은 능히 기뻐하고 腎은 능히 즐거워한다.
애달프면 곧고 노여우면 두렵고 기쁘면 너그럽고 즐거우면 온화하다.
肺는 神을 채우고 脾는 氣를 채우고 肝은 血을 채우고 腎은 精을 채운다.
神은 엉겼다 흩어지고 氣은 완전히 모이고 血은 조화롭게 행하고 精은 축적되며 그친다.
肺는 意를 저장하고 脾는 魄을 저장하고 肝은 魂을 저장하고 腎은 志를 저장한다.
意는 묘하게 펴지고 魄은 활동하고 魂은 안정하고 志는 홀연히 구부린다.

표 17. 肺脾肝腎 특성 분류

	자연적 특성		신체적 정신적 특성		물질적 초월적 특성	
	旺	象	以	能	充	藏
肺	春氣生	木氣發	呼則遠	哀則直	神凝散	意妙伸
神	夏氣長	火氣鬱	束則大	怒則栗	氣完聚	魄活動
肝	秋氣收	金氣溢	緩則廣	喜則寬	血和行	魂安靜
腎	冬氣藏	水氣泄	吸則深	樂則溫	精畜止	志忽屈

92) 朝醫學에는 '及'으로 되어 있다.
93) 朝醫學에는 '疑'로 되어 있다.

*肺脾肝腎이라는 四臟에 대한 동무의 다양한 관점이 제시된다. 우선 肺脾肝腎은 春夏秋冬에 따라 시기별로 왕성해지는 시기가 다르다. 그리고 목화금수의 象을 이용하여 肺脾肝腎 자체의 기운의 방향성을 제시하였다. 내경에서 肺-金/脾-土/肝-木/腎-水로 배속한 것과는 차이가 있다. 肺脾肝腎의 기운이 신체적으로 발현되는 양상을 呼吸과 緩束으로 제시하였다. 木火金水의 속성이 있기 때문에 呼吸緩束으로 발현되는 것으로 보았다. 哀怒喜樂은 정신적 능력으로 제시되었다. 동무는 肺脾肝腎의 정신적 기능을 통해 인간의 도덕적인 감정이 발현될 수 있는 능력이 나타난다고 본 것이다. 이러한 기운의 발현과 감정의 발현으로 인해 물질적인 요소와 초월적인 요소를 채우고 저장할 수 있다. 神氣血精은 물질적인 요소이고, 意魄魂志는 초월적인 요소이다. 정리하면 인간의 肺脾肝腎이라는 四臟에는 자연적인 특성인 春夏秋冬과 木火金水가 담겨 있다. 이러한 자연적인 특성을 바탕으로 呼吸緩束과 哀怒喜樂이라는 신체적인 작용과 정신적인 작용이 나타난다. 이러한 신체적 정신적 작용의 결과 인간의 물질적인 측면과 초월적 측면이 갖춰진다.

*辛 2-11
肺氣直而伸 脾氣栗而包 肝氣寬而緩 腎氣溫而畜.

辛 2-12
肺以呼 肝以吸 肝肺者 呼吸氣液之門戶也
脾以納 腎以出 腎脾者 出納水穀之府庫也.

辛 2-13
哀氣直升 怒氣橫升 喜氣放降 樂氣陷降.

辛丑本에서는 旺, 象에 대한 내용은 없다. 以와 能에 해당하는 내용은 남았다. 充, 藏의 내용은 장부론에 나타난다.

5-7 **脾腎之體形 有質而無葉 掌內修之柄者宜乎[94]也**
肝肺之體形 有葉而無質 持外禦[95]之勢者宜乎 派其四散之儀像也

脾腎의 체형은 바탕은 있으나 잎이 없으니 안을 다스리는 손잡이를 관장하는 것이 마땅하니 온전히 하나로 하는 껍데기의 완전함이다.
肝肺의 체형은 잎은 있으나 바탕이 없으니 밖에서 지키는 세력을 지탱하는 것이 마땅하니 사방으로 흩어지는 모양의 갈래이다.

94) 手抄本에는 '殼子'로, 朝醫學에는 '穀子'로 되어 있다.
95) 手抄本에는 '禦'로, 朝醫學에는 '御'로 되어 있다.

*동무가 참고했을 것이라고 볼 수 있는 동의보감의 臟像圖를 보면 肝과 肺는 잎의 형태가 있고, 脾와 腎은 잎의 형태는 보이지 않는다. 잎이 있는 肝과 肺는 외부로 흩어지는 상을 가지고 있고, 脾와 腎은 껍데기의 단단한 상을 가지고 있다. 이러한 상으로 인해 기운의 방향성이 결정되고 그 결과 脾와 腎은 안을 관장하고 肺과 肝은 밖을 관장한다. 肺와 肝은 木과 金의 象이다. 有形이다. 脾와 腎은 火와 水의 象이다. 無形이다. 유형은 유형끼리 무형은 무형끼리 묶어서 설명하고자 한 의도도 보인다.

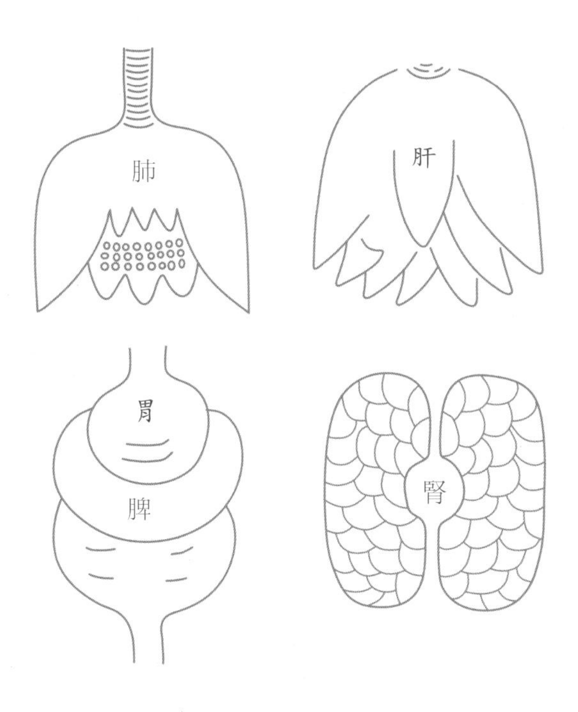

그림 1. 東醫寶鑑 臟像圖

5-8 **肺腎之運轉　一引而一縮　任呼吸之貴者宜乎　經其終始之貫串也**
脾肝之運轉　一收而一放　操唱和之機者宜乎　緯其緊歇之範圍也

肺腎의 運轉은 한번 늘었다 줄었다 하니 呼吸의 귀한 임무가 마땅하니 그 끝과 시작을 관통하는 날줄이다.
脾肝의 運轉은 한번 거두고 한번 내 놓으니 한번 부르고 한번 답하는 기틀을 조절하는 마땅함이니, 그 요긴하고 그렇지 아니한 범위인 씨줄이다.

*體의 측면에서는 脾腎과 肝肺로 묶인다. 그리고 脾腎은 안을 전일하게 하는 껍데기의 모습을 가지고 있다. 肝肺는 밖을 지키며 사방으로 흩어지는 갈래의 모습을 가지고 있다.

運轉, 즉 用의 측면에서는 肺腎과 脾肝으로 묶었다. 肺腎은 호흡을 하는 역할과 수직적 측면을 조절하는 역할을 한다. 脾肝은 장단을 맞추는 역할과 평면적 측면을 조절하는 역할을 한다. 體形은 상이 비슷한 것끼리 묶었다. 運轉은 5-6에서 以와 能의 측면에서 묶은 것을 보인다. 肺脾肝腎의 기운이 발현됨에 있어 呼-吸으로 대대되고, 束-緩으로 대대된다. 肺脾肝腎은 타고난 體形(象)에 의해 발현되는 능력과 각 四臟의 신체적 특성(以)으로 발현되는 능력이 모두 존재한다. 동무는 이런 양면성을 象과 以로 나눠서 설명하였다. 이러한 차원은 性情으로도 구현된다. 辛 3-4[96]에서 臟局大小를 결정을 설명할 때 性의 능함의 정도에 의해 결정된다고 하였다. 이때는 肺와 肝, 脾와 腎을 묶어서 설명하고 있다. 즉 象이라는 것은 선천적으로 품부받은 측면을 의미하기 때문에 臟局大小도 草 5-7과 같이 타고난 體形이라는 측면에서 설명하였다. 草 3-3[97]을 보면 臟局大小가 더욱 더 후천적으로 벌어지는 데 있어서 역할을 하는 것이 바로 喜怒哀樂이다. 喜怒哀樂은 5-6에 肺脾肝腎이 能히 하는 요소이다. 이때 각각의 해당하는 능력에 의해 傷하지 않는다. 暴動한 哀는 腎을, 怒는 肝을, 喜는 脾를, 樂은 肺를 傷하게 한다. 哀는 肺의 能이고, 怒는 脾의 能이고, 喜는 肝의 能이고, 樂은 腎의 能이다. 즉 肺-腎/肝-脾가 서로 영향을 준다. 暴動하는 喜怒哀樂이 바로 情이다. 동무는 5-6의 肺脾肝腎의 선천적으로 품부받은 특성인 象을 확장시켜 性의 개념에 적용하였고, 후천적으로 작용하는 신체적, 정신적 특성인 以와 能을 확장시켜 情의 개념에 적용한 것으로 보인다.

5-9 穀道通於腸胃 溫冷交濟於上下 氣道通於三焦 虛實均適於表裏

穀道는 腸胃에 통하여 따뜻함과 차가움이 상하에서 섞이고 이루고 氣道는 三焦로 통하여 허함과 실함이 表裏에서 균등하게 맞추어진다.

※水穀은 四腑를 통해 흡수된다. 四腑의 특성에 의해 溫冷이라는 寒熱의 특성이 만들어진다. 이렇게 생성된 寒熱이라는 水穀의 기운은 상하로 섞이면서 서로 영향을 준다. 생성

96) 辛 3-4
太陽之聽 能廣博於天時故 太陽之神 充足於頭腦 而歸肺者大也
太陽之嗅 不能廣博於人倫故 太陽之血 不充足於腰脊 而歸肝者小也.
太陰之嗅 能廣博於人倫故 太陰之血 充足於腰脊 而歸肝者大也
太陰之聽 不能廣博於天時故 太陰之神 不充足於頭腦 而歸肺者小也.
少陽之視 能廣博於世會故 少陽之氣 充足於背膂 而歸脾者大也
少陽之味 不能廣博於地方故 少陽之精 不充足於膀胱 而歸腎者小也.
少陰之味 能廣博於地方故 少陰之精 充足於膀胱 而歸腎者大也
少陰之視 不能廣博於世會故 少陰之氣 不充足於背膂 而歸脾者小也.

97) 草 3-3
頻起怒而頻伏怒則 兩脇暴盛而暴衰也 兩脇暴盛而暴衰則 肝血傷也
乍發喜而乍收喜則 胸膛暴闊而暴窄也 胸膛暴闊而暴窄則 脾氣傷也
忽動哀而忽止哀則 膂脊暴伸而暴屈也 膂脊暴伸而暴屈則 腎精傷也
屢得樂而屢失樂則 肩臂暴揚而暴抑也 肩臂暴揚而暴抑則 肺神傷也

된 水穀의 기운은 氣化되어 三焦를 통해 순환한다. 이 과정에서 비움과 채움이 반복되면서 겉과 속이 균등해진다.

*辛 4-2
水穀 自胃脘而入于胃 自胃而入于小腸 自小腸而入于大腸 自大腸而出于肛門者
水穀之都數 停畜於胃 而薰蒸爲熱氣
消導於小腸 而平淡爲凉氣
熱氣之輕淸者 上升於胃脘 而爲溫氣
凉氣之質重者 下降於大腸 而爲寒氣

辛 4-3
胃脘 通於口鼻故 水穀之氣 上升也
大腸 通於肛門故 水穀之氣 下降也
胃之體 廣大而包容故 水穀之氣 停畜也
小腸之體 狹窄而屈曲故 水穀之氣 消導也.

辛丑本에서 穀道通於腸胃 溫冷交濟於上下에 대한 구체적인 설명이 나온다. 腸胃는 위완, 위, 소장, 대장 즉 四腑로 나뉘고 각각의 형상이나 위치에 의해 水穀之氣가 발현되는 양상이 결정된다. 특징은 溫熱凉寒이라는 속성을 띄게 되는데 이러한 한열의 편차로 인해 溫-凉/熱-寒이 上下로 서로 영향을 준다. 四臟으로 설명하면 肺-肝/脾-腎으로 장국이 서로 영향을 주는 것과 일치한다.

辛 4-1
肺部位 在頷下背上 胃脘部位 在頷下胸上故 背上胸上以上 謂之上焦
脾部位 在膂 胃部位 在膈故 膂膈之間 謂之中上焦
肝部位 在腰 小腸部位 在臍故 腰臍之間 謂之中下焦
腎部位 在腰脊下 大腸部位 在臍腹下故 脊下臍下以下 謂之下焦.

三焦는 辛丑本에서 四焦의 개념으로 제시된다. 이때 焦는 背上胸上以上 膂膈之間 腰臍之間 脊下臍下以下으로 표현된다. 즉, 횡적인 공간개념이다.

辛 4-4
水穀溫氣 自胃脘而化津 入于舌下 爲津海 津海者 津之所舍也
津海之淸氣 出于耳而爲神 入于頭腦 而爲膩海 膩海者 神之所舍也
膩海之膩汁淸者 內歸于肺 濁滓 外歸于皮毛故
胃脘與舌耳頭腦皮毛 皆肺之黨也.

上焦의 공간을 보면 생성된 水穀의 기운이 津으로 氣化되어 神를 거쳐 膩로 변환된다. 이때 淸濁에 의해 胃脘-舌-耳-頭腦-肺-皮毛를 순환하고 형성한다. 즉 순환하는 과정에 虛實이 반복되면서 결국 肺之黨이라는 表裏를 균등하게 맞춘다. 穀道가 바로 水穀의 기운의 상하 또는 종적인 순환 관계라면 氣道는 津膏油液 神氣血精과 같은 水穀의 기운이 기화된 것의 전후 또는 횡적인 순환 관계로 볼 수 있다. 5-9의 자세한 설명이 바로 辛丑本의 장부론이다.

표 18. 穀道와 氣道

	部位	特性	縱橫
穀道	腸胃(四腑)	溫冷(寒熱)	上下(縱)
氣道	三焦(四焦-四黨)	虛實	表裏(橫)

5-10 **脾以納 腎以出 脾腎者 出納水穀道之府庫也**
肝以充 肺以散 肝肺者 散充氣道之門戶也

脾는 들이고 腎은 내보내니, 脾와 腎은 들이고 내보내는 水穀의 길의 倉庫이다.
肝은 채우고 肺는 흩어내니, 肝과 肺는 채우고 흩어내는 氣道의 門戶이다.

*5-10은 우선 5-7과 마찬가지로 體形의 관계로 묶어서 설명하였다. 하지만 納出充散은 5-8에 제시되는 각 四臟의 운전양태와 같다. 즉 5-10은 동무가 체형과 운전을 통합해서 설명하고자 함으로 보인다. 우선 선천적으로 품부받은 특성에 의해 인간의 臟局大小가 결정된다. 이때 象이라는 측면에서 脾-腎/肝-肺의 大小가 체질별로 결정된다. 그렇지만 선천적으로 품부받은 臟局大小를 후천적으로 차이가 더 벌어지게 하는 요소가 바로 以의 측면이다. 즉 肺脾肝腎은 고유의 신체적 능력(以)가 있는데 이것으로 인해 大小 관계가 더 벌어진다. 운전, 즉 기능적 측면에서는 脾-肝/肺-腎이 상호영향을 주지만 형태적으로는 결국 脾-腎/肝-肺로 나타난다. 그렇기 때문에 체형의 관계를 기본으로 묶어서 설명한 것으로 보인다.

*辛 2-12
肺以呼 肝以吸 肝肺者 呼吸氣液之門戶也
脾以納 腎以出 腎脾者 出納水穀之府庫也.

*辛 15-8
問 朱震亨論噎膈反胃曰 血液俱耗 胃脘乾枯 食物難入 其說如何.
曰水穀 納於胃 而脾衛之 出於大腸 而腎衛之 脾腎者 出納水穀之府庫 而迭爲補瀉者也
氣液 呼於胃脘 而肺衛之 吸於小腸 而肝衛之 肺肝者 呼吸氣液之門戶 而迭爲進退者也.

是故 少陽人 大腸出水穀陰寒之氣 不足 則胃中納水穀陽熱之氣 必盛也
　　太陽人 小腸吸氣液陰凉之氣 不足 則胃脘呼氣液陽溫之氣 必盛也

水穀과 氣道는 辛丑本에서 水穀과 氣液으로 제시되었다. 氣水液穀은 위완, 위, 대장, 소장으로부터 만들어진 기운이다. 모두 水穀의 溫熱凉寒 기운을 의미한다. 氣道와 三焦를 연관 지어서 草本卷에서 설명했고, 조절의 중추적 기관을 肺와 肝으로 보았다. 하지만 氣道와 三焦를 연관 지은 내용은 사라지고 장부론에서 四焦로 氣化된 津膏油液과 神氣血精으로 설명된다. 따라서 氣液과 氣道는 다른 개념으로 사료된다. 氣液은 水穀溫氣와 水穀凉氣를 의미한다. 草本卷의 水穀과 辛丑本의 水穀 역시 다른 개념이다. 草本卷의 水穀은 穀道의 의미이다. 즉 水穀之氣를 모두 포괄하는 개념이다. 하지만 辛丑本의 水穀은 水穀熱氣와 水穀寒氣를 의미한다. 동무가 辛丑本에서 장부론을 기술하면서 종적으로 서로 영향을 주는 溫熱凉寒의 水穀之氣와 횡적으로 四焦에서 表裏를 순환하는 기운을 명확히 구별하면서 草本卷 5-10의 水穀道, 氣道라는 표현을 氣水液穀으로 전환한 것으로 보인다. 氣 → 水 → 液 → 穀으로 갈수록 輕清한 상태에서 質重한 상태로 변환된다.[98] 즉, 氣水液穀은 四腑에서 생성된 水穀之氣의 濁度를 구별한 표현이다. 水穀之氣 중 가장 경청한 상태가 氣 다음으로 경청한 상태는 水 그 다음으로 질중한 상태는 液, 가장 질중한 상태를 穀이라고 명명하였다고 볼 수 있다.

위완에서 만들어진 水穀溫氣는 음양 중 陽이라는 상승의 특성을 가지고 있다. 氣水液穀 중 하나로 설명하자면 氣의 속성에 가장 가깝다. 위에서 만들어지는 水穀熱氣는 음양 중 陽이라는 상승의 특성을 가지고 있다. 氣水液穀 중 하나로 설명하자면 水의 속성에 가장 가깝다. 소장에서 만들어지는 水穀凉氣는 음양 중 陰이라는 하강의 특성을 가지고 있다. 氣水液穀 중 하나로 설명하자면 液의 속성에 가장 가깝다. 대장에서 만들어지는 水穀寒氣는 음양 중 陰이라는 하강의 특성을 가지고 있다. 氣水液穀 중 하나로 설명하자면 穀의 속성에 가장 가깝다.

표 19. 氣水液穀

肺-胃脘	氣	輕淸之輕淸	水穀溫氣
脾-胃	水	輕淸之質重	水穀熱氣
肝-小腸	液	質重之輕淸	水穀凉氣
腎-大腸	穀	質重之質重	水穀寒氣

98) 辛 4-2
水穀 自胃脘而入于胃 自胃而入于小腸 自小腸而入于大腸 自大腸而出于肛門者
水穀之都數 停畜於胃 而薰蒸爲熱氣
　　　　　消導於小腸 而平淡爲凉氣
熱氣之輕淸者 上升於胃脘 而爲溫氣
凉氣之質重者 下降於大腸 而爲寒氣

5-11 哀氣直升而怒氣橫升 哀怒之氣體陽而發越上騰
喜氣放降而樂氣陷降 喜樂之氣體陰而緩安下墜

哀氣는 곧게 오르고, 怒氣는 가로 오르며, 哀怒의 氣는 體는 陽이고 펼쳐져 위로 오른다.
喜氣는 펼쳐지며 떨어지고, 樂氣는 틈벙 떨어지며, 喜樂의 氣는 體는 陰이고 완만하고 편안하게 아래로 떨어진다.

*辛 2-13
哀氣直升 怒氣橫升 喜氣放降 樂氣陷降.

辛 2-15
哀怒之氣 順動 則發越而上騰
喜樂之氣 順動 則緩安而下墜
哀怒之氣 陽也 順動則順而上升
喜樂之氣 陰也 順動則順而下降.

肺脾肝腎의 能으로 발현되는 喜怒哀樂의 특성을 설명하였다. 辛丑本과 내용이 거의 같다. 상승하는 기운은 直과 橫의 차이가 있고, 하강하는 기운은 放과 陷의 차이가 있다. 이러한 차이는 肺脾肝腎의 정신적 능력인 喜怒哀樂에 의해 결정되는 것이다. 5-11에서 제시되는 陰陽은 상승과 하강을 의미한다. 辛丑本과 차이는 順動이라는 표현이 없다는 점이다. 辛丑本에서는 喜怒哀樂을 性情으로 나눠 順動과 逆動으로 나눠서 설명하였는데 草本卷에서는 제시되지 않았다.

5-12 義理之欲[99] 始雖困免 而終於爽[100]快 是一屈而又一伸也
慾利之欲[101] 始亦汨沒 而終亦狼狽 再失而又再傷也

의로운 이치의 하고자 함은 처음엔 괴로움을 면할 정도지만 끝에는 상쾌하고 이는 한번 구부리고 또 한번 펴는 것이다.
욕심의 이로움의 하고자 함은 처음에는 골몰하다가 끝에 역시 낭패하니 두 번 잃고 재차 손상받는다.

5-11에서 喜怒哀樂이라는 인간의 마음에 대한 서술 이후 義理와 慾利를 제시하였다. 喜怒哀樂의 中節을 지키는 것이 義理之欲이고, 中節을 잃고 暴動하는 것 바로 慾利之

99) 手抄本에는 '慾'으로 되어 있고, 朝醫學에는 '欲'으로 되어 있으나 본문에서는 '欲'으로 하였다.
100) 朝醫學에는 '來'로 되어 있으나 '爽'으로 보는 것이 타당하다.
101) 手抄本에는 '慾利之欲'으로 되어 있고, 朝醫學에는 '利慾之欲'으로 되어 있다.

欲이다.

5-13 賢人之力學 以慾[102]察理 而以[103]身先物 抑損揚益 開物成務
七八九十壽者 百福而兼壽也
老氏[104]之閑靖 畏慾害己[105] 退處窮僻 戒虧保盈 遺世獨立
一百零壽者 一福而高壽也

어진 사람이 배움에 힘쓰는 것은 욕심으로 이치를 살피고 자신을 物보다 먼저하고, 손상되는 것을 억제하고 이득됨을 오르게 하며 만물을 깨우쳐 힘씀을 이루어 70, 80, 90살을 살더라도 백 가지 福과 장수를 겸하는 것이다.
노자의 한가롭고 편안함은 욕심이 자기를 해치는 것을 두려워하니 궁벽에 물러나 처하고 이지러질 것을 경계하고 넘치는 것을 보존하고 세상을 떠나 얽매이지 않고 홀로 있을 수 있는 경지로 백세를 살더라도 한 가지 福으로 수명만 오래 산 것이다.

*辛 2-9
聖人之心 無慾云者 非淸淨寂滅 如老佛之無慾也
聖人之心 深憂天下之不治故 非但無慾也 亦未暇及於一己之慾也
深憂天下之不治 而未暇及於一己之慾者 必學不厭而敎不倦也
學不厭而敎不倦者 卽聖人之無慾也
毫有一己之慾 則非堯舜之心也 暫無天下之憂 則非孔孟之心也.

老氏之閑靖은 辛丑本의 聖人之心 無慾云者 非淸淨寂滅 如老佛之無慾也에서 유추할 수 있다. 세상과 동떨어져 私慾이나 邪念이 없음을 추구하는 것이다. 이는 장수를 할 수는 있겠지만 진정한 畏慾은 천하가 다스려지지 않음을 깊이 걱정하느라 자기의 사욕을 생각할 겨를이 없는 것을 의미한다. 賢人之力學 以慾察理는 바로 學不厭而敎不倦을 의미한다. 자신을 생각하기보다는 세상이 도덕적으로 돌아가기 위해 근심하고 걱정하여 열심히 자기가 부족한 점은 배우고 잘하는 것은 남에게 가르쳐 준다면 백 가지 복을 얻을 수 있다. 즉 오래 사는 것보다 어떻게 사는가가 더 중요하다.

右原人之第五統
東醫壽世保元草本卷之一終

102) 朝醫學에는 '欲'으로 되어 있으나, 문맥상 '慾'으로 하는 것이 타당하다.
103) 朝醫學에는 '治'으로 되어 있다. 手抄本에는 글씨가 분명하지 않다.
104) 朝醫學에는 '老民'으로 되어 있다.
105) 朝醫學에는 '已'으로 되어 있으나, '己'로 보는 것이 타당하다.

☆原人 5통 요약

제5통에서는 幼少壯老로 시기를 나눠 각 시기의 인간의 특성 및 잘 하는 것, 도덕적으로 해야 하는 것에 대해서 논하였다. 이때 自暴自棄하지 말 것을 강조하였다. 自棄는 知를 버린 것이고, 自暴은 行을 하지 않아 스스로를 해치는 것이다. 즉 인간은 知行을 모두 실천하면 좋지만 둘 중 하나만 잘하는 사람도 있고, 둘 다 못하는 사람도 있다. 동무는 이러한 구별이 있었음을 알 수 있다.

肺脾肝腎을 자연적 특성(旺/象), 신체적 정신적 특성(以/能), 물질적 초월적 특성(充/藏)으로 나눠서 설명하였다. 체형과 운전을 통해 肺脾肝腎의 기능과 상호관계를 설명하였다. 운전에 해당하는 부분은 辛丑本에서는 명확한 언급은 없지만 情이 促急하여 傷하는 부위와의 관계에 드러나 있다. 穀道와 氣道가 腸胃와 三焦를 중심으로 조절됨을 말하고 있으며 脾腎과 肝肺가 각각의 조절에 있어서 주도적인 역할을 한다고 제시였다. 그리고 肺脾肝腎이 능한 喜怒哀樂의 기운의 방향성을 설명하였고, 이러한 방향성을 조절하는 핵심이 결국 義理과 慾利임을 언급하며 마무리하였다.

卷之二 病變

病變은 病을 變化시키기 위한 동무의 다양한 시각이 담겨 있다. 우선, 인간의 수명에 영향을 주는 도덕적 요인, 사회적 요인, 환경적 요인들을 제시하였다. 이러한 요인들로 인해 命脈實數가 영향을 받아 8단계로 구분될 수 있다고 하였다. 각 단계의 命脈實數의 정도에 따라 인간의 수명이 결정된다. 하지만 命脈實數는 고정된 것이 아니라 노력에 의해 개선될 수 있다. 이러한 개선 과정이 바로 病變이다. 病變에는 체질별로 나타날 수 있는 생리적 병리적 특성도 기재가 되었으며, 病變에 도움이 되는 藥方을 구성하는 사상의학적 방제원리인 固中, 通外, 溫裏, 淸腸도 제시되었다.

第一統

6-1 **嬌奢減壽 懶怠減壽 偏急減壽 貪慾[106]減壽**

嬌奢스러우면 壽命이 감소하고, 懶怠하면 壽命이 감소하고, 偏急하면 壽命이 감소하고, 貪慾스러우면 壽命이 감소한다.

*減壽되는 원인에 대해서 서술하였다. 嬌奢, 懶怠, 偏急, 貪慾은 酒色財權에 빠지는 관문이다.

6-2 **爲人嬌奢 必耽侈色**
爲人懶怠 必嗜酒食
爲人偏急 必擅權寵
爲人貪慾 必慾貨財

사람됨이 嬌奢스러우면 반드시 사치와 여자를 탐한다.
사람됨이 懶怠하면 반드시 술과 먹는 것을 즐긴다.
사람됨이 偏急하면 반드시 權勢와 총애를 멋대로 한다.
사람됨이 貪慾스러우면 반드시 財貨를 욕심낸다.

*辛 16-8
嬌奢減壽 懶怠減壽 偏急減壽 貪慾減壽.
爲人嬌奢 必耽侈色 爲人懶怠 必嗜酒食酒色財權
爲人偏急 必爭權勢 爲人貪慾 必殉貨財.

嬌奢, 懶怠, 偏急, 貪慾으로 인해 酒色財權에 빠진다고 하였다. 酒色財權은 인간이 살아가면서 접하는 자연스러운 욕심이다. 嬌奢, 懶怠, 偏急, 貪慾은 酒色財權을 추구하는 인간의 본능이라고 볼 수 있다. 이러한 본능은 辛丑本의 관점으로 보면 邪心과 怠心이다.

106) 朝醫學에는 '欲'으로 되어 있으나, 문맥상 '慾'으로 하는 것이 타당하다.

6-3 爲色所拘[107] 必不治居
爲酒所困 必不持身
爲寵所癖 必不安心
爲貨所慾 必不知務

색에 구애받는 바가 되면 반드시 居處를 다스리지 못한다.
술에 곤란한 바가 되면 반드시 몸을 지탱하지 못한다.
寵愛에 편벽되는 바가 되면 반드시 마음을 편안하게 하지 못한다.
재물에 욕심나는 바가 되면 반드시 任務를 알지 못한다.

*嬌奢, 懶怠, 偏急, 貪慾하는 마음으로 인해 色, 酒, 寵, 貨에 빠지면 居處, 몸, 마음, 일이 모두 무너진다.

*辛 16-10
居處荒凉 色之故也 行身闒茸 酒之故也 用心煩亂 權之故也 事務錯亂 貨之故也.

辛丑本에서는 이러한 상황을 구체적으로 설명하였다. 居處는 황량해지고, 몸을 행하는 것은 용렬하고 우둔하며, 마음을 씀이 번란하고, 일을 하는 것은 착란해진다고 하였다.

표 20. 懶怠 嬌奢 偏急 貪慾의 대상과 결과

慾利	對象	結果
懶怠	酒食	嗜酒食
嬌奢	侈色	不治居
偏急	權寵	不安心
貪慾	貨財	不知務

6-4 侈尙可也 色不可耽也
食尙可也 酒不可[108]嗜也
權尙可也 寵不可擅也
財尙可也 貨不可慾也

스스로 많다고 자랑하는 것은 오히려 가능하나 色을 탐하는 것은 불가하다.
먹는 것은 오히려 가능하나 술을 즐기는 것은 불가하다.

107) 手抄本에는 '拘'로 되어 있고, 朝醫學에는 '枸'로 되어 있다.
108) 手抄本과 朝醫學에는 '可'가 누락되어 있으나, 문맥상 있어야 타당하다.

권세는 오히려 가능하나 총애를 멋대로 하는 것은 불가하다.
재물은 오히려 가능하나 돈을 욕심내는 것은 불가하다.

*욕심의 대상인 酒食 侈色 權寵 貨財에도 허용되는 부분과 허용불가인 부분이 있음을 설명하였다. 즉 인간의 慾을 무조건 부정한 요소로만 보지는 않았다. 적절한 욕구 추구는 삶을 살아가는 행복의 원천이다. 적절하게 내세우고, 적절하게 먹고, 적절한 권리도 있고, 적절하게 재물도 있어야 인간다운 삶을 영위할 수 있다. 하지만 이게 적절함을 잃고 여색만 탐하거나, 술에 빠져버리거나, 총애만 받으려고 하거나, 돈만 좇게 되면 이것은 과함이다. 경계해야 한다.

*辛 16-23
不妬賢嫉能而爲惡 則惡必不多也
不好賢樂善而爲善 則善必不大也.

辛丑本에서는 妬賢嫉能 정도의 악행이 아니면 악함이 많은 것은 아니라고 하였다. 侈食權財를 추구하는 것이 이 정도 상황으로 보인다.

6-5 簡約保命 勤幹保命 警戒保命 聞見保命

번거롭지 않으면 壽命을 보존하고, 부지런하고 幹能(재주가 있고 능란함)하면 壽命을 보존하고, 警戒하면 壽命을 보존하고, 듣고 보면 壽命을 보존한다.

*6-1의 減壽와 대비되는 保命하는 방법을 제시하였다.

6-6 爲人簡約 必遠侈色
爲人勤幹 必節酒食
爲人警戒 必避權寵
爲人聞見 必淸貨財

사람됨이 번거롭지 않으면 반드시 사치와 여자를 멀리한다.
사람됨이 부지런하고 幹能하면 반드시 술과 음식을 절제한다.
사람됨이 警戒할 줄 알면 반드시 權勢를 피한다.
사람됨이 보고 들음이 있으면 財貨에 淸廉하다.

※辛 16-9

簡約得壽 勤幹得壽 警戒得壽 聞見得壽.
爲人簡約 必遠侈色 爲人勤幹 必潔酒食
爲人警戒 必避權勢 爲人聞見 必淸貨財.

簡約, 勤幹, 警戒, 聞見하면 酒色財權에 빠지지 않을 수 있다. 酒色財權은 인간이 살아가면서 접하는 자연스러운 욕심이다. 簡約, 勤幹, 警戒, 聞見은 酒色財權에 빠지지 않을 수 있는 인간의 본능이라고 볼 수 있다. 이러한 본능은 辛丑本의 관점으로 보면 博通과 獨行이다. 인간은 항상 邪心과 怠心이 無雙하다. 하지만 동시에 博通과 獨行할 수 있는 自有不息之知와 自有不息之行을 가지고 있다.[109]

6-7 **雖則遠色 曷當[110] 耽獨**
雖則節酒 曷當寂寬
雖則避寵 曷當廢[111]棄
雖則淸貨 曷當丐包

비록 색을 멀리하더라도 어찌 홀로 밝히는 것을 감당할 수 있겠는가!
비록 술을 절제하더라도 어찌 적적한 것을 감당하겠는가!
비록 총애를 피하더라도 어찌 폐기되는 것을 감당하겠는가!
비록 돈에 청렴하더라도 어찌 거지보따리를 감당하겠는가!

※6-4와 통하는 내용이다. 色酒寵貨에 빠지지 않기 위해 자연스러운 인간의 욕구인 侈食權財까지 과하게 절제하면 사회적 인간의 삶을 살 수 없다.

6-8 **爲人簡約 居處安樂**
爲人勤幹 行身貞正
爲人警戒 用心快活
爲人聞見 事務[112]通達

109) 辛 1-27
耳目鼻口之情 行路之人 大同於協義故 好善也 好善之實 極公也 極公 則亦極無私也
肺脾肝腎之情 同室之人 各立於擅利故 惡惡也 惡惡之實 極無私也 極無私 則亦極公也
頷臆臍腹之中 自有不息之知 如切如磋 而驕矜伐夸之私心 卒然敗之 則自棄其知 而不能博通也
頭肩腰臀之下 自有不息之行 赫兮咺兮 而奪侈懶竊之慾心 卒然陷之 則自棄其行 而不能正行也.

110) 朝醫學에는 '易當'으로 되어 있으나 전혀 문맥에 맞지 않는다.

111) 手抄本에는 '瘢'로 되어 있고 朝醫學에는 '廢'로 되어 있으나, '廢'로 쓰는 것이 옳다.

112) 朝醫學에는 '無'로 되어 있으나 '務'가 옳다.

사람이 簡約하면 居處가 편안하고 즐겁다.
사람이 勤幹하면 몸을 행하는 것이 바르다.
사람이 警戒하면 마음을 쓰는 것이 쾌활하다.
사람이 聞見하면 事務에 통달한다.

*簡約, 勤幹, 警戒, 聞見하는 마음으로 色, 酒, 寵, 貨을 절제하면 居處, 몸, 마음, 일이 모두 바르게 된다.

*辛 16-11
若敬淑女 色得中道 若愛良朋 酒得明德 若尚賢人 權得正術 若保窮民 貨得全功.

辛丑本에 酒色財權을 절제할 수 있는 방법이 제시되었다. 각각을 敬淑女-簡約, 愛良朋-勤幹, 尚賢人-警戒, 保窮民-聞見으로 연관 지을 수 있다. 簡約, 勤幹, 警戒, 聞見이 酒色財權을 절제할 수 있는 개인적 방법이라면 敬淑女, 愛良朋, 尚賢人, 保窮民은 사회적 방법이다.

표 21. 勤幹 簡約 警戒 聞見의 대상과 결과

義理	對象	結果
勤幹	酒食	行身貞正
簡約	侈色	居處安樂
警戒	權寵	用心快活
聞見	貨財	事務通達

6-9 天下有居 夫婦治居
天下有群 長幼治群
天下有交 君臣治交
天下有事 父子治事

천하에 居處가 있으니 부부가 居處를 다스린다.
천하에 무리가 있으니 어른과 아이가 무리를 다스린다.
천하에 교제함이 있으니 군주와 신하가 교제함을 다스린다.
천하에 일이 있으니 아버지와 아들이 일을 다스린다.

*事交群居는 각각 事務, 交遇, 黨與, 居處와 통한다. 事務, 交遇, 黨與, 居處는 1-7[113)]

113) 草 1-7
肺知事務 脾知交遇 肝知黨與 腎知居處

에서 肺脾肝腎이 知하는 것이고, 1-8[114]에서 衆同한 요소로 보았다. 또한 2통에서 체질별로 安身과 接人의 상황에서 能不能 차이가 있다고 하였다. 事交群居는 인간이 살아가는 터전이고 이게 인간으로부터 발현되는 양상이 바로 事務, 交遇, 黨與, 居處이다. 辛丑本에서는 人事[115]라고 하였다.

夫婦, 長幼, 君臣, 父子는 三綱五倫의 내용이다. 동무는 孟子에 나오는 父子有親 · 君臣有義 · 夫婦有別 · 長幼有序 · 朋友有信 중 네 가지를 事交群居의 상황에 대입하였다. 居處는 부부가 주로 다스리는 공간이다. 居處를 함에 있어 남편의 역할과 아내의 역할이 구별되어 다스려져야 한다(夫婦有別). 黨與는 어른과 아이 즉 다양한 나이의 사람들이 무리를 짓는 것이다. 이때 차례와 질서가 있어야 그 무리가 안정적으로 유지된다(長幼有序). 交遇라는 것은 군주와 신하가 교류하듯이 의리를 갖춰야 한다(君臣有義). 事務를 함에 아버지와 아들이 서로 일방적으로 명령을 내리고 따르는 것이 아니라 親愛가 바탕이 되어야 한다(父子有親). 동무가 五倫의 요소를 人事에 반영하고자 한 의도를 6-9에 확인할 수 있다.

표 22. 사회적 윤리

人間社會	人間發顯	倫
事	事務	父子有親
交	交遇	君臣有義
群	黨與	長幼有序
居	居處	夫婦有別

6-10 居處淫侈 夫不庇[116]婦
行身謀食 長不師幼
用心圖權 君不擇臣
事務籠財 父[117]不敎子

居處가 도리에 어긋나고 스스로 많다고 자랑하면 지아비가 부인을 감싸지 않는다.
몸을 움직이는 것이 음식을 도모하면 어른이 아이를 가르치지 못한다.
마음을 씀이 권세만 도모하면 군주는 신하를 택하지 않는다.

肺行籌策 脾行謀猷 肝行材幹 腎行便宜
114) 草 1-8
事務衆同也 籌策由己也 交遇衆同也 謀猷由己也
黨與衆同也 材幹由己也 居處衆同也 便宜由己也
115) 辛 1-2
人事有四 一曰居處 二曰黨與 三曰交遇 四曰事務.
116) 手抄本에는 '夫不庇'로 되어 있으나, 朝醫學에는 '天不庇'로 되어 있다.
117) 手抄本에는 글씨가 분명하지 않고, 朝醫學에는 '決'로 되어 있으나, '父'로 보는 것이 타당하다.

事務가 재물만을 쌓으면 아비가 자식을 가르칠 수 없다.

*侈食權財은 인간의 본능적인 욕구 추구이고 이러한 욕구의 추구는 6-4에서 可하다고 하였다. 하지만 절제가 필요하다. 절제를 잃고 지나치면 色酒寵貨에 빠지게 된다. 6-3[118]에 居身心務를 다스리지 못하게 하는 요소를 色酒寵貨라고 하였다.

6-11 居處荒涼 色之故也
行身闒茸 酒之故也
用心煩満 寵之故也
事務錯亂 貨之故也

居處가 황량한 것은 여색 때문이다.
行身이 용렬한 것은 술 때문이다.
用心이 번거롭고 답답한 것은 총애 때문이다.
事務가 錯亂 한 것은 재화 때문이다.

*辛 16-10
居處荒凉 色之故也 行身闒茸 酒之故也 用心煩亂 權之故也 事務錯亂 貨之故也.

*6-10의 상황에서 절제를 잃고 色酒寵貨에 빠지게 되면 결국 居身心務는 다스림을 잃게 되어 황량해지고, 용렬해지고, 번만하게 되고, 착란하게 된다. 부부, 장유, 군신, 부자라는 모든 인간 사회가 망가지게 되는 가장 큰 원인이 바로 酒色財權이다.

6-12 山谷之人 昧於聞見而易爲貪慾
市井之人 忽於簡約而易爲驕奢
農耕之人 棄於勤幹而易爲懶怠
讀書之人 慢於警戒而易爲[119] 偏急

산골짜기 사람들은 聞見에 어두워 쉽게 탐욕하게 된다.
市井사람들은 간약한 것에 소홀하여 쉽게 驕奢한다.

---

118) 草 6-3
爲色所拘 必不治居
爲酒所困 必不持身
爲寵所癖 必不安心
爲貨所慾 必不知務

119) 手抄本과 朝醫學에는 '於'로 되어 있으나, '爲'로 보는 것이 타당하다.

농사짓는 사람들은 勤幹을 버리고 쉽게 나태하다.
독서하는 사람들은 경계하는 것에 오만하여 쉽게 偏急된다.

*인간은 처한 사회적 환경에 영향을 받아 簡約, 勤幹, 警戒, 聞見을 버리고, 嬌奢, 懶怠, 偏急, 貪慾에 빠지게 된다. 산골짜기에 머물러 사는 사람은 聞見이 좁아지기 쉽고, 시장에서 여러 사람들을 상대하며 사는 사람들은 사치에 빠지기 쉽다. 농사짓는 사람들은 매일 매일 근면해야 농사가 결실을 맺을 수 있지만 하루라도 근면하지 하지 않으면 농사가 망하기 때문에 항상 근면해야 한다. 책을 읽는 선비들은 한쪽으로 뜻이 치우칠 수 있기 때문에 그것을 항상 경계하여 中庸을 지키는 것이 필요하다. 原人 6통에서 幼少壯老를 통해 시기별 도덕적 인간관을 제시하였다. 病變 1통에서 사회적 환경에 따른 도덕적 인간관을 제시하였다. 동무는 시간, 공간에 따른 보편적인 도덕적 인간관을 제시하고자 한 것으로 보인다.

辛 16-15
山谷之人 沒聞見而禍夭 市井之人 沒簡約而禍夭 農畝之人 沒勤幹而禍夭 讀書之人 沒警戒而禍夭

辛丑本에서는 簡約, 勤幹, 警戒, 聞見이 없으면 夭折의 禍를 당한다고 표현하였다.

6-13 山谷之人 有聞見則 必得高年
市井之人 能簡約則 自然吉祥
農耕之人 勉勤幹則 永保康寧
讀書之人 恒警戒則 終享福壽

산골짜기 사람들이 聞見이 있으면 반드시 장수를 얻을 수 있다.
市井사람들이 능히 간약하다면 자연스러운 길조가 있다.
농사짓는 사람들이 勤幹에 힘쓴다면 영원히 건강을 보존할 수 있다.
독서하는 사람들이 항상 경계하면 결국 장수의 복을 누린다.

*辛 16-16
山谷之人 宜有聞見 有聞見則福壽 市井之人 宜有簡約 有簡約則福壽
鄕野之人 宜有勤幹 有勤幹則福壽 士林之人 宜有警戒 有警戒則福壽.

辛丑本에서는 簡約, 勤幹, 警戒, 聞見 있으면 장수의 복을 누린다고 하였다. 草本卷의 내용도 이와 유사하다.

6-14 問 居處行身 夫婦長幼等事 有關疾病乎
曰 人之臟氣 內存精靈 外應事物 爲酒色所傷者 旣傷於酒色
又困於居處行身 所以受病甚酷

묻기를 "居處行身은 夫婦와 長幼 등의 일인데 질병과 관계가 있습니까?"
이르길 "사람의 臟의 기운은 안으로는 精氣와 靈이 있고 밖으로는 사물에 응하는데 酒色에 傷하면 이미 酒色에서 상했고, 또한 居處 行身도 곤란하게 된다. 따라서 병이 들면 심히 혹독하다."

*臟氣는 단순히 술이나 여색을 통해서만 몸만 상하는 게 아니다. 주색으로 인해 居處가 황량해지고, 몸이 용렬해져 그 과정에서 육체(精)와 정신(靈)이 모두 상하게 된다.

*臟의 역할에 대한 설명이 제시되었다. 臟은 原人 3통에서 神氣血精과 魂靈志意가 내재되어 있는 것으로 제시되었다. 辛丑本 장부론에서 神氣血精이 臟으로 들어가며[120], 神靈魂魄의 형태로 같이 내재됨을 알 수 있다. 즉 精(神氣血精)과 靈(神靈魂魄)[121]이 臟에 모두 내재되어 있으며, 臟은 學問思辨[122]을 통하여 외부의 사물에 응하는 역할을 한다. 原人 4통에서 肺脾肝腎은 知萬物[123]한다고 하였다. 즉 臟은 정신적 요소와 신체적 요소를 모두 포함하고 있으며, 외부의 사물을 學問思辨하여 내재화하는 역할을 담당한다. 이러한 특성을 바탕으로 동무는 肺脾肝腎을 통해 臟局大小를 서술한 것으로 보인다.

*辛 16-21
酒色之殺人者 人皆曰 酒毒枯腸 色勞竭精云 此 知其一 未知其二也.
縱酒者 厭勤其身 憂患如山 惑色者 深愛其女 憂患如刀 萬端心曲 與酒毒色勞拜力攻之而 殺人[124]也.

縱酒하면 몸을 부지런하기 싫어져 우환이 산과 같이 무거워진다. 이것이 行身이 용렬해지는 것이다. 惑色하면 과도한 애착으로 인해 우환이 칼과 같이 날카로워진다. 결국

120) 辛 4-7
水穀寒氣 自大腸而化液 入于前陰毛際之內 爲液海 液海者 液之所舍也
液海之淸氣 出于口而爲精 入于膀胱 而爲精海 精海者 精之所舍也
精海之精汁淸者 內歸于腎 濁滓 外歸于骨故
大腸與前陰口膀胱骨 皆腎之黨也.神氣血精이라는 물질이 肺脾肝腎으로 들어간다.
121) 辛 4-13
膩海藏神 膜海藏靈 血海藏魂 精海藏魄.
122) 辛 4-12
肺必善學 脾必善問 肝必善思 腎必善辨
123) 草 4-2
精神氣血之能 周而暢也 周而暢 故載萬物也
首腹肱股之能 堅而勤也 堅而勤 故行萬物也
肺脾肝腎之能 忍而容也 忍而容 故知萬物也
耳目鼻口之能 敏而捷也 敏而捷 故覆萬物也
124) 『東醫壽世保元』 7판본에 '殺大'로 되어 있다.

居處는 황량해진다. 결국 만 갈래로 찢어지고 마음이 바르지 않게 되는데 이것 때문에 죽는 것이다. 단순히 술독이 腸을 마르게 하고 色勞가 精을 고갈시키는 문제가 아니다.

6-15 農夫力作食 何謂不勤幹[125] 士人博覽强記[126] 何謂不警戒耶

曰 百畝之田不治 爲已憂者 農夫之任也, 農夫而比[127] 之士人[128]

則 固懶怠者也

讀書之人 目覽諸書 心恒妄尊 農畝之人 目不知書 心恒佩[129]

銘 士人而擬之農夫則 眞不警戒者也

若農夫稍識字 士人習力作 二者俱備則 才性調密 疾病少侵

"농부는 음식을 만드는 데 힘쓰는데 어찌 근간하지 않다고 이르며, 선비는 널리 보고 열심히 기억하는데 어찌 경계하지 않는다 하는가?"

답하길 "百畝의 밭을 다스리지 못하는 것을 자기의 걱정으로 하는 것이 농부의 책임이니 농부는 선비와 비교하면 즉 진실로 나태한 사람이다. 선비는 눈으로 모든 책을 보고 마음은 항상 망령되이 스스로를 높이고 농부는 눈으로 책을 알지 못하나 마음에는 항상 매달려 있는 명패가 있으니 선비를 농부에 비교하면 진실로 경계하지 않는 자이다.
만약 농부가 약간 글자를 알고 선비가 힘써 일을 하여 두 가지 모두 갖춘다면 재능과 성질이 조밀해지고 질병에 적게 침범된다."

*농부가 勤幹하지 않다고 하는 이유는 선비는 나라가 다스려지지 않음을 걱정하는데, 농부는 이에 비해 작은 면적인 백 마지기 정도의 땅이 다스려지지 않음만 걱정하지 더 큰 범위는 걱정하지 않기 때문에 勤幹하지 않다고 하였다. 선비가 警戒하지 않는다고 하는 것은 책을 많이 읽는데, 그로 인해 망령된 자긍심이 쌓여 그것을 警戒하며 실천하기보다는 자랑만 하기 때문이다. 이에 반해 농부는 글자는 모르지만 자기가 알고 있는 도덕적 가치를 항상 마음속에 품고 경계하며 살기 때문에 선비가 농부보다 警戒하지 않는다고 하였다. 결국 농부가 더욱더 勤幹하고 선비가 더욱더 警戒하기 위해서는 농부도 글자를 배워 단지 자기의 경작지만 돌보는 게 아니라 온 나라를 勤勉하게 耕作하는 것으로 실천의 범위를 넓히고, 선비도 단순히 책만 읽고 자긍심만 부릴 것이 아니라 농부처럼 실제적으로 몸으로 실천하여 진실로 警戒하는 삶을 살아야 한다. 그래야만 타고난 재주와 성품이 주밀해지고 그로 인해 臟의 氣運이 견고해져 長壽의 복을 누릴 수 있다.

125) 手抄本과 朝醫學에는 모두 '勤簡'으로 되어 있으나, 문맥을 고려하여 원문을 '勤幹'으로 고쳤다.
126) 手抄本과 朝醫學에는 모두 '博覽强氣'로 되어 있으나, 문맥을 고려하여 '博覽强記'로 고쳤다.
127) 朝醫學에는 '死'로 되어 있다.
128) 手抄本과 朝醫學에는 '人'이 없으나, 문맥상 '人'을 추가하는 것이 타당하다.
129) 手抄本과 朝醫學에는 '佣'으로 되어 있으나, 문맥상 '佩'가 타당하다.

*辛 16-18

或曰 農夫 元來力作 最是勤幹者也而 何謂沒勤幹 士人 元來讀書 最是警戒者也而 何謂沒警戒耶.

曰 以百畝之不治 爲己憂者 農夫之任也 農夫而比之士人 則眞是懶怠者也

士人 頗讀書故 心恒妄矜 農夫 目不識字故 心恒佩銘 士人而擬之農夫 則眞不警戒者也.

若農夫勤於識字 士人習於力作 則才性調密 臟氣堅痼.

草本卷에서는 疾病少侵이라고 한 것을 辛丑本에서는 臟氣堅痼하다고 표현하였다. 즉 내가 타고나지 못한 면을 노력을 통해 극복해야 건강해지고 질병에도 걸리지 않는다. 이것이 바로 學不厭教不倦이다. 辛丑本의 臟氣라는 표현은 草 6-14 '人之臟氣 內存精靈 外應事物'에서 가져온 것으로 보인다.

6-16 疲憊虛耗　荒凉之疾
打撲損傷　闖茸之疾
積聚內癰　煩滿之疾
癲癇狂病　錯亂之疾
咳嗽喘端[130]　嬌奢之疾
傷食傷暑[131]　懶怠之疾
中風 偏急之疾
眼病鼻塞　貪慾之疾

피로하고 고단하고 허하고 소모되는 것은 황량함으로 인한 질환이다.
타박과 손상은 용렬함으로 인한 질환이다.
積聚와 內癰은 煩滿으로 인한 질환이다.
癲癇과 狂病은 錯亂으로 인한 질환이다.
咳嗽와 喘端은 嬌奢해서 생기는 질환이다.
傷食과 傷暑는 나태해서 생기는 질환이다.
中風은 偏急해서 생기는 질환이다.
眼病과 鼻塞은 貪慾해서 생기는 질환이다.

*嬌奢, 懶怠, 偏急, 貪慾하는 마음으로 인해 色, 酒, 寵, 貨에 빠지면 居處, 몸, 마음, 일이 모두 무너진다. 6-16에서는 酒色財權에 빠지는 개인적 원인인 嬌奢, 懶怠, 偏急, 貪慾으로부터 발현되는 질병과 이러한 마음으로 인해 사회적인 상황에서 무너져 버린 상황

130) 手抄本과 朝醫學에는 '端'으로 되어 있으나, 문맥상 '息'이나 '哮'로 번역하는 것이 타당하다.
131) 朝醫學에는 '署'로 되어 있다.

에서 발현되는 질병을 설명하고 있다. 후자의 병태가 더욱더 위중하다. 그 중심에 酒色財權이 있다.

표 23. 개인적 사회적 不道德과 疾病의 발현

개인적 차원			酒色財權	사회적 차원		
病因	疾病	藥		病因	疾病	藥
懶怠	傷食傷暑	勤幹	酒	行身闒茸	打撲損傷	行身貞正
嬌奢	咳嗽喘端	簡約	色	居處荒凉	疲憊虛耗	居處安樂
偏急	中風	警戒	寵	用心煩滿	積聚內癰	用心快活
貪慾	眼病鼻塞	聞見	貨	事務錯亂	癲癎狂病	事務通達

6-17 凡人恭敬則益壽　怠慢則減壽
飮食　以能忍飢而不貪飽　爲恭敬
衣服　以能忍寒而不擇溫　爲恭敬
筋力　以能節勞而不便逸　爲恭敬
財物　以能忍乏而不苟得　爲恭敬
蓋恭敬則心氣長遠　怠慢則心氣短促
長遠者壽　短促者不壽　裡勢然也

무릇 인간은 恭敬하면 반드시 壽命을 더하고, 怠慢하면 반드시 壽命이 준다.
飮食은 능히 주림을 참아내고, 배부름을 탐하지 않는 것으로써 恭敬을 삼는다.
衣服은 능히 추위를 견디고, 따뜻함을 택하지 않는 것으로써 恭敬을 삼는다.
筋力은 능히 절제하며 노동하고, 편하고 安逸하지 않는 것으로써 恭敬을 삼는다.
財物은 능히 궁핍함을 인내하고, 구차하게 얻지 않는 것으로써 恭敬을 삼는다.
대개 恭敬하면 心氣가 길고 멀어지고, 怠慢하면 心氣가 짧고 촉급해진다.
길고 멀어지면 장수하고 짧고 촉급하면 장수할 수 없으니 내부의 형세가 이러하다.

*의식주와 몸의 편안함을 추구하는 것은 인간의 본능이다. 하지만 공경하는 마음으로 절제해야 된다. 그래야 마음이 오랫동안 편안할 수 있다. 게으른 마음으로 과욕을 부리게 되면 마음은 촉급하게 되어 6-16에서 제시된 질병이 모두 나타날 수 있다. 그럼 결국 장수할 수 없다.

6-18 飢者之腸[132] 急於得食 則腸[96]氣餧[133]也
貧[134]者之骨 急於得財 則骨力竭也
是故 腸不傷於飢 而傷於函飽之慾
骨不傷於貧 而傷於函富之慾
蓋人心欲安 人胃亦欲安 貧而安貧 則骨力裕而有立
飢而安飢 則腸氣約而有守
是故 心則聰明而欲寬 身則敏强而欲勤 胃則淡食而欲繼 膚則當薄而欲耐

주린 자의 腸이 갑자기 음식을 얻으면 腸의 氣運이 주리게 된다.
가난한 자의 骨에 갑자기 재물이 생기면 骨力이 枯渴된다.
이와 같은 까닭에 腸은 주리는 것에 상하는 것이 아니라 배부르고자 하는 욕심에 상한다.
骨은 가난함에 상하는 것이 아니라 부유하고자 하는 욕심에 상한다.
대개 인간의 마음은 편안하고자 하고, 인간의 胃 역시 편안하고자 한다. 가난하지만 가난을 편안히 하면 骨力이 넉넉하고 세움이 있다. 주리지만 주림을 편안히 하면 腸氣가 맺히고 지킴이 있다.
이와 같은 까닭에 마음은 총명하고 관대하고자 하고 몸은 민첩하고 강하며 근면하고자 하고 胃는 담백하게 먹고 이어지고자 하고 膚은 엷음을 당함에 견디고자 한다.

*몸, 마음, 腸, 피부 모두 항상 안일함을 추구하지 않고 절제를 통해 총명하고, 빠릿빠릿하고, 담백하게 먹고, 추위나 더위를 견딜 수 있도록 해야 한다.

*辛 16-14
凡人恭敬則必壽 怠慢則必夭
謹勤則必壽 虛貪則必夭
飢者之腸 急於得食 則腸氣蕩矣 貧者之骨 急於得財 則骨力竭矣
飢而安飢 則腸氣有守 貧而安貧 則骨力有立
是故 飮食 以能忍飢而不貪飽 爲恭敬
衣服 以能耐寒而不貪溫 爲恭敬
筋力 以能勤勞而不貪安逸 爲恭敬
財物 以能謹實而不貪苟得 爲恭敬.

草本卷과 내용상 거의 같다.

132) 朝醫學에는 '腹'으로 되어 있다.
133) 手抄本에는 '餧'로 되어 있고, 朝醫學에는 '喂'로 되어 있으나,『東醫壽世保元』「廣濟說」에는 '蕩'으로 되어 있다.
134) 朝醫學에는 '貪'으로 되어 있다.

6-19 凡人簡約而勤幹 警戒而聞見 四體圓[135]全者 自然上壽
聞見而警戒 勤幹而嬌奢 一體久缺者 次壽
嬌奢而勤幹[136] 偏急而[137]聞見 二體久缺者 恭敬則壽 怠慢則夭

무릇 인간은 簡約하면서 勤幹하고, 警戒하면서 聞見이 있어야 한다. 네 가지 자질이 고루 갖춘 자는 자연스레 가장 長壽한다.
聞見하면서 警戒하고 勤幹하면서 嬌奢하여 한 덩어리가 오래 이지러지면 다음으로 장수한다.
嬌奢하고 勤幹하고 偏急하고 聞見하여 두 덩어리가 오래 이지러지면 恭敬하면 장수하지만 怠慢하면 요절한다.

*草 1-5[138]에서 仁義禮智라는 네 가지 덕이 욕심에 함몰되어 폐기된 정도에 따라 聖人과 衆人이 만 가지로 다르다고 하였다. 6-19에서 簡約 勤幹 聞見 警戒는 바로 仁義禮智라는 四德을 갖출 수 있는 인간에게 내재된 도덕적 능력이다. 이러한 도덕적 능력이 욕심에 의해 가려진 정도에 따라 인간의 수명이 결정된다고 하였다.

*辛 16-13
凡人簡約而勤幹 警戒而聞見 四材圓全者 自然上壽
簡約勤幹而警戒 或聞見警戒而勤幹 三材全者 次壽
嬌奢而勤幹 警戒而貪慾 或簡約而懶怠 偏急而聞見 二材全者 恭敬則壽 怠慢則夭.

辛丑本에서는 酒色財權에 빠지지 않는 도덕적 노력의 정도에 따라 수명이 결정된다고 하였다.

右病之變證第一統

135) 手抄本과 朝醫學에는 '圖'로 되어 있으나, 같은 내용이 『東醫壽世保元』「廣濟說」에는 '圓'으로 되어 있다.
136) 手抄本과 朝醫學에는 '簡'으로 되어 있으나, 문맥상 '幹'으로 보는 것이 타당하다.
137) 手抄本과 朝醫學에는 '而'가 누락되어 있으나, 문맥상 넣어야 한다.
138) 人趨欲心 有四不同 棄禮而放縱者 名曰鄙人(太陽人)
棄義而偸逸者 名曰懦人(少陰人)
棄智而飾私者 名曰薄人(少陽人)
棄仁而極慾者 名曰貪人(太陰人)
註: **四德爲慾心所陷而 有一面廢棄者 有二三四面俱廢棄者 有右明而左暗者 有左明而右暗者**
四德爲誠心所擴而 有一體充備者 有四體具微者 有善人信人者 有充實光輝者 有散而參差 直而高 低 間間自別 層層不同 間間參差者 衆人也 層層高低者 賢良也 聖人衆人 萬殊也

☆病變 1통 요약

病變 1통에서 酒色財權에 빠지는 원인과 그 결과, 그리고 극복할 수 있는 방법 등을 기술하였다. 병의 변화를 살피는 첫 시작에 酒色財權을 제시했다는 것은 의미가 크다. 즉 인간이 병이 들고 안 들고, 오래 살고 안 살고를 결정하는 것은 인간의 본능적 욕구를 절제를 할 수 있는가 아닌가로 본 것이다. 酒色財權은 인간이 욕망하는 대상이다. 적절한 선에서는 악하다고 볼 수 없고, 오히려 삶의 재미, 행복의 원동력이 될 수도 있으며, 삶의 꼭 갖춰야할 필수 요소이기도 하다. 草本卷에서 辛丑本과 달리 色 酒 寵 貨/侈 食 權 財로 酒色財權을 구별하였다. 侈 食 權 財은 어느 정도 추구해도 가능하지만 色 酒 寵 貨는 추구해서는 안 되는 것으로 논하였다.

개인적 차원에서 酒色財權에 빠지는 것이 居處, 行身, 用心, 事務와 같은 사회적 차원에도 영향을 준다고 하였다. 결국 부부, 장유, 군신, 부자라는 인간 관계의 기본적 질서도 깨질 수 있다고 하였다. 거주하는 환경에 따라서도 좀더 노력해야 하는 도덕적 측면의 차이가 있음도 제시하였다. 하지만 동무가 원하는 도덕적 수준은 성인과 같은 완벽한 수준이 아니다. 부족한 측면이 있더라도 공경하는 자세로 노력해야 하는 것을 강조하였다.

체질적 측면에서 病變 1통을 보면, 酒色財權은 체질별로 不能한 人事에 감추어진 心慾이며, 이러한 심욕에 빠지게 되면 결국 情氣는 더욱 더 촉급하게 되고 情氣가 촉급하게 되면 결국 四德을 버리고 鄙薄貪懦人이 된다. 장국의 편대와 편소 또한 더욱 더 벌어지게 된다. 心慾을 좇는다는 것은 바로 酒色財權을 좇는 것이고, 이러한 酒色財權을 簡約, 勤幹, 警戒, 聞見을 통해 밝히고 구별한다면 性이 深着하고 情이 促急해지는 상황은 발생하지 않을 것이다. 草 6-19는 聖人, 賢人, 衆人의 차이를 말하는 것이며, 衆人에 있어서 不能한 人事를 함에 있어 공경해야 함을 말하고 있다.

第二統

7-1 太陽人　財權酒色　凡百內傷外觸　皆損肝　故太陽人　以肝臟剩削　爲命脉長短
太陰人　財權酒色　凡百內傷外觸　皆損肺　故太陰人　以肺臟剩削　爲命脉長短
少陽人　財權酒色　凡百內傷外觸　皆損腎　故少陽人　以腎臟剩削　爲命脉長短
少陰人[139]　財權酒色　凡百內傷外觸　皆損脾　故少陰人　以脾臟剩削　爲命脉長短

太陽人은 財權酒色과 모든 內傷外觸이 다 肝을 손상시키는 까닭에 太陽人은 肝의 남고 깎임이 命脉의 길고 짧음이 된다.
太陰人은 財權酒色과 모든 內傷外觸이 다 肺를 손상시키는 까닭에 太陰人은 肺의 남고 깎임이 命脉의 길고 짧음이 된다.
少陽人은 財權酒色과 모든 內傷外觸이 다 腎을 손상시키는 까닭에 少陽人은 腎의 남고 깎임이 命脉의 길고 짧음이 된다.
少陰人은 財權酒色과 모든 內傷外觸이 다 脾를 손상시키는 까닭에 少陰人은 脾의 남고 깎임이 命脉의 길고 짧음이 된다.

*病變 1통에서 장수를 방해하는 요인으로 酒色財權을 제시하였다. 病變 2통에서 체질별 偏小之臟이 손상되는 가장 첫 번째 원인으로 酒色財權을 제시하였다. 그 다음으로 내상과 외감이라는 일반적인 병인을 제시하였다. 동무의 병리관에 있어서 가장 핵심이 되는 병의 원인은 性情의 편급을 유발하는 酒色財權임을 이러한 서술 방식에서도 알 수 있다. 병리적 서술에 있어 또 다른 특징은 편소한 장국만 이야기한다는 점이다. 편대한 장국의 과도보다 편소한 장국의 손상을 가장 중요한 요인으로 본 것이다. 결국 치료에 있어서도 편소한 장국을 어떻게 확충하는가가 중요하다는 것이다. 太陽人 특유의 과감성이 보인다. 오직 편소한 장국에 집중해서 치료하고 관리함으로써 포괄적 치료가 이루어질 수 있다고 보았다.

139) 手抄本에는 '人'이 누락되어 있다.

7-2 太陽人 肝臟十分圓[140]全 而與肺相敵者 極完境人也
一半虧缺 而與肺讓倍者 極壞境人也 過此則死
以此推之 太陽人 肝臟部一半 爲命脉實數 他臟倣[141]此

太陽人은 肝이 十分 완전하여 肺와 대적할 수 있으면 지극히 완전한 경지의 사람이다.
절반 정도 이지러지고 빠져 肺에 倍 정도 양보해야 하면 극히 파괴된 지경의 사람이다. 이와 같이 지나치면 죽는다.
이로 미루어 보건대 太陽人은 肝의 반절이 命脉의 실제적인 수이니 다른 臟도 그렇다.

*편소한 장의 기운이 완전하여 편대한 장과 대적할 수 있으면 완전히 건실한 상태이다. 만약 편소한 장의 기운이 절반 정도 깎여 肺의 기운에 비해 절반 정도만 대적할 수 있다면 매우 위중하다. 동무는 명맥의 실제적인 정도를 결정하는 것을 편소한 장국의 기운의 정도로 보았다.

7-3 臟部一半 命脉實數 平分八截 第一截[142] 名曰神仙 度數言其最高也
第二截 名曰淸朗 度數言精神淸朗也
第三截[143] 名曰快輕 度數言一身快輕也
第四截 名曰康寧 度數言百體康寧也
第五截 名曰外感 度數言表氣外虧也
第六截 名曰內傷[144] 度數言裏氣內損也
第七截 名曰牢獄 度數言其病如入獄也
第八截 名曰危傾 度數言其命遂危境也[145]
命脉之理 微忽難見 難見則難言 略分八截 著而明之 使難見者易見 難言者易言
每一截 亦各有初中終度數 八截又可分爲二十四截

臟氣의 절반이 命脉의 실제적인 수이고 8절로 고르게 나눈다.
제1절은 神仙이라 명명한다. 정도를 말하면 가장 높다.
제2절은 淸朗이라 명명한다. 정도를 말하면 精神이 맑고 명랑하다.
제3절은 快輕이라 명명한다. 정도를 말하면 一身이 상쾌하고 가볍다.

140) 手抄本과 朝醫學에는 '圖'로 되어 있으나, 문맥상 '圓'으로 바꾸었다.
141) 朝醫學에는 '仿'으로 되어 있다.
142) 手抄本에는 '節'로 되어 있다.
143) 手抄本에는 '第三節截'로 되어 있다.
144) 手抄本과 朝醫學에는 '內傷傷'으로 되어 있다.
145) 手抄本과 朝醫學에는 '也'가 없으나, 문맥상 있는 것이 타당하다.

제4절은 康寧이라 명명한다. 정도를 말하면 몸의 온갖 곳이 편안하다.
제5절은 外感이라 명명한다. 정도를 말하면 겉의 기운이 밖으로 이지러졌다.
제6절은 內傷이라 명명한다. 정도를 말하면 속의 기운이 안으로 줄었다.
제7절은 牢獄이라 명명한다. 정도를 말하면 그 병이 감옥에 들어간 것 같다.
제8절은 危傾이라 명명한다. 정도를 말하면 그 수명이 위험한 지경이다.
命脈의 이치는 미미하고 홀연하여 보기 어렵고 보기 어려우면 말하기 어렵다. 대략 8절로 나누고 드러내서 그것을 밝히니 보기 어려운 것으로 하여금 쉽게 보게 하고 말하기 어려운 것으로 하여금 말하기 쉽게 하고 매 1절은 각각 初 中 終 정도가 또한 있으니 8절도 가히 나누어 24절이 된다.

표 24. 命脈實數의 구분

命脈實數	名	度數
一截	神仙	最高
二截	淸朗	精神淸朗
三截	快輕	一身快輕
四截	康寧	百體康寧
五截	外感	表氣外虧
六截	內傷	裏氣內損
七截	牢獄	其病如入獄
八截	危傾	其命遂危境

*편소한 장의 기운이 절반 정도 손상되었을 때를 命脈 즉 수명을 결정하는 실제적인 상태로 보았다. 이러한 命脈實數는 다시 8단계로 나눌 수 있다. 가장 높은 단계를 神仙이라고 하였다. 그 이후로 정신이 건강한 상태, 몸이 건강한 상태, 몸이 편안한 상태 순으로 분류하였다. 神仙부터 康寧까지는 건강한 상태로 볼 수 있다. 이 상태는 草 6-19[146]에서 제시한 도덕적으로 공경하는 삶을 통해 酒色財權을 절제함으로써 얻을 수 있는 命脈實數이다. 공경함으로서 장수함을 얻을 수 있는 상태이다.

外感부터 危傾까지는 질병상태로 볼 수 있다. 表氣가 상한 것을 裏氣가 상한 것보다 나은 상태로 보았다. 6-16[147]에서 여러 병의 원인을 결국 도덕적 실천을 하지 않은 결과

146) <u>恭敬則壽 怠慢則夭</u>
147) 草 6-16
疲憊虛耗 荒凉之疾
打撲損傷 闖茸之疾
積聚內癰 煩滿之疾
癲癎狂病 錯亂之疾
咳嗽喘端 嬌奢之疾
傷食傷暑 懶怠之疾

로 보았다. 이러한 질병 상태에 빠지는 원인은 결국 도덕적으로 怠慢하기 때문이다. 동무는 8절을 시기에 따라 初 中 終으로 나누어 24절로도 病變의 단계를 구별하고자 하였다. 初 中 終은 甲午本과 辛丑本에서 初 中 末이라는 표현으로 병기를 나눌 때 활용되었다.

7-4 命脈 雖間有損傷 六十四歲前 皆有生息充補之道 但老年不如壯年 少年不如幼年
少年生息得幼[148]年四分之三
壯年生息得幼年四分之二
老年生息得幼年四分之一
故平人以四十歲爲中年 極壽人以六十歲爲中年

命脈은 비록 간간히 손상이 있으나 64세 전에 대개 살아 숨쉼을 보충하는 정도가 있다. 단지 老年은 壯年과 같지 않고 少年은 幼年과 같지 않고 少年은 生息充補之道가 幼年의 3/4이고, 壯年은 幼年의 2/4이고, 老年은 生息充補之道가 幼年의 1/4이다. 따라서 보통 사람은 40세에 中年인데 지극히 장수하는 사람은 60세가 中年이다.

幼年少年三十二年及壯年前八年 當日血氣之所損傷者雖大 而當日所生息者輒三四倍 有剩餘而充
補之
自壯年始八年以後 當日生息亦有剩餘 而若當日損傷大則 當日充補不能快恰
至於老年則 當日生息亦不無稍餘 而當日損傷稍異平常則 當日充補不能支持

幼年 少年 32세에서 40세까지 당일 血氣가 손상받은 바가 비록 커도 당일의 살아 숨쉼이 항상 3~4배 차고 남음이 있어 보충한다.
壯年 40세 이후로부터는 당일의 살아 숨쉼 또한 남음이 있으나 만약 당일의 손상이 크면 당일 충족되는 것이 쾌히 흡족하지 않다.
老年에 이르러 당일의 살아 숨쉼이 또한 약간의 남음이 없지는 않지만 당일의 손상이 조금이라도 平常과 다르면 당일의 보충으로 지탱할 수 없다.

中風 偏急之疾
眼病鼻塞 貪慾之疾
148) 朝醫學에는 '初'로 되어 있다.

凡人[149]少年血氣之勇猛　不能復用於四十以後者　非心志之勇猛不及於四十以前也

乃血氣之所充補者　不及於四十以前之故也
蓋四十歲血氣之所充補命脉者　半減也
故平人　以四十歲所存命脉　占病之吉凶　六十四歲　血氣之[150]充補命脉者　全減也
故極壽人　以六十四歲所存命脉　占壽之長短

평범한 사람이 少年血氣의 용맹함을 40세 이후에는 능히 회복하지 못하는 것은 마음과 의지의 용맹함이 40세 이전같지 않아서가 아니다. 이내 血氣의 보충하는 바가 40세 이전에 미치지 못하기 때문이다.
대개 40세 血氣의 命脉을 보충하는 바는 반으로 감소한다. 고로 보통 사람은 40세 때 命脉을 보존하는 바로서 병의 길흉을 점칠 수 있고 64세에는 혈기의 命脉을 보충하는 바는 완전히 감소한다. 따라서 지극히 장수하는 사람은 64세 때 命脉을 보존하는 바로서 壽命의 길고 짧음을 점칠 수 있다.

※인간은 64세까지는 살아 숨쉼을 보충하는 능력(生息充補之道)이 있다. 유년에서 노년으로 갈수록 그 능력은 줄어든다. 동무는 原人 5통에서 시기별 인간의 특성, 도덕적 능력, 해야 할 것과 하지 말아야 할 것을 기술하였다. 7-4에서는 生息充補之道라는 인간의 신체적 회복력의 차이를 시기별로 기술하였다. 특히 40세를 中年이라고 하였으며 이때 남아 있는 生息充補의 능력의 정도가 병의 길흉을 결정하는 것으로 보았다. 40세까지는 회복력이 충분하여 질병에 잘 걸리지 않지만 그 이후로는 떨어지는 양상을 보인다. 특히 이렇게 떨어지는 것의 원인이 心志 즉, 정신적인 측면이 아니라 인간의 노화라는 인간의 신체적 측면으로 보았다. 命脈實數는 편대한 臟氣에 대적할 수 있는 편소한 臟氣의 정도를 의미하고, 이러한 命脈實數를 보충할 수 있는 능력의 정도가 生息充補之道이다. 모두 인간에게 부여된 능력이다.

149) 手抄本과 朝醫學에는 '凡人少年'으로 되어 있다. 연결되는 문장의 少年을 고려하면, '凡人'으로 보는 것이 타당하다.
150) 手抄本과 朝醫學에는 '之'가 없으나, 문맥을 고려하여 추가하였다.

7-5 或曰 人受水穀之精液以養命也 而生息者老年不如壯 壯不如少 少不如幼云云
老不如壯 壯不如少 理周當然也 至於少不如幼則 似非的論也
且幼兒知見茫昧 其七情[151] 所傷者 比諸少年丈夫之貪慾過度則 應有差也
而幼兒之羸疲多病 反甚於少年 丈夫何也
無乃水穀養命當日生發之氣血充補者 幼不如少乎

혹 이르길 "사람이 水穀의 精液을 받아서 壽命을 기르는데, 살아 숨쉼은 老年이 壯年과 같지 않고 壯年은 少年과 같지 않고 少年은 幼年과 같지 않다고 하였습니다. 老年이 壯年과 같지 않고 壯年은 少年과 같지 않음은 이치가 당연합니다. 少年이 幼年과 같지 않음은 어긋난 논리인 것 같습니다.
또 幼兒의 지견은 아득하고 어둡고 그 七情의 傷하는 바는 少年丈夫의 貪慾의 과도함과 비교하면 즉 차이가 있으나 幼兒의 마르고 고달픈 많은 병은 少年丈夫보다 심하니 어찌합니까?
水穀의 壽命을 기르는 데 있어 生하여 發하는 氣血을 보충하는 것이 幼年이 少年과 같지 않은 것이 아닙니까?"

曰 幼兒飮食鮮少 而數年間軀殼[152] 數倍則 水穀之所養最速也
且幼兒知[153] 見茫昧 故七情益偏 以其不能思量 而回遺於胸中故也
以此推之則 幼勝於少之論 或者可疑而不疑也
是故 保幼兒之道 勿使多時啼泣以解七情偏傷 最是良策也
飮食寒溫適中其次也
及稍長觀感[154] 儕[155] 輩[156] 賢優 俾識見稍漸 又其次也

이르길 "幼兒의 음식 섭취는 아주 적은데 수년간 온 몸뚱이는 수 배나 자라니 水穀의 기르는 바가 가장 빠르다. 또한 幼兒의 지견은 아득하고 어두운 까닭에 七情은 더욱 치우치고 그 생각하고 헤아림의 능하지 못함으로 가슴속에 돌아와 남는다. 이것으로써 미루어 보건대 幼兒가 少年보다 낫다는 논리는 혹자가 의심할 수도 있지만 의심하지 마라. 이런 까닭에 幼兒를 보존하는 방도는 많은 시간 동안 울지 않게 하여서 七情의 치우침에 상함을 푸는 것이 최상책이고, 飮食과 차갑고 따뜻함을 중도에 맞게 하는 것이 그 다음이다. 점점 자라면서 무리배의 어질고 어리석음을 보고 식견이 점점 더해지도록 하는 것이 그 다음이다."

151) 朝醫學에는 '四情'으로 되어 있다.
152) 朝醫學에는 '驅殼'으로 되어 있다.
153) 朝醫學에는 '只'로 되어 있다.
154) 手抄本에는 글자가 분명하지 않고, 朝醫學에는 '感'으로 되어 있다.
155) 手抄本에는 글자가 분명하지 않고, 朝醫學에는 '倚'으로 되어 있다.
156) 手抄本에는 글자가 분명하지 않고, 朝醫學에는 '聖'으로 되어 있다.

*몸이 자라는 속도를 보면 유아가 소년보다 훨씬 빠르다. 生息充補之道는 신체적인 성장 및 회복 능력을 의미하기 때문에 유아가 소년보다 뛰어나다. 하지만 生息充補之道가 충분하더라도 유아가 소년보다 병이 많은 것은 지견이 부족하여 칠정에 상하기 쉽기 때문이다. 아직 유년기에는 자신의 喜怒哀樂을 조절하는 능력이 부족하다. 이것은 신체적 능력인 生息充補之道가 약해서 그런 것은 아니다. 따라서 칠정에 치우치지 않도록 하고 지견을 길러 주는 것이 가장 중요하다. 그리고 유아기에는 아직 신체적으로 미성숙했기 때문에 외감이나 내상을 당하지 않도록 음식을 과하거나 부족하지 않게 하고, 옷도 너무 두껍거나 얇지 않도록 해 체온을 적절히 유지해줘야 한다. 이러한 기본적인 양육조건에서 점점 자라면서 인간관계를 넓혀 가며 知行을 통해 도덕적으로 건강해질 수 있다.

*辛 16-4
幼年七八歲前 聞見未及 而喜怒哀樂膠着則成病也 慈母宜保護之也
少年二十四五歲前 勇猛未及 而喜怒哀樂膠着則成病也 智父能兄宜保護之也
壯年三十八九歲前 則賢弟良朋可以助之也
老年五十六七歲前 則孝子孝孫可以扶之也

辛丑本에서 草本卷에서 제시한 幼兒知見茫昧 故七情益偏 以其不能思量 而回遺於胸한 시기가 명확히 제시된다. 7~8세 이전이라고 하였다. 이유는 이때는 듣고 보는 것이 아직 미치지 못해 喜怒哀樂이 교착이 되어 病이 생기기 때문이다. 七情益偏은 喜怒哀樂膠着을 의미한다. 유아기 때는 자애로운 어머니의 보호가 필요하다. 보호하는 방법은 草本卷에 제시된 것처럼 너무 자주 울지 않도록 해서 칠정에 상하지 않도록 하고, 음식과 의복을 적절하게 제공하는 것이다.

辛丑本에서는 소년 24~25세에는 용맹함이 아직은 미치지 못하기 때문에 喜怒哀樂이 교착되어 병이 발생할 수 있다고 보았다. 이것을 극복하는 방법은 지혜로운 아버지와 능력 있는 형의 보살핌이다. 이처럼 유소년기의 미숙함에 대해 동무도 확실히 인식하고 있고 이것을 어떻게 보완할지에 대해서 자애로운 어머니, 지혜로운 아버지, 능력있는 형 즉 가족의 역할을 강조하였다.

7-6 或曰 聖賢之性情中和極致 而壽限之修程不著者 何也 且孔子宇宙之大聖 而享壽僅得七十三 常人之沒知覺者 亦有偶得一百壽者 何也 此理可言之

혹 이르길 "聖賢의 性情이 中和의 지극함에 이르렀으나 壽命의 한계를 닦은 정도가 뛰어나지 않는 것은 어떤 까닭입니까? 또 孔子는 우주의 큰 聖人인데 壽命을 누림이 겨우 73년이지만 몰지각한 보통사람도 우연히 100세를 사는데 어떤 까닭입니까? 이치를 말할 수 있겠습니까?"

曰 聖人壽命有關天道 後人何敢大言 雖然其有疑 難敢不一言耶
大王好色 公劉好貨 仁賢之好樂 或不同也
伯夷清 柳下惠和 彦哲之志趣[157] 或不同也
大學之道 欲明於天下 中庸之道 欲誠於一身 聖明之排布[158] 亦不同也
文王之孝 無憂家邦 孔子之忠 輒還於四方 聖神之命數或不同也
且孔子四十而不惑 孟子四十不動心 以此推之 雖孔孟之聖 而十歲二十歲三十歲時則 未免惑且動矣
然則 中年四十[159] 命脉旺弱有所不等 而壽限隨之矣
且時有治亂 行有緊歇 孔子之行雄過袴宇宙之 時而天下大亂 聖心不歇而緊也
常人之沒知覺者 清淡於酒色 而其之一身偶得其便 渠心不緊而歇也
壽限之享不享 或者以此歟

이르길 "성인의 壽命은 天道과 관련이고 後人이 어찌 감히 크게 말할 수 있겠습니까? 비록 그렇다 하더라 의심되는 바가 있어 감히 한마디 안 할 수가 없다.
大王은 여색을 좋아하고, 公劉는 재물을 좋아하니, 어질고 현명한 사람의 기뻐하고 즐김이 혹 같지 않다.
伯夷는 청렴하고, 柳下惠는 和하니, 뛰어나고 밝은 사람의 뜻과 취향이 혹 같지 않다.
大學의 道는 천하에 밝고자 하고, 中庸의 道는 一身을 정성스럽게 하고자 함이니 성스러움과 밝음을 배치하고 분포하는 것이 또한 같지 않다.
文王의 孝는 집안과 나라에 근심이 없게 하고, 孔子의 忠은 사방에 문득 돌아다니게 하니, 聖神의 命數는 혹 역시 같지 않다.
또 孔子는 四十에 미혹되지 않았고. 孔孟는 40에 마음이 동하지 않으니 이것으로 미루어 보건대 비록 孔孟같은 聖人이더라도 10세, 20세, 30세에는 미혹함을 면하지 못하고 또 動하였다.
그러한 즉 中年 40세에 命脈의 강하고 약함이 균등하지 않은 바가 있으므로 壽命의 한도가 그것을 쫓는다. 또 시기도 다스려진 때와 혼란한 때가 있고, 행함에 긴장됨과 쉼이 있다. 공자의 行은 雄壯하여 우주를 넘었지만 천하가 크게 어지러운 시기였으니 성인의 마음이 쉴 틈이 없고 긴장되었다.
보통 사람으로 몰지각한 사람이 酒色에 청렴하여 우연히 一身의 편안함을 얻어 그 마음이 긴장되지 않고 쉬었다.

157) 朝醫學에는 '越'로 되어 있다.
158) 手抄本에는 글자가 분명하지 않고, 朝醫學에는 '而'로 되어 있다. 문맥상 '佈'로 하였다.
159) 手抄本에는 '四十'으로, 朝醫學에는 '四十八'로 되어 있다.

수명의 한계의 누리고 못 누리고는 혹 이런 까닭이 아니겠는가?"

*도덕적인 실천을 하면 장수를 할 수 있다고 했는데 몰지각한 보통 사람도 100세를 사는 사람이 있는데 공자 맹자와 같은 성인들도 장수하지 못한 까닭에 대해 설명하고 있다. 동무의 답변은 사실 시원하게 납득되지는 않는다. 성인들은 도덕적 경지에 오르기까지 보통 사람들처럼 유소년기에는 미혹되기도 하고 욕심이 동하기도 하였기 때문에 수명이 감소되었고, 경지에 오른 후에도 쉴 틈 없이 천하가 도덕적으로 다스려지지 않음을 걱정하기에 장수하지 못하였다고 하였다. 도덕적 지각이 없더라도 酒色에 빠지지 않고 몸을 편안하게 하면 장수할 수 있는데 그 핵심은 마음이 크게 편급되지 않았기 때문이다. 도덕적인 삶이 반드시 장수를 가져오는가에 대한 답으로는 부족하다는 생각이 든다. 동무가 생각하는 장수는 60년을 살더라도 도덕적으로 살았으면 도덕적으로 몰지각하게 100년을 사는 것보다 오래 산 것으로 보는 것이 아닐까? 장수의 핵심은 性情이 긴장되지 않고 쉼이 있도록 하는 것은 분명하다. 이러한 쉼을 얻는 방법으로 동무는 知行을 통한 도덕적 실천을 제시하였다. 세속과 동떨어져 자신의 性情을 크게 긴장하게 할 수 있는 요소들을 차단하고 도인과 같은 삶을 사는 것은 비록 장수는 할 수 있겠지만 동무가 생각하는 인간다운 삶은 아니다.

7-7 **六十四歲命脉 在神仙度數者 壽[160]一百二十八**
在淸朗[161]度數者 壽可百十六
在快輕度數者 壽可一百四
在康寧度數者 壽可九十二
在外感度數者 壽可八十
在內傷度數者 壽可七十

64세의 명맥이 神仙度數에 있으면 수명은 128세까지 살 수 있다.
淸朗度數에 있으면 116세까지 살 수 있다.
快輕度數에 있으면 104세까지 살 수 있다.
康寧度數에 있으면 92세까지 살 수 있다.
外感度數에 있으면 80세까지 살 수 있다.
內傷度數에 있으면 70세까지 살 수 있다.

*7-4[162]에서 64세의 명맥도수로 수명의 길고 짧음을 점칠 수 있다고 하였다. 7-7은 이것에 대한 동무의 견해이다. 老年은 64세까지로 보았다. 老年 이후에도 사는 것이 장수라

160) 手抄本에는 '度數壽者'로 되어 있다.
161) 手抄本에는 '淸浪으로 되어 있고, 朝醫學에는 '淸治'로 되어 있으나ㅡ '淸朗'이 옳다.
162) 故極壽人 以六十四歲所存命脉 占壽之長短

고 부를 수 있는 조건이다. 64세에 만약 편소한 臟氣의 정도가 신선 정도라면 2배인 128세까지 살 수 있다고 보았다. 命脈實數를 결정하는 핵심은 酒色財權에 빠지는 정도이다. 도덕적 실천을 통해 酒色財權에 빠지지 않는 정도에 따라 64세 때 자기의 수명의 한도가 결정되는 것이다.

7-8 神仙上壽者　百十六歲完健如平人　下壽者　六十時
康寧上壽者　八十歲完健如平人　下壽者　六十時
平人上[163]壽則　七十壽者也　六十時節　已有衰敗之漸

神仙으로 오래 사는 사람은 116세까지 보통 사람처럼 건강하고 일찍 죽는 사람은 60세까지 건강하다.
康寧으로 오래 사는 사람은 80세까지 보통 사람처럼 건강하고 일찍 죽는 사람은 60세까지 건강하다.
보통사람으로 오래 사는 사람은 70세까지 산다. 60세쯤이면 이미 쇠약해져 무너지는 징조가 있다.

*命脈實數가 높을수록 건강함을 유지하는 기간이 길다. 그리고 같은 命脈實數이지만 生息充補之道의 능력은 다를 수 있다. 따라서 같은 命脈實數의 상태에서도 수명의 정도가 다르다.

7-9 百歲以下壽　世所常[164]有　百歲以上壽　世所罕有
常有者　其徵[165]易見　罕有者　其徵難見
理者　物之源也　文者　理之著也
右云云者　亦姑[166]明其理之如斯　而窮其源者也
且　自古傳聞　彭祖六百歲　安期生一千歲
近世傳聞則　亦有二百歲三百歲壽云者　未有的見其眞[167]者也
疑則闕之　以俟知者

100세 이하로 사는 것은 세상에 항상 있는 바이고, 100세 이상 사는 것은 세상에 드물게 있다.
항상 있는 것은 그 징조를 쉽게 보지만 드물게 있는 것은 보기 어렵다.
이치는 사물의 근원이고 글은 이치의 드러남이다.

163) 手抄本과 朝醫學에는 '下'자로 되어 있으나, 문맥상 '上'으로 보는 것이 타당하다.
164) 手抄本과 朝醫學에는 '傷'으로 되어 있으나, 문맥상 '常'으로 보는 것이 타당하다.
165) 朝醫學에는 '微'로 되어 있다.
166) 手抄本에는 '姑'로 되어 있고, 朝醫學에는 '如'로 되어 있다.
167) 手抄本과 朝醫學에는 '直'으로 되어 있으나, 문맥상 '眞'으로 보는 것이 타당하다.

이제까지 운운한 것은 또한 진실로 이치가 이와 같음을 밝히고 그 근원을 궁구한 것이다.
또 예로부터 전해 듣기로 彭祖는 600세, 安期生은 1000세, 근세에 전해 듣기로는 또 200세, 300세 사는 사람이 있다는 것에 그 진실됨을 아직 보지 못했다. 의심스러움은 제외하니 아는 사람을 기다리겠다.

*수백 년, 수천 년 사는 사람에 대한 이야기가 전해오지만 진실 여부는 알 수 없다고 하였다. 동무는 인간의 수명에 대해 命脈實數와 生息充補之道를 통해 이치를 궁구하였다. 命脈實數를 결정하는 것은 인간이 酒色財權에 빠지지 않고 도덕적 실천을 하는 것이고, 生息充補之道는 시기에 따른 인간의 타고난 생물학적 회복력을 의미한다. 인간의 수명의 한계를 결정하는 것은 命脈實數이다. 命脈實數가 높을수록 장수할 가능성이 높고, 그에 따라 生息充補之道 또한 회복되는 정도 또한 다르다. 128세는 동무가 생각하는 命脈實數도 가장 높고, 生息充補之道도 충분한 인간의 최대 수명 한계이다.

右病變之第二統

☆病變 2통 요약

病變 2통에서는 酒色財權과 내상외감에 의해 손상된 편소한 장국의 기운의 정도를 命脈實數라고 정의하였다. 즉 편소지장의 완전함의 절반이 명맥의 실제적인 수라는 것을 제시하였다. 命脈實數는 8단계로 나눌 수 있고, 각각의 단계에 따라 인간의 수명의 한계가 결정된다. 그리고 인간의 시기별로 손상된 것을 채울 수 있는 生息充補之道가 있다. 보통 40세 中年 이후로 보충력이 떨어지기 때문에 인간은 죽게 된다. 유년과 소년의 비교를 통해 生息充補之道가 풍부하더라도 인간이 질병에 걸리는 이유는 七情의 치우침이라고 하였다. 공자 맹자의 수명이 보통 사람보다 짧은 이유 역시 性情의 긴장됨이라고 하였다. 결국 性情을 잘 확충하여 酒色財權에 빠지지 않아야 命脈實數를 높게 유지할 수 있고 장수할 수 있다는 것이 동무의 長壽論의 핵심이다.

第三統

8-1 少年痼病支難不愈 命脉在危傾初分者 忽一日嬰然恭敬 改過遷[168]善 藥餌扶其正氣 調養培其眞[169]源 千辛萬苦 經歷病變 至中年四十 命脉稍復於內傷度數者 極善調養則 九十壽非難 如此者 其壽必自上天而降也

소년이 고질병으로 지탱하기가 어렵고 낫지 않아 명맥이 危傾初分에 있는 사람이 홀연히 하루 어린아이 같이 공경하고 잘못을 고치고 선함으로 옮기고 약과 음식으로 그 바른 기운을 돕고 그 眞源을 배로 調養하고 천신만고를 겪은 후에 病變하고 中年 40세에 이르러 명맥이 점점 회복되어 內傷度數가 되면 지극히 잘 調養하면 즉 90세까지 사는 것도 어렵지 않다. 이와 같은 자는 그 수명이 반드시 하늘로부터 내려온 것이다.

身體膚潤之被損傷者 一二月內完合甚易
臟部[170]其液之被損傷者 十數年內完合極難
是故 中年四十命脉在牢獄末[171]分者 自非清淨道士之心而別被調治則 十分必危 若當下不死而能經歷病變 命脉稍復則七十壽亦可期 然道士清淨之調治而豈容易哉 如此者千萬人中或一人

신체와 피부의 윤택함이 파손되어 상한 자는 1~2개월 내에 완전히 합쳐짐이 매우 쉽고, 臟部의 液의 파손되어 상한 자는 십년 내에 완치되는 것이 지극히 어렵다. 이와 같은 까닭으로 中年 40세에 명맥이 牢獄末分인 자는 스스로 맑고 고요한 도사의 마음으로 별도로 조치를 하지 않으면 충분히 위험하다. 만약 당시에 죽지 않고 病變하여 명맥이 점점 회복되면 즉 70세까지 사는 것 또한 가히 기약할 수 있다. 그러나 도사와 같이 맑고 고요함으로 조리하고 치료하는 것이 어찌 용이하겠는가? 이와 같은 자는 千萬人 중에 혹 한 명이다.

*命脈實數는 변할 수 있다. 비록 명맥이 낮은 수준이더라도 도덕적으로 개과천선하고 약과 음식으로 치료하면 병도 나아지고 명맥도 회복되어 오래 살 수 있다. 病變은 병이 치료되고 개선됨을 의미한다. 이때 핵심은 性情이 深着되고 폭동되지 않는 것이다. 마치 도사처럼 맑고 고요하게 마음을 다스려야 한다.

168) 手抄本과 朝醫學에는 '選'으로 되어 있으나, 문맥상 '遷'으로 보는 것이 타당하다.
169) 手抄本과 朝醫學에는 '傷'으로 되어 있으나, 문맥상 '常'으로 보는 것이 타당하다.
170) 手抄本과 朝醫學에는 '臟腑'가 아닌 '臟部'로 되어 있다.
171) 手抄本과 朝醫學에는 '未'로 되어 있으나, 문맥상 '末'로 보는 것이 타당하다.

*辛 11-3

少陽人 吐血者 必蕩滌剛愎偏急 與人並驅爭塗之
淡食服藥 修養如釋道 一百日 則可以少愈
二百日 則可以大愈
一周年 則可以快愈
三周年 則可保其壽.
凡吐血 調養失道 則必再發 再發則前功 皆歸於虛地
若再發者 則又自發日 計數 一百日 少愈 一周年 快愈
若十年 二十年 調養 則必得高壽.

*辛 11-5

中風 受病太重故 治法不可期必
吐血 受病猶輕故 治法可以期必
中風 吐血 調養爲主 服藥次之
嘔吐以下 腹痛 食滯痞滿 服藥調養 則其病易愈.

辛丑本에서 調養에 대한 내용이 나온다. 마음의 강팍하고 편급된 것을 씻어내고 음식은 담백하게 먹고, 약을 복용하고, 마치 스님처럼 수양하면 吐血이라는 병을 다스릴 수 있고 그 수명을 보존할 수 있다고 하였다. 이렇게 수양을 통해 병을 다스리는 과정이 바로 病變의 과정이다. 하루 이틀해서 변할 수 있는 게 아니라 10년, 20년 해야 하며 그러면 장수할 수 있다(若十年 二十年 調養 則必得高壽). 그리고 병에 따라서 調養이 더 중요한 병도 있고, 服藥을 우선 해야 하는 병도 있음도 서술하였다.

*辛 2-22

哀怒相成 喜樂相資
哀性極則怒情動
怒性極則哀情動
樂性極則喜情動
喜性極則樂情動
太陽人 哀極不濟則忿怒激外
少陽人 怒極不勝則悲哀動中
少陰人 樂極不成則喜好不定
太陰人 喜極不服則侈樂無厭
如此而動者 無異於以刀割臟 一次大動 十年難復
此死生壽夭之機關也 不可不知也.

辛丑本 사단론에서 性情이 다스려지지 않아 한번 크게 動하면 10년이 되어도 회복되지 않는다고 하였다. 죽고 사는 것, 장수와 요절을 결정하는 것도 바로 性情의 조절이라고 하였다. 草 8-1에서 臟部其液之被損傷은 바로 性情의 深着과 暴動으로 인해 편소한 장국의 기운이 손상되어 명맥이 상한 것을 의미한다.

8-2 **四十 命脉在內傷中分者 以平人尋常之心而略存警畏則 其壽皆過六十 善調養則 八九十壽可期**
若四十 命脉在牢獄度數則 不以賢者止足 不危之心謹復調養則 五十前後必死

40세에 命脉이 內傷中分에 있는 자는 보통 사람의 일상적인 마음으로 경계하고 두려워함을 다스려 보존하면 그 수명이 60세를 넘고 잘 調養하면 8~90세도 기약할 수 있다. 만약 40세에 命脈이 牢獄度數에 있으면 즉 어진 자가 만족을 알고 그치는 것(知足知止)과 같이 하지 않거나, 위기를 느낀 마음으로 삼가 회복하고 調養하지 않으면 50세에 죽는다.

東醫寶鑑小兒篇[172] 曰 小兒有變蒸之病 勿藥有喜 此變[173]蒸云者 卽病變也 小兒完實者無之 虛弱者有之
病變有自淺而深者 有自重而輕者 此死生之辨也
大人亦然 不幸得痼病者 雖十分必調理 經歷十餘年病變然後 方爲完人

東醫寶鑑 小兒篇에 이르길 "소아는 變蒸이라는 병이 있는데 약을 쓰지 않아야 기쁨이 있다." 라고 하였다. 이와 같은 變蒸이라 이른 것이 즉 病變이다. 완실한 소아에는 없고, 허약한 소아에는 있다. 病變은 얕은 것부터 심한 것이 있고, 중한 것부터 가벼운 것이 있으니 이는 죽고 사는 것의 구별함이다. 어른 또한 그러하니 불행히도 고질병을 얻어 비록 충분히 조리하지 못하였더라도 십여 년 病變 연후에 바야흐로 완전해질 수 있다.

*病變은 병의 변화를 의미한다. 調養을 통해 病變을 거치면 오래 살 수 있다. 變蒸은 아이가 성장 발육하는 과정에서 주기적으로 몸에 열과 땀이 나고 맥이 고르지 못한 증상이 나타나는 것을 의미한다. 태어나서 32일마다 變하고 64일마다 蒸한다고 하였다. 이 과정을 통해 성장 발육이 이루어지기 때문에 약을 쓰지 않아도 되는 자연스러운 과정이다. 완실한 소아는 허약한 소아보다 命脈實數가 높은 단계라고 볼 수 있다. 따라서 命脈實數가 낮은 소아가 變蒸의 과정을 통해 좀 더 높은 命脈實數의 상태가 될 수 있다. 즉 이것이 동무의 관점에서는 病變이다. 허약한 아이도 病變을 통해 건강해지는데 어른 또한

172) 朝醫學에는 '爲'로 되어 있다.
173) 手抄本과 朝醫學에는 '病'으로 되어 있으나, 문맥상 '變'으로 보는 것이 타당하다.

스스로 調養을 통해 病變하여 오래 살 수 있다.

8-3 傳曰 天下國家可均也 爵祿可辭也 白刃可蹈也 中庸不可能也 於此而倣[174]之曰 一死可能也 毒藥可能也 鍼灸可能也 病變不[175]可能也 此言雖陋足 以喩病變之難 不亦難乎
若[176]清淨長遠之人 生發好心 其得調理 經歷五六年十餘年二十年病變 而終爲完人則 其壽豈非自天而降乎
且完實無病者 觀其有病者之病變極苦之狀 惕然預戒 不暴七[177]情 不傷酒色 不陷於痼病牢獄 則不亦善策[178] 乎

中庸에서 이르길 “천하국가는 가히 균등하게 다스릴 수 있고 벼슬과 녹도 가히 사양할 수 있고 백 가지 칼날도 밟을 수 있으나 中庸은 불가능하다.” 라고 하였다. 이에 본떠 말하면 한번 죽는 것은 가능하고 독약은 가능하고 鍼灸는 가능하나 病變은 불가능하다. 이 말은 고루함이 비록 충분하나 病變의 어려움을 비유한 말이니 또한 어렵지 않겠는가?
만약 맑고 고요하며 길고 원대한 사람이 좋은 마음을 발하여 그 調理를 얻은 지 5~6년에서 10여 년, 20년 病變을 겪은 다음 마침내 완전한 사람이 되는 즉 그 수명이 어찌 하늘로부터 내려온 것이 아니겠는가?
또 完實無病한 사람이 그 病者의 病變이 지극히 고통스러운 상태를 보고 두려워하고 미리 경계하여 七情을 멋대로 하지 않고 酒色에 상하지 않고 고질병과 뇌옥에 빠지지 않으면 즉 또한 좋은 방책이 아니겠는가?

*8-3에서는 病變의 어려움을 이야기하였다. 중용을 지키는 것은 매우 어려운 일이다. 공자나 맹자와 같은 성인들도 어려워하였다. 病變의 어려움은 중용의 어려움과 같다. 하루이틀이 아니라 수 십 년 동안 거쳐야 하는 과정이다. 完實無病하더라도 七情을 조절하고, 酒色에 빠지지 않도록 해야 한다. 만약 질병 상태에 빠져 病變을 통해 나아가는 삶은 지극히 고통스럽기 때문에 예방하는 것이 가장 좋은 방책이다.

辛 17-16
太陽人 小便旺多 則完實而無病
太陰人 汗液通暢 則完實而無病
少陽人 大便善通 則完實而無病
少陰人 飮食善化 則完實而無病

174) 朝醫學에는 '做'로 되어 있다.
175) 手抄本과 朝醫學에는 '不'이 없으나, 문맥상 '不'이 있는 것이 전후의 뜻이 더 명확하다.
176) 朝醫學에는 '差'로 되어 있다.
177) 朝醫學에는 '四'로 되어 있다.
178) 朝醫學에는 '第'로 되어 있다.

辛丑本에서 체질별로 完實無病한 조건을 제시하였다. 이러한 조건들이 지켜지기 위한 기본이 바로 酒色財權에 빠지지 않고 性情을 확충하는 것이다.

8-4 **一日暴傷百日難復[179) 累次暴傷遂成痼病 可不戒哉**
得痼病者 以一周年占其病勢加減 由此而年年占其加減可也
病如此重也而速效者 慾心交戰於胸中者也 雖欲療病難矣哉

하루 暴傷하면 백일이 되어도 회복되기 어렵고, 누차 暴傷하여 고질병이 되니 가히 경계하지 않겠는가?
고질병을 얻으면 1년 동안 그 병세의 더하고 뺌을 점친다. 이로 말미암아 해마다 그 병세의 가감을 알아보는 것이 옳다.
병이 이와 같이 중하더라도 빨리 낫기를 바라면 욕심이 胸中에서 서로 다투니 비록 병을 치료하고자 하나 어렵다.

*辛 2-22
哀怒相成 喜樂相資
哀性極則怒情動
怒性極則哀情動
樂性極則喜情動
喜性極則樂情動
太陽人 哀極不濟則忿怒激外
少陽人 怒極不勝則悲哀動中
少陰人 樂極不成則喜好不定
太陰人 喜極不服則侈樂無厭
如此而動者 無異於以刀割臟 一次大動 十年難復
此死生壽夭之機關也 不可不知也.

한번 크게 상하면 10년이 지나도 회복되기 힘들다고 하였다. 만약 고질병이 되면 빨리 낫고자 하는 것도 욕심이다. 매년 병세를 살피고 10년은 調養해야 病變하여 건강해질 수 있다.

179) 朝醫學에는 '後'로 되어 있다.

8-5 **命脈在康寧[180]末分以上者 一年間無一日病**

命脈이 康寧末分 이상에 있으면 일 년에 하루도 병이 없다.

*康寧度數의 末分이 1년 동안 병 없이 건강하게 살 수 있는 최소한의 조건이다. 神仙, 淸良, 快輕, 康寧은 完實無病한 상태의 命脈實數를 의미한다.

8-6 **命脈在外感中分者 一年間 或間間六三日溫寒肢節之病 或七八日枕席呻吟之病 或一二月面貌如昧滯 而一年十二月間九月則 形氣快健 神色潤澤**

命脈이 外感中分에 있으면 일 년에 간간이 18일은 溫寒肢節의 병에 걸리고 혹 7~8일은 枕席呻吟의 병에 걸리고, 혹 1~2개월은 얼굴 모양이 어두침침하지만, 1년 12개월 중 9개월은 形氣가 상쾌하고 건강하고 神色이 윤택하다.

*外感度數부터는 질병에 걸릴 수 있는 命脈實數이다. 溫寒과 같은 외부적 환경변화에 의한 外感으로 관절통, 신체통이 1년에 18일 정도는 나타날 수 있고, 심한 경우에는 7~8일은 침상에 누워 신음할 정도로 아플 수 있다. 그리고 1~2개월은 낯빛도 어두울 수 있지만 1년의 3/4은 몸도 마음도 건강하다.

8-7 **命脈在內傷中分者 一年間 或數十日枕席呻吟 或三四月面貌萎悴 而十二月間六月則 形氣完健 神色淸鮮**

命脈이 內傷中分에 있으면 1년에 혹 수십 일은 이부자리에서 신음하고 혹 3~4개월은 얼굴 모양이 초췌하지만, 12개월 중 6개월은 形氣가 完健하고 神色이 맑고 신선하다.

*內傷度數의 경우 內傷으로 인해 침상에서 수십 일은 신음하고, 얼굴 역시 3~4개월은 초췌하다. 그래도 1년의 1/2은 몸도 마음도 건강하다. 동무는 形氣와 面色을 통해 가장 기본적인 환자의 상태를 살폈다. 形氣가 약해지면 활동이 줄고, 정신이 어두우면 面色도 어둡다.

180) 手抄本과 朝醫學에는 '康寧'이 누락되어 있으나, 문맥상 추가하는 것이 옳다.

8-8 命脉在牢獄中分者 一年之間三月蘇健 面色脫病
然亦有年呻吟而命脉有可支者 猝然一疾而命脉有甚危則 此又不可不察也

命脉이 牢獄中分에 있으면 일 년에 3개월은 되살아나 건강하고 面色은 병을 벗은 듯하다. 그러나 또한 해마다 신음하면서도 命脉을 가히 지탱하는 사람이 있는데 갑자기 어떤 질병을 앓으면 命脉이 심하게 위중하기 때문에 이는 또 살피지 않을 수 없다.

*牢獄度數의 命脈實數면 고질병이 되기 쉽다. 1년에 1/4 정도만 건강하고, 매년 고질적으로 신음하고 골골거리는 상태가 반복된다. 그런 와중에 질병 상태에 놓이면 생명이 위험할 정도로 나빠질 수 있다. 계속 調養하는 삶을 살아야 한다. 자주 피로감을 느끼고 무기력증에 빠진 사람은 마치 뇌옥에 갇힌 상태와 같다. 이러한 상태를 극복하기 위해서는 수년간의 調養을 통한 病變의 과정이 필요하다.

8-9 命脉在危傾初分者 自無支撑半年之氣候 虛勞浮腫等末疾顯 有深根難撥之
顯緖然 或劇而間歇 或藥而應效 若善服藥極調理而支撑一年則 一年間有一月脫病之佳兆
在中分之淺限者 藥或暫應者[181]旋如故 此症已屬不治 過中分間限則 藥而益劇 遂成壞症

命脉이 危傾初分에 있는 자는 스스로 반 년은 기후변화도 지탱할 수 없고 虛勞浮腫 등 末境의 疾病이 나타나며, 뿌리가 깊어 없애기 어려운데, 차례대로 나타나거나 혹은 극렬하고 간헐적이며 혹은 약을 씀에 효과가 있다. 만약 잘 복약하고 지극히 조리하여 1년을 지탱하면 1년에 1개월은 병에서 벗어나는 좋은 징조가 있고 中分의 얕은 한계에 있는 자는 약을 쓰면 잠시 좋아지다가 도리어 예전으로 돌아가는데 이런 症은 이미 불치에 속한다. 中分의 한계를 넘으면 약을 써도 더욱 심해지고 壞症에 이른다.

*危傾度數의 경우에는 1년 중 6개월은 날씨의 변화도 견디기가 힘들다. 만성적으로 심각한 피로감 무기력감을 느끼고, 얼굴이나 손, 발이 자주 붓는다. 약을 쓰면 효과를 보기도 하지만 다시 예전 상태로 돌아가기도 하고 어느 시점부터는 오히려 나빠지기도 한다. 동무는 주변 사람을 관찰하고 환자를 치료하면서 항상 아프지 않고 건강한 사람, 치료하지 않아도 저절로 낫는 사람, 치료하면 잘 낫는 사람, 치료하면 오히려 안 좋아지는 사람을 보았을 것이다. 이러한 경험을 바탕으로 8단계로 命脈實數를 나눈 것으로 보인다.

181) 朝醫學에는 '病'으로 되어 있다.

표 25. 命脈實數에 따른 건강상태

命脈實數	名	度數	初中末	健康狀態
一截	神仙	最高	初中末	一年間無一日病
二截	清朗	精神清朗	初中末	
三截	快輕	一身快輕	初中末	
四截	康寧	百體康寧	初中末	
五截	外感	表氣外虧	初 中 末	一年十二月間九月則 形氣快健 神色潤澤
六截	內傷	裏氣內損	初 中 末	十二月間六月則 形氣完健 神色清鮮
七截	牢獄	其病如入獄	初 中 末	一年之間三月蘇健 面色脫病
八截	危傾	其命遂危境	初 中 末	一年間有一月脫病之佳兆 藥或暫應者旋如故 此症已屬不治 藥而益劇 遂成壞症

8-10 外感之病　謂之輕病[182]　輕病不須言藥
危傾之病　謂之凶病　凶病不當論藥
而內傷之病　謂之重病　重病勿藥有喜
牢獄之病　謂之危病[183]　危病非藥不支
然病至於危豈容易哉　善調病者　何不重病時圖之乎

外感의 병은 輕病이라고 이르고 輕病은 모름지기 약을 논해서는 안 된다.
危傾의 병은 凶病이라고 이르고 凶病은 약을 논하는 것이 마땅하지 않다.
內傷의 병은 重病이라고 이르고 重病은 약을 쓰지 않는 것이 좋다.
牢獄의 병은 危病이라고 이르고 危病은 약이 아니면 지탱할 수 없다.
그러나 병이 위험에 이르면 어찌 용이하겠는가? 병을 잘 조리하는 자가 어찌 重病일 때 그것을 도모하지 않겠는가?

182) 手抄本과 朝醫學에는 '症'으로 되어 있으나, 문맥상 '病'으로 보는 것이 타당하다.
183) 手抄本과 朝醫學에는 '證'으로 되어 있으나, 문맥상 '病'으로 보는 것이 타당하다.

※외감에서 危傾의 命脈實數에서 나타나는 병에 대한 정의 및 치료에 대해 서술하였다.

표 26. 命脉實數에 따른 병의 輕重과 치료원칙

命脉實數	輕重	治療
外感	輕病	不須言藥
內傷	重病	勿藥有喜
牢獄	危病	非藥不支
危傾	凶病	不當論藥

외감이나 내상의 命脈實數에서 병이 발생되었을 때는 약을 쓰지 않아도 나을 수 있거나 조리를 우선하는 것이 좋다. 하지만 뇌옥의 상태에서 병이 발현되었다면 약을 쓰지 않으면 지탱할 수가 없다. 위경의 상태가 되면 약을 써도 치료가 어렵고 調養에 더욱 더 신경을 써야 한다. 가장 중요한 것은 위태로울 때까지 기다리지 않고 미리 미리 잘 調養하여 예방하는 것이다.

戒病人詩(병에 걸린 사람을 경계하는 시)

8-11 外感末分病已成　寄語病人看勿輕　太行之路能推車　勸君莫行太行行
內傷中分病已膠　點人得壽痴人夭　世人愛他不愛身　君愛君身莫愛他
牢獄三分病已深　到此方知世人心　東海藥山天外遠　一步二步君獨尋
危傾初分病無奈　仙人獨生世人死　一錦胸中暗依春　雖有其理難言爾

外感末分의 병은 이미 이루어진 것이니 병에 걸린 사람이여 가볍게 보지 말라 말을 전하네. 큰 길에서 능히 수레를 밀 수 있더라도, 그대는 함부로 행동하지 말기를 권하는 바이네.
內傷中分의 병은 이미 교착된 것이니 약은 사람은 오래 살지만 어리석은 사람은 요절하니 세상 사람들은 다른 사람을 사랑하면서 자신을 사랑하지 않으나, 그대여 그대 몸을 사랑하고 다른 사람을 사랑하지 말게나.
牢獄三分의 병은 이미 심해진 것이니 여기에 이르게 되면 세상 사람의 마음을 알게 되니 東海藥山은 하늘 밖으로 머니, 한 걸음 두 걸음 그대 혼자 찾을 수밖에 없네
危傾初分의 병은 어찌할 바가 없으니 선인은 홀로 살지만 세상 사람은 죽으니 한 겹 비단으로 가슴을 덮고 은은히 봄이 오길 기다리니 비록 그 이치가 있어도 말하기는 어렵네.

※각 命脈實數에 따른 병의 양태와 대처 방법을 시를 통해 설명하였다. 외감말분의 병은 수레를 밀 정도로 기력도 있고 컨디션도 나쁘지 않지만 가볍게 보지 말고 조양을 해야 한다. 내상중분의 병은 이미 교착이 된 상태이다. 따라서 스스로를 사랑하는 마음으로 살펴 調養해야 한다. 즉, 자기 자신의 건강 상태, 병의 진행, 마음 상태 등을 면밀하게 살피면서 병을 다스려야 살 수 있다. 그렇지 않으면 죽을 수도 있는 상황이다. 뇌옥의 초, 중, 말분은 모두 병이 심각한 상태이다. 이 상태가 되면 외감, 내상과 달리 몸의 운신도 쉽지 않은 상태이다. 따라서 점점 사회에서 고립되어 갈 수 있다. 이때 극심한 우울감이나 허무함, 분노 등을 느낄 수 있다. 결국 이때 가장 중요한 것은 본인의 性情을 잘 다스리는 것이다. 위경초분은 신선같이 調養하지 않는 한 살기 힘들 정도의 단계이다. 이때는 고작 비단 한 겹으로 겨울을 견디며 봄이 오기를 기다리듯이 어찌 할 바가 없는 단계이다.

8-12 雜博記事壽有功也 諷詠[184] 達意詩有味也 然詩工陋劣不合格式

잡다하고 폭넓게 기록된 일들은 오래 사는 데 공이 있다. 읊조려서 뜻을 통달하는 것은 시에 맛이 있는 것이다. 그러나 詩工이 비루하고 졸렬하여 격식에 맞지 않는다.

※시를 통해 환자들이 본인의 상태를 알고 경계하고자 하였다. 그 시에 대해 비루하고 졸렬하다고 겸손의 표현을 하고 있다.

8-13 病理隱隱微微多 般發明自無不可 故妄拙錄 以右[185] 詩諷詠[186] 達而已矣 巧不巧所論哉
曰 詩言志歌永言 詩韻清絶則 諷詠而興起志意 詩韻陋劣則 諷詠而不能興起志意

병의 이치는 은은하고 미미한 것이 많다. 가지런히 밝히는 것은 불가한 것은 아니다. 따라서 망령되고 졸렬하게 기록하였으니 위의 시를 읊조리고 통달할 따름이지 기교스럽거나 기교스럽지 않음은 논할 바가 아니다.
이르길 "시는 뜻을 말하는 것이고 노래는 말을 길게 하는 것이다. 시의 음운이 맑고 절도가 있으면 읊조리면 뜻이 흥하여 일어나고 시의 음운이 비루하고 졸렬하면 읊조려도 뜻과 생각이 잘 일어나지 않는다."

184) 朝醫學에는 '諷咏'으로 되어 있으나, 詩歌 등을 읊조린다는 의미로는 '諷詠'이 옳다.
185) 手抄本과 朝醫學에는 '石'으로 되어 있으나, 문맥상 '右'로 보는 것이 타당하다.
186) 朝醫學에는 '諷咏'으로 되어 있다.

*시를 쓴 이유를 밝히고 있다. 병의 이치는 은은하고 세세하지만 동무는 시를 통해 밝히고자 하였다. 환자들이 시를 읊조리고 통달하여 스스로 자신의 병의 단계에 맞는 마음가짐을 갖도록 하는 동무의 의도가 느껴진다.

8-14 牢獄之病 醫藥先務也 調理次第也
內傷之病 調理先務也 醫藥次第也
中風關格咽喉癰疽瘟疾諸般天行之病 無論老少壯年
命脉在牢獄中分者 有醫藥救急則源源得生 無醫藥救急則箇箇斷死 醫藥如此其不可不備也
命脉在牢獄初分者 或飮食藥物誤投則 生病變爲死病
命脉在內傷末分者 一再誤投則 壽命反爲夭命 醫藥如此其不可不愼也

牢獄의 병은 醫藥을 먼저 힘쓰고 調理는 다음이다.
內傷의 병은 調理를 먼저 힘쓰고 醫藥은 다음이다.
中風 關格 咽喉 癰疽 瘟疾은 일반적으로 天行의 병이니 老少壯年을 막론하고 命脉이 牢獄中分에 있으면 醫藥으로 구급하면 즉 연달아 살릴 수 있지만, 醫藥으로 급히 구하지 않으면 하나하나 끊어져 죽는다. 醫藥이 이와 같으니 구비하지 아니할 수 없다.
命脉이 牢獄初分에 있으면 혹 음식 약물을 잘못 투약하면 살 수 있는 병이 죽는 병으로 변한다.
命脉이 內傷末分에 있으면 한번 잘못 투약하면 수명이 도리어 요절하고 醫藥이 이와 같으니 삼가지 않을 수 없다.

*약을 우선 할지, 조리를 우선 할지는 명맥의 상태에 따라 결정된다. 동무는 中風 關格 咽喉 癰疽 瘟疾은 강력한 유행성 전염병으로 보았다. 따라서 유소장노를 막론하고 약을 써서 구해야 한다. 이와 같이 급하고 위중한 병일 때도 환자의 命脈實數에 따라 뇌옥중분이면 급하게 약을 써야 하고, 뇌옥초분이면 신중하게 약을 써야 한다. 즉 뇌옥의 상태는 약을 써서 우선 급한 증세를 치료하고 조리하는 것이 유리하다. 내상의 상태는 우선 약을 쓰기 보다는 조리를 통해서 관리하고 만약 내상말분이면 약을 쓰되 정말 신중해야 한다. 잘못 쓰면 오히려 수명을 해할 수 있다.

8-15 凡人二十前後 血氣方張 情慾[187]急促之時則 內傷命脉退縮於牢獄捷徑也 牢獄命脉進復[188] 於內傷捷徑也
三十時 血氣與[189] 情慾已興[190] 二十時不同也

무릇 사람이 20세 전후로 血氣가 사방으로 넘치고 情慾은 급히 촉박할 때이므로, 內傷命脉이 물러나 牢獄으로 물러나 줄어들기 쉽고, 牢獄命脉은 內傷으로 나아가 회복되기 쉽다.
30세에는 血氣와 情慾과 이미 흥하였으나 20세와는 같지 않다.

四十則情慾緩安而命脉旺者 猝然不縮退
血氣收斂而命[191]脉弱者 極難進復
七[192]情偏急 酒色過度者 一年間 外感度數命脉 易至於內傷度數
一月之間 內傷末分命脉 易至於牢獄初分
十日間 牢獄初分命脉 易至於末分
如此者 雖有醫藥何所用哉

40세에는 情慾이 완만하고 편안하고 命脉이 왕성한 자는 갑자기 물러나 줄지 않는다.
血氣가 수렴하고 命脉이 약한 자는 지극히 회복되기 어렵다.
七情이 偏急하고 酒色이 과도한 것이 1년이면 外感度數命脉은 쉽게 內傷度數에 이른다.
1개월이면 內傷末分命脉이 牢獄初分에 이른다.
10일이면 牢獄初分命脉이 末分에 이른다.
이와 같으면 비록 의약이 있어도 무슨 소용이 있는가?

*20대에는 혈기가 왕성하고 정욕도 급하기 때문에 내상에서 뇌옥으로 나빠지기도 하고, 다시 뇌옥에서 내상으로 회복되기도 한다. 즉 병의 진퇴가 빠르다. 30대에도 혈기와 정욕이 부족함이 없지만 그래도 20대만큼은 안 된다. 40대라도 정욕 즉 칠정이 편안하고 명맥이 왕성하면 잘 손상되지 않는다. 하지만 명맥이 약하면 질병에 걸려 회복되기가 어렵다. 즉 40대부터는 관리가 필요하다. 칠정도 편급되지 않도록 조절해야 하고, 주색에도 빠지지 않아야 한다. 만약 관리가 되지 않으면 각각의 명맥의 정도에 따라 차이는 있지만 결국 命脈實數는 깎이게 된다. 草 7-4에서 '蓋四十歲血氣之所充補命脉者 半減也 故平人 以四十歲所存命脉 占病之吉凶 六十四歲 血氣之充補命脉者 全減也'라고 하였다. 공자는 사십에 불혹 즉 미혹되지 않는다고 하였다. 40세에는 生息充補之道가 반으

187) 朝醫學에는 '欲'으로 되어 있다.
188) 朝醫學에는 '後'로 되어 있다.
189) 手抄本에는 '與'로 되어 있고, 朝醫學에는 '興'으로 되어 있다.
190) 手抄本에는 '與'로 되어 있고, 朝醫學에는 '興'으로 되어 있다.
191) 手抄本과 朝醫學에는 '今'으로 되어 있으나, 문맥상 '命'이 타당하다.
192) 朝醫學에는 '四'로 되어 있다.

로 줄었기 때문에 이때부터는 정욕에 미혹되지 않고 마음을 편안히 하여야만 앞으로 남은 수명과 건강상태가 유지된다.

8-16 久病病症重者 性氣緩[193]傷之病也
新病病症重者 情慾[194]暴傷之病
暴傷者則易治而時刻亦急 緩傷者難治而歲月亦延
久病命脈弱者 易生 新病命脈弱[195]者 難生 如此者何也 禍生于所易故也

오래된 병에서 병증이 重한 것은 性氣가 완만하게 손상된 병이다.
새로운 병에서 병증이 重한 것은 情慾이 갑자기 손상된 병이다.
갑자기 重한 것은 치료하기 쉽고 시각 또한 급하다. 완만히 상한 것은 치료하기 어렵고 세월 또한 길다. 오래된 병에서 命脈이 약한 자는 쉽게 살고, 새로운 병에서 命脈이 약한 자는 살기 어렵다. 이와 같은 것은 어째서인가? 禍는 바뀌는 것에서 생하기 때문이다.

*만성적으로 지속되는 병의 원인을 性氣에 의해 완만하게 손상되는 것으로 보았다. 性氣는 辛丑本에 順動하는 특성[196]이 있다고 하였다. 性氣가 순동하다가 만약 深着된다면 결국 哀怒喜樂의 감정이 中을 잃게 되어 병이 발생하게 된다. 情慾은 情氣를 의미한다. 급성적으로 생긴 병의 원인을 情氣에 의해 갑자기 손상되는 것으로 보았다. 情氣는 辛丑本에서 逆動하는 특성이 있다. 情氣가 역동하다가 만약 폭발하게 되면 결국 哀怒喜樂의 감정이 節을 잃게 되어 병이 발생하게 된다. 갑자기 손상된 병은 치료하기가 쉽고, 빨리 치료해야 한다. 완만히 손상된 병은 치료하기 어렵고 천천히 치료해야 한다.

만성적인 병은 명맥이 약하면 쉽게 살 수 있지만, 급성적인 병은 명맥이 약하면 살기 어렵다고 하였다. 이 부분은 좀 의아하다. 두 경우 모두 명맥이 강하면 쉽게 살 수 있지 않을까? 이때 명맥을 어떻게 봐야 할까? 만성적인 병의 경우 명맥이 너무 강하면 오히려 正氣가 과도하게 病邪와 다투기 때문에 病邪와 적응하며 오래 걸리더라도 천천히 낫는 것이 낫다는 것을 의미하는 것일까? 이 부분은 의문이 든다. 급성적인 병은 명맥이 약하면 그 변화를 견디기 힘들기 때문에 살기 어렵다는 것은 쉽게 이해가 된다.

193) 朝醫學에는 '後'로 되어 있다.
194) 朝醫學에는 '欲'으로 되어 있다.
195) 手抄本과 朝醫學에는 '弱'이 없으나, 문맥상 '弱'을 넣는 것이 타당하다.
196) 辛 2-15
哀怒之氣 順動 則發越而上騰
喜樂之氣 順動 則緩安而下墜
哀怒之氣 陽也 順動則順而上升
喜樂之氣 陰也 順動則順而下降.

*辛 15-10

或曰 吾子論 太陽人解㑊病治法 曰戒深哀 遠嗔怒 修淸定
論噎膈病治法 曰遠嗔怒 斷厚味 意者
太陽人解㑊病 重於噎膈病而 哀心所傷者 重於怒心所傷乎.
曰否. 太陽人噎膈病 太重於解㑊病而 怒心所傷者 太重於哀心所傷也
太陽人哀心深着則 傷表氣 怒心暴發則 傷裏氣故 解㑊表證 以戒哀遠怒 兼言之也.
然則 少陽人怒性 傷口膀胱氣 哀情 傷腎大腸氣
少陰人樂性 傷目膂氣 喜情 傷脾胃氣
太陰人喜性 傷耳腦頞氣 樂情 傷肺胃脘氣乎.
曰然.

辛丑本에서 性氣가 深着되어 表氣가 상하고, 情氣가 폭발하여 裏氣가 상한다고 하였다. 그리고 情氣에 의해 손상된 병이 性氣에 의해 손상된 병보다 훨씬 중하다고 하였다. 久病과 新病이라는 草本卷식의 접근은 보이지 않는다. 草本卷에서는 性氣와 情氣를 통해 만성병과 급성병에 대해 연관지어서 설명하고자 하였다. 辛丑本에서는 性氣 情氣를 통해 表裏病에 대해서 설명하고자 하였다.

辛 8-6

發熱汗出 則病必解也 而發熱汗出 而病益甚者 陽明病也
通滯下利 則病必解也 而通滯下利 而病益甚者 少陰病也
陽明少陰 以邪犯正之病 不可不急用藥也

惡寒汗出 則病必盡解也 而惡寒汗出 而其病 半解半不解者 厥陰之漸也
腹痛下利 則病必盡解也 而腹痛下利 而其病 半解半不解者 陰毒之漸也
厥陰陰毒 正邪相傾之病 不可不預用藥也

發熱一汗 而病卽解者 太陽之輕病也
食滯一下 而病卽解者 太陰之輕病也
太陽太陰之輕病 不用藥而亦自愈也

發熱三日 不得汗解者 太陽之尤病也
食滯三日 不能化下者 太陰之尤病也
太陽太陰之尤病 已不可謂輕證 而用藥二三貼 亦自愈也

發熱六日 不得汗解 食滯六日 不能化下者 太陽太陰之胃家實黃疸病也
太陽太陰之胃家實黃疸 正邪壅錮之病 不可不大用藥也.

辛 8-8
太陽太陰之病 病勢緩 而能曠日持久故 變證多也
陽明少陰之病 病勢急 而不能曠日持久故 變證少也
蓋陽明少陰病 過一日 而至二日 則不可不用藥也
　太陽太陰病 過四日 而至五日 則不可不用藥也
　太陽太陰之厥陰陰毒 皆六七日之死境也 尤不可不謹也.

緩病과 急病에 대해서 동무는 順證과 逆證으로 설명하였다. 順證은 편소지장의 臟氣가 편대지장의 臟氣와 대적할 수 있기 때문에 병기도 완만하고 길고 變證 또한 많다. 逆證은 편소지장의 臟氣가 편대지장의 臟氣와 대적하지 못하고 침범을 당하여 병기도 급하고 짧고 變證 또한 적다. 즉 편대지장의 臟氣에 대적하는 편소지장의 臟氣를 草本卷에서 命脈實數라고 하였는데 이러한 命脈實數의 정도에 따라 順證과 逆證으로 새롭게 나눠서 병을 구분하려는 노력을 辛丑本에서 볼 수 있다. 草本卷까지는 8단계로 命脈實數를 나눠서 각각의 명맥의 정도에 따른 치료나 양생 여부를 제시하였다. 辛丑本에서는 命脈實數의 정도에 따라 병의 양태 및 치료방법을 체질별로 表裏, 寒熱, 順逆으로 세밀하게 나눠서 설명하였다.[197]

표 27. 表裏寒熱順逆證의 의미

表證	***表 부위의 면역반응** 表 부위는 皮筋肉骨 즉 인체의 외부를 구성하고 있는 근골격계 즉 表證이란 근골격계에서 나타나는 면역반응 ***감별 Point** 근골격계 부위 즉 表 부위에 통증, 열감, 냉감, 부종, 발적 등의 증상이 보이면 表證으로 진단 脈이 浮한 경우가 많다- 浮脈이란 체표 혈류량이 상대적으로 증가되고, 내장혈류량이 상대적으로 감소된 결과이다. 外感과 관련 깊다; 바이러스나 세균감염에 대해 면역체계를 활성화하기 위해, 체온조절 중추 조절점이 上升하여, 체온을 높이기 위해 체표 혈관이 수축하고, 근육은 긴장이 되며(頭痛, 身體通), 惡寒(근육을 진동시켜 체온을 올림)이 발생한다. 이런 면역반응이 해소되면 체온이 떨어지고, 근육긴장이 감소하고, 통증양상도 줄게 된다. 頭痛, 身體通, 惡寒의 表證의 주된 지표가 된다.
裏證	***裏 부위의 면역반응** 裏 부위란 소화관(胃脘, 胃, 小腸, 大腸)을 의미한다. 즉 裏證이란 소화관에서 나타나는 면역반응 특히 소화관은 자율신경의 지배를 받기 때문에 정서적인 측면과 관련성이 깊다. ***감별 Point** 消化不良, 腹痛, 嘔逆, 食慾亢進, 食慾不進, 便秘, 泄瀉, 痢疾 등 소화관에 나타나는 증상이 보이면 裏證으로 진단 脈은 沈脈이 많다. 沈脈이란 체표 혈류량이 상대적으로 감소되고, 내장혈류량이 상대적으로 증가된 결과이다. 內傷과 관련이 깊다. 잘못된 식습관이나 七情傷등에 의해 소화관의 흡수 또는 배출 기능의 저하 또는 항진으로 인해 消化不良, 腹痛, 便秘, 泄瀉 등이 발생 消化不良, 腹痛, 便秘, 泄瀉는 裏證의 주요지표가 된다.

197) 장현수,『동의수세보원가이드』, 군자출판사, 2018, p145-146.

寒證	***부교감신경의 亢進과 관련이 깊은 편** 열 생산량 감소로 인해 惡寒, 喜溫, 四肢厥冷 등이 나타난다. ***감별Point** 表證: 惡寒, 手足冷, 활동성 저하 裏證: 부교감 신경의 亢進으로 인해, 소화기의 흡수력은 떨어지고, 연동운동은 증대되어 배출은 과다 → 消化不良, 食慾低下, 大便이 무르거나, 자주 보고, 泄瀉, 小便自利 심박동 감소로 인해 脈이 느린 편이다(70회 이하). 얼굴은 蒼白한 편이고, 舌質은 淡白
熱證	***교감신경의 亢進과 관련이 깊은 편** 열 생산량 증가로 인해 惡熱, 喜冷, 手足溫 등이 나타난다. ***감별 Point** 表證: 發汗, 惡熱, 手足溫, 활동성 증가 裏證: 교감 신경의 亢進으로 인해, 소화기의 흡수력은 증대되고, 연동운동은 감소되어 배출은 감소 → 食慾亢進, 食滯痞滿, 大便이 단단하고, 자주 안 보고, 便秘, 小便赤澁 심박동 증가로 인해 맥이 빠른 편이다(70회 이상). 얼굴은 붉은 편이고, 舌質은 紅
順證	***인체의 正氣(保命之主)가 實한 상태** 즉 생명활동에 관여하는 물질의 과다와 생리기능 항진이 특징 → 즉 면역 기능의 과항진으로 인해 病態가 급박하게 나타나거나, 지속적으로 해결되지 않는 면역반응으로 나타난다. 病情이 急迫하더라도 굳이 치료하지 않아도 자연 치유되는 경향이 있고, 완만한 경우는 만성적이고, 동반된 病態가 다양한 경향이 있다(호소증상 많다). 寒證과 熱證이 뚜렷이 구별되어서 나타나는 경우가 많지만, 病情이 만성화된 경우 寒熱證이 섞여서 나오기도 한다. 表證과 裏證이 뚜렷이 구별되어 나타나는 경우가 많지만, 病情이 만성화된 경우 表裏證이 섞여서 나오기도 한다. ***감별Point** 表證이나 裏證 한 쪽으로 두드러져 나타나면 順證일 가능성이 높다. 寒證이나 熱證 한 쪽으로 두드러져 나타나면 順證일 가능성이 높다. 섞여서 나올 경우 素證이나 병의 초기 상태를 문진해 보았을 때, 表裏證, 寒熱證이 섞여 있지 않다. 病位를 上下로 나누었을 때 上下에 동시에 나타나지는 않는 편이다.
逆證	***인체의 正氣(保命之主)가 虛한 상태** 즉 생명활동에 관여하는 물질의 부족과 생리기능 저하가 특징 → 즉 면역 기능의 저하로 인해 病態가 급박하게 나타나거나, 지속적으로 해결되지 않는 면역반응으로 나타나기도 한다. 病情이 急迫한 경우 치료하지 않으면 危重한 상태로 진행되는 경향이 있고, 완만한 경우는 만성적이고, 동반된 病態가 다양하지 않은 경향이 있다(호소증상 한정됨). 寒熱證이 섞여서 나온다. 表裏證이 섞여서 나온다. ***감별Point** 表裏證이 동시에 나타나면 逆證일 가능성이 높다. 寒熱證 동시에 나타나면 逆證일 가능성이 높다. 素證이나 병의 초기 상태를 문진해 보았을 때, 表裏證, 寒熱證이 섞여 있다. 病位를 上下로 나누었을 때 上下에 동시에 나타나는 편이다.

8-17 凡人起居如常而猝然死者 病皆牢獄之命脉也
二十前後之病 夭折最易 四十前後之病 享壽實難

무릇 사람들이 기거가 평상시와 같은데 갑자기 죽는 것은 병이 대개 牢獄의 命脉에 있기 때문이다. 20세 전후의 병은 요절하기가 가장 쉽고, 40세 전후의 병은 장수를 누리기가 진실로 어렵다.

*8-15에서 20대에는 혈기가 왕성하고 정욕이 촉급하여 命脈實數가 내상과 뇌옥을 넘나들기가 쉽다고 하였다. 따라서 뇌옥의 명맥으로 급격히 빠지기 쉬워 건강하다가 갑자기 요절하기가 쉽다. 40세 전후에는 生息充補之道가 이전보다 반으로 줄어들었기 때문에 이때 명맥이 손상을 받게 되면 장수를 누리는 것은 어려워진다.

8-18 虛勞竭境浮腫極境等症 危傾[198]初分病也
虛勞羸疲浮腫始發等症 牢獄末分病也
危傾初分之病 進復[199]於牢獄末分則 免死也
再復[157]於中分則 免危也
又再復[157]於初分則 生路也
又再復[157]於內傷中末分則 危病得壽 次第非難也
如此必經歷十餘年變病 然後方至此境也

虛勞의 고갈된 지경과 浮腫의 극심한 지경 등과 같은 병증은 危傾初分의 병이다.
虛勞로 쇠약하고 浮腫이 처음 발생한 경우 등과 같은 병증은 牢獄末分의 병이다.
危傾初分의 병이 牢獄末分으로 나아가 회복하면 죽음을 면한다.
中分으로 다시 회복하면 위급함을 면한다.
初分으로 또 다시 회복하면 사는 길이다.
內傷中末分으로 또 다시 회복하면 危病이라도 장수하고, 이 다음은 어렵지 않다.
이와 같이 반드시 十여 년 동안 變病 한 연후에 이러한 경지에 이를 수 있다.

198) 手抄本과 朝醫學에는 '危境'으로 되어 있다. '危傾'과 '危境'은 의미가 같으나, '危境'이 일반적이다. 그러나 手抄本과 朝醫學 모두 앞 부분에서는 '危傾' 으로 되어 있어, 일관성을 주기 위해 '危傾'으로 바꾸었다.
199) 朝醫學에는 '後'로 되어 있다.

蓋痼病難矣哉 盤水可奉而一心難奉 六馬可調而[200]一身難調 痼病免痼 不亦難乎
三十命脉在危傾初分 四十命脉在牢獄末分[201]者 有可生之理 而無必生之路
三十命[202]脉在牢獄末分 四十命脉在牢獄中分 五十命脉在牢獄初分 六十命脉在內傷末分[203]者 有必生之理而 有必生之路

대개 고질병은 어렵다! 쟁반의 물은 가히 받을 수 있으나 한 마음은 받들기 어렵고, 말 여섯 마리는 가히 조절할 수 있으나 一身은 조절하기 어려우니, 고질병에서 고질을 면하기 또한 어렵지 않겠는가?
30세의 명맥이 危傾初分에 있거나, 40세의 명맥이 牢獄末分에 있는 자는 살 수 있는 이치가 있지만, 반드시 살 수 있는 길은 없다.
30세의 명맥이 牢獄末分에 있거나, 40세의 명맥이 牢獄中分에 있거나, 50세의 명맥이 牢獄初分에 있거나, 60세의 명맥이 內傷末分에 있으면 반드시 사는 이치가 있고, 반드시 사는 길도 있다.

*허로와 부종은 命脈實數가 위경과 뇌옥에 해당하는 중한 병태이다. 10여 년은 病變해서 뇌옥초분 정도의 命脈實數로 회복되어야 활로가 생기고, 내상까지 회복하면 위중해도 살 수 있다. 고질병을 病變을 통해 命脈實數를 회복하는 과정은 쉽지 않다. 쟁반의 물을 흘리지 않고 들거나, 말을 한번에 6마리를 모는 것이 오히려 쉽다. 몸과 마음을 흐트러지지 않도록 조양하는 것이 더 어렵다. 40세에는 최소한 危傾에서 벗어나 牢獄末分의 命脈實數는 되어야 그나마 살 수 있는 방도가 생긴다.

*辛 11-7
浮腫爲病 急治則生 不急治則危 用藥早 則容易愈也
用藥不早 則孟浪死也.
此病 外勢平緩 似不速死故 人必易之
此病 實是急證 四五日內 必治之疾 謾不可以十日論之也.
浮腫初發 當用木通大安湯 或荊防地黃湯 加木通 日再服 則六七日內 浮腫必解
浮腫解後 百日內 必用荊防地黃湯 加木通 二三錢 每日一二貼 用之 以淸小便 以防再發 再發 難治.
浮腫初解 飮食尤宜忍飢 而小食 若如平人大食 則必不免再發
大畏小便赤也 小便淸則浮腫解 小便赤則浮腫結.

200) 手抄本과 朝醫學에는 '而'가 없으나, 문맥상 있는 것이 타당하다.
201) 手抄本과 朝醫學에는 '牢獄初分'으로 되어 있다. 그러나 문맥을 살펴보면 '牢獄末分'으로 고치는 것이 마땅하다.
202) 手抄本과 朝醫學에는 '三十分命'으로 되어 있으나, 문맥상 '三十命'으로 보는 것이 타당하다.
203) 朝醫學에는 '來分'으로 되어 있다.

辛 13-35
太陰人 有腹脹浮腫病 當用乾栗蠐螬湯
此病 極危險證 而十生九死之病也 雖用藥病愈 三年內 不再發然後 方可論生
　　侈樂禁嗜慾 三年內 宜恭敬心身 調養愼攝 必在其人矣.

辛 13-36
凡太陰人病 若待浮腫已發而 治之則 十病九死也
此病 不可以病論之而 以死論之可也. 然則如之何其可也.
凡太陰人 勞心焦思 屢謀不成者 或有久泄久痢 或痳病小便不利 食後痞滿 腿脚無力病
　皆浮腫之漸 已爲重險病 而此時 以浮腫論 而蕩滌慾火 恭敬其心 用藥治之 可也.

辛丑本에서 浮腫에 대한 치료는 곳곳에 등장한다. 부종은 시작했을 때부터 牢獄末分의 병이다. 辛丑本에서도 위험한 상태이며 치료가 쉽지 않은 병이라고 하였다. 구체적으로 命脈實數를 회복하는 방법을 제시하였다. 少陽人의 경우에는 우선 급하게 약을 써서 치료해야 하며, 부종이 풀린 후에도 100일 동안 약을 써서 조리해야 한다고 하였다. 특히 음식을 소식하고, 소변을 맑게 유지하도록 신경써야 한다. 太陰人도 10명 중 9명이 죽는 위험한 병태로 보았다. 특히 노심초사하지 말고 욕심을 씻어내고 마음을 공경하고 약을 써서 치료하라고 하였다.

8-19 老人病命脉在牢獄三分者 急疾外 勿以此毒藥苦口 實合醫藥之理

노인의 命脉이 牢獄三分에 있을 경우 급한 질병 이외에는 이런 독한 약으로 입을 괴롭게 하지 않는 것이 진실로 의약의 이치에 부합하는 것이다.

*牢獄의 경우에는 牢獄之病 醫藥先務也 調理次第라고 하였다. 약을 먼저 쓰는 것이 유리한 命脈實數이다. 하지만 노인의 경우에는 응급한 상황이 아니면 함부로 약을 쓰지 말라고 하였다. 즉 나이라는 변수도 반드시 고려해야 함을 강조하였다. 체질 이전에 남녀노소라는 명확한 생물학적 차이가 존재한다. 체질의학만 하다 보면 남녀노소라는 더 근본적인 차이를 간과하고 오로지 체질로만 판단하려는 폐단이 생길 수 있다. 이러한 부분을 경계해야 한다.

右病變之第三統

☆病變 3통 요약

病變 3통에서는 病變의 의미에 대해서 제시가 된다. 病變은 命脈實數가 개선되어 가는 과정을 의미하면 이 과정은 오랜 기간 동안 몸과 마음의 수양을 통해서 할 수 있는 힘든 과정이다. 각 명맥에 따른 輕重을 구체적으로 설명하고 있으며 이를 시를 통해 비유적으로 다시 강조하였다. 또한 명맥에 따른 치료원칙도 제시하였다. 性氣로 인한 病과 情慾에 의한 病에 대한 초기의 생각이 드러나 있다.

第四統

9-1 **太陽人有識見 少陽人有量謀 太陰人有局方 少陰人有器物**

太陽人은 識見이 있고 少陽人은 헤아리고 도모함(量謀)이 있고 太陰人은 국량(局方)이 있고 少陰人은 기량(器物)이 있다.

*각 체질별로 가지고 있는 능력을 제시하였다. 太陽人[204)]은 性氣로 인해 배움을 통해 聞見日博하고 智慧日密하는 능력이 있다. 따라서 識見이 있다. 少陽人은 性氣로 인해 물음을 통해 制度日審하고 經倫日足하는 능력이 있다. 따라서 量謀가 있다. 太陰人은 性氣로 인해 사고를 통해 威儀日愼하고 行檢日成하는 능력이 있다. 따라서 局方이 있다. 少陰人은 性氣로 인해 변별하여 度量日明하고 功績日至하는 능력이 있다. 따라서 器物이 있다. 識見, 量謀, 局方, 器物은 체질별로 타고난 능력이다. 이는 性氣로 인해 발현되는 능력으로 볼 수 있다.

辛 3-11
太陽人 雖至愚 其性 便便然猶延納也 雖至不肖 人之善惡 亦知之也.
少陽人 雖至愚 其性 恢恢然猶式度也 雖至不肖 人之知愚 亦知之也.
太陰人 雖至愚 其性 卓卓然猶教誘也 雖至不肖 人之勤惰 亦知之也.
少陰人 雖至愚 其性 坦坦然猶撫循也 雖至不肖 人之能否 亦知之也.

辛 17-3
太陽人 性質 長於疏通 而材幹 能於交遇
少陽人 性質 長於剛武 而材幹 能於事務
太陰人 性質 長於成就 而材幹 能於居處
少陰人 性質 長於端重 而材幹 能於黨與.

辛丑本에서도 각 체질별 성질을 제시하였다. 太陽人은 소통하는 성질이 있는데 이때 방식은 말을 분명히 하면서 사람을 받아들인다. 즉 무작정 소통하는 것이 아니라 식견을 통해 변별해서 소통한다. 少陽人은 굳세고 날랜 성질이 있는데 이때 방식은 여유가 있으면서도 법도가 있다. 즉 굳건하고 날래면서도 여유가 있고 법도 있게 헤아리고 도모한다. 太陰人은 성취하는 성질이 있는데 이때 우뚝 솟은 듯하면서 가르치는 꾀가 있다. 즉 성

204) 草 2-2
是故 太陽之學者 因其自然之性氣而 敏於進而不苟於退 故聞見日博 而智慧日密也 賢者也
太陰之思者 因其自然之性氣而 安於靜而不妄於動 故威儀日愼 而行檢日成也 知者也
少陽之問者 因其自然之性氣而 堪於擧而不怠於措 故制度日審 而經倫日足也 能者也
少陰之辨者 因其自然之性氣而 重於處而不輕於出 故度量日明 而功績日至也 良者也

취를 함에 위엄도 있고 가르치는 재주도 있다. 이러한 방식으로 사방을 구획한다. 少陰人은 단아하면서 안정되는 성질이 있는데 이때 방식은 넓고 평범한 듯하면서도 사람들을 어루만져 위로한다. 즉 사물을 도구처럼 씀에 있어서도 이런 특성을 가지고 한다.

9-2 **識量遠大者 必謹細行 謹細行者 謹自修也**
器局宏闊者 必愼近密 愼近密者 愼所與[205]也

알고 헤아리는 것이 원대한 자는 반드시 작은 행실을 삼가고, 작은 행실을 삼가는 자는 스스로 닦는 것을 삼간다.
기량과 국량이 크고 넓은 자는 반드시 가깝고 밀접한 것을 삼가고, 가깝고 친밀한 것을 삼가는 자는 더불어 하는 바를 삼간다.

*識量은 識見과 量謀을 의미한다. 器局은 器物과 局方을 의미한다. 陽人들은 알고 헤아리는 것이 원대하기 위해서는 작은 행실도 반드시 삼가야 한다. 작은 행실은 함부로 한다면 識見과 量謀은 원대할 수가 없다. 즉, 陽人들은 작은 행실을 함부로 하는 경향이 있기 때문에 항상 세세한 것까지 신경쓰며 살아가야 한다.

陰人들은 구획을 나누고 사물을 도구로 쓰는 것이 크고 넓기 위해서는 가깝고 친밀한 것을 삼가야 한다. 가깝고 친밀한 것을 삼가기 위해서는 더불어 하는 바를 삼가야 한다. 즉, 陰人들은 친목질을 하며 편 가르기를 하는 경향이 있기 때문에 이러한 면들을 경계해야 한다.

*辛 2-21
雖好善之心 偏急而好善 則好善必不明也
雖惡惡之心 偏急而惡惡 則惡惡必不周也
天下事 宜與好人做也 不與好人做 則喜樂必煩也
天下事 不宜與不好人做也 與不好人做 則哀怒益煩也.

喜樂이 번거로워지는 체질은 陰人이다. 陰人들은 마땅히 좋은 사람과 더불어 일을 해야 하는데, 만약 좋은 사람과 일을 하지 못하면 희락이 번거로워진다. 好人은 선한 사람을 의미한다. 선한 사람과 함께 일을 할 때 陰人들은 기쁘고 즐거운 감정을 느낀다. 하지만 선한 사람과 더불어 하지 못하더라도 억지로 기쁘고 즐거운 마음을 발현하는 경향이 있다. 즉 뭐든 좋게 좋게만 넘어가는 것은 안 된다. 상황에 맞아야만 기쁘고 즐거워해야지 불선함까지도 기쁘고 즐기는 마음으로 대해서는 안 된다. 陰人들은 옳고 그름을 가리

205) 手抄本에는 '與'로 되어 있고, 朝醫學에는 '興'으로 되어 있다.

는 데 있어 슬픔과 분노의 감정으로 대처함이 필요하다.

哀怒가 번거로워지는 체질은 陽人이다. 陽人들은 마땅히 좋지 않은 사람과 더불어 일을 해서는 안 된다. 만약 좋지 않은 사람과 더불어 일을 하게 되면 애노가 번거로워진다. 不好人은 악한 사람을 의미한다. 악한 사람과 일을 하게 되면 陽人들한테는 그 사람의 불선함이 계속 보이고 느껴지게 된다. 이때 필요 이상으로 슬픔과 분노가 느껴지게 되는 경향이 있다. 양인들은 악인들을 보면 마주하지 않고 피하는 게 감정조절에 있어서 유리하다.

9-3 **太少陰陽稟賦之人 以今時一縣萬人數斟酌之則 太陰人 五千人也**
少陽人 三千人也[206)]
少陰人 二千人也
太陽人數 不過四五人已

太少陰陽으로 품부받은 사람을 지금 한 고을 인구를 10,000명으로 짐작해 보면 太陰人은 5,000명이고, 少陽人은 3,000명이고, 少陰人은 2,000명이고, 太陽人은 4~5명에 불과할 뿐이다.

*辛 17-1
太少陰陽人 以今時目見 一縣萬人數 大略論之 則太陰人 五千人也
少陽人 三千人也
少陰人 二千人也
太陽人數 絶少 一縣中 或三四人 十餘人而已.

甲 17-1
太少陰陽人 以今時目見 北道山谷一縣萬人數大略論之 則少陽人 五千人也
太陰人 三千人也
少陰人 二千人也
太陽人數 絶少一縣中 或三四人 十餘人而已.
以南中原野一縣萬人數大略論之 則少陽太陰人 各四千人也
少陰人 二千人也
太陽人數 亦絶少一縣中 或三四人 十餘人而已.

辛丑本의 비율과 거의 비슷하다. 하지만 甲午本에서는 南北으로 산골짜기와 평야로 나누어 설명한다. 북쪽 산골짜기 마을에는 少陽人이 가장 많고, 太陰人, 少陰人, 太陽

206) 手抄本과 朝醫學에는 '也'가 없으나, 문맥상 있는 것이 타당하다.

人 순서로 많으며, 남쪽 평야에는 少陽人 太陰人은 비슷하고 少陰人 太陽人 순서로 많다고 한 점이 차이이다. 甲午本을 기준으로 南北을 합치면 오히려 少陽人이 가장 많고 太陰人 少陰人 太陽人 순서로 辛丑本과는 차이가 발생한다.[207]

9-4 孔子稟太陽 大禹孟子稟太陰 帝舜子思稟少陽 帝堯曾子稟少陰 漢太祖稟太陰 唐太宗稟少陽 漢光武稟少陰 范蠡稟太陰 管仲稟少陽 晏嬰稟少陰 黃石公稟太陽 司馬穰苴稟太陰 太公孫武稟少陽 諸葛亮吳起稟少陰 李太白稟太陽 司馬遷杜甫稟太陰 賈誼李長吉蘇軾稟少陽 班固王勃韓退之稟少陰 王羲之稟太陰 柳公權稟少陽

공자는 太陽人으로 품부받았고, 우임금 맹자는 太陰人으로 품부받았고, 순임금 자사는 少陽人으로 품부받았고, 요임금 증자는 少陰人으로 품부받았고, 한나라 태조는 太陰人으로 품부받았고, 당나라 태종은 少陽人으로 품부받았고, 후한의 광무제는 少陰人으로 품부받았고, 범려는 太陰人으로 품부받았고, 관중은 少陽人으로 품부받았고, 안영은 少陰人으로 품부받았고, 황석공은 太陽人으로 품부받았고, 사마양저는 太陰人으로 품부받았고, 태공 손무는 少陽人으로 품부받았고, 제갈공명과 오기는 少陰人으로 품부받았고, 이태백은 太陽人으로 품부받았고, 사마천 두보는 太陰人으로 품부받았고, 가의 이장길 소식은 少陽人으로 품부받았고, 반고 왕발 한퇴지는 少陰人으로 품부받았고, 왕희지는 太陰人으로 품부받았고, 유공권은 少陽人으로 품부받았다.

*동무는 역사상 등장했던 인물들의 체질을 분류하였다.

표 28. 역사적 인물 체질 분석

	太陽人(3)	少陽人(10)	太陰人(8)	少陰人(9)
인물	공자 황석공 이태백	순임금 자사 당나라 태종 관중 강태공 손무 가의 이장길 소식 유공권	우임금 맹자 한나라 태조 범려 사마양저 사마천 두보 왕희지	요임금 증자 후한 광무제 안영 제갈공명 오기 반고 왕발 한퇴지

동무가 성인으로 생각하는 공자는 太陽人, 맹자는 太陰人으로 분류하였다. 역사상

207) 장현수, 『동의수세보원가이드』, 군자출판사, 2018, p 520.

덕을 가진 왕이였던 요임금은 少陰人, 순임금은 少陽人, 우임금은 太陰人으로 분류하였다. 中庸의 저자이자 공자의 손자인 자사는 少陽人, 大學의 저자이자 공자의 제자인 증자는 少陰人으로 분류하였다. 四書 중 논어는 太陽人 공자가, 맹자는 太陰人 맹자가, 중용은 少陽人 자사가, 대학은 少陰人 증자가 저술하였다. 즉 네 가지 체질 특성이 四書에 반영되었다고 볼 수 있다.

제왕들도 체질 분류하였다. 한나라 태조는 太陰人, 후한의 광무제는 少陰人, 당나라 태종은 少陽人으로 분류하였다. 관리들도 체질 분류를 했다. 범려는 太陰人, 관중은 少陽人, 안영은 少陰人으로 분류하였다. 兵法을 만든 위인도 체질 분류를 하였다. 황석공은 太陽人, 사마양저는 太陰人, 태공은 少陽人, 손무(손자병법)는 少陽人, 제갈량, 오기는 少陰人으로 분류하였다. 시인도 체질 분류를 하였다. 이태백은 太陽人, 두보는 太陰人, 가의는 少陽人, 이장길은 少陽人, 소식(소동파)은 少陽人, 왕발은 少陰人, 한퇴지는 少陰人으로 분류하였다. 역사가도 체질 분류하였다. 사마천은 太陰人, 반고는 少陰人으로 분류하였다. 서예가도 체질 분류하였다. 왕희지는 太陰人 유공권은 少陽人으로 분류하였다.

이상의 인물들은 역사적으로 유명하고 책이나 그림 등이 남아있는 인물들이다. 동무는 각 인물들의 에피소드나 특징을 잡아 체질을 분류하였을 것이다. 동무는 후학들이 상기 인물들의 여러 고사나 글씨나 그림을 살펴 체질적 특징을 살펴보기를 기대하며 이런 분류를 남긴 것으로 보인다.

9-5 太陽之知 知而過也 象人之過於知者 易爲詐也
少陰之知 愚[208]而不及也 象人之愚而不及者 易爲嗇也
太陰之行 賢而過也 象人之賢而過者[209] 易爲侈[210]也
少陽之行 不肖而不及也 象人之不肖而不及者 易爲懶也

太陽人의 知는 지혜로우면서 지나치다. 사람의 지혜로움이 과한 것을 본받으면 속이게 되기 쉽다.
少陰人의 知는 어리석으면서 미치지 못하다. 사람의 어리석어 미치지 못함을 본받으면 인색하게 되기 쉽다.
太陰人의 行은 어질면서 과도하다. 사람의 어질면서 과도한 것을 본받으면 사치하기 쉽다.
少陽人의 行은 못나고 미치지 못하다. 사람의 못하면서 미치지 못함을 본받으면 나태하기 쉽다.

208) 手抄本과 朝醫學에는 '過'로 되어 있으나, 문맥상 '愚'로 보는 것이 타당하다.
209) 手抄本과 朝醫學에는 '賢而過不及者'로 되어 있으나, 문맥상 '賢而過者'로 보는 것이 타당하다.
210) 手抄本과 朝醫學에는 모두 '放'으로 되어 있으나, 문맥을 고려하여 '侈'로 고쳤다.

*太陽人 少陰人은 知의 과도함과 부족함으로 설명하였고, 太陰人 少陽人은 行의 과도함과 부족함으로 설명하였다. 太陽人과 少陰人은 지적인 측면을 중심으로 드러나는 체질로 볼 수 있다. 太陽人은 지혜로움의 과함이 잘 드러나고, 少陰人은 지혜로움의 부족이 잘 드러난다. 少陽人과 太陰人은 행동의 측면을 중심으로 드러나는 체질로 볼 수 있다. 太陰人은 행동이 과함이 잘 드러나고, 少陽人은 행동의 부족이 잘 드러난다. 이러한 특성으로 나타나는 것이 嗇侈懶詐이다. 太陽人은 지혜로움을 바탕으로 나아가 남을 속이려 하고, 少陰人은 지혜로움의 부족으로 뒤로 물러나 나서지 않으려다 보니 인색해진다. 太陰人은 행동을 통해 일을 능히 해내는 어질고 현명함이 과해 스스로에 대한 자부심이 강해져 그것이 남한테 과시하고 자랑하는 모습으로 드러나 사치를 부리게 된다. 少陽人은 불급한 행동력으로 인해 끝까지 하는 뒷심이 부족하여 게으른 모습을 보이게 된다.

嗇侈懶詐는 체질별로 安身할 때 생기기 쉬운 邪心이다.[211] 原人 2통에서 구체적으로 嗇侈懶詐의 각각의 대상이 나온다. 太陽人은 居處에 대해서 속이게 되고, 少陰人은 事務에 대해서 인색하게 되고 太陰人은 交遇에 대해서 사치하게 되고, 少陽人은 黨與에 대해서 나태하게 된다.

*辛 3-17
少陰之頭 宜戒奪心 少陰之頭 若無奪心 大人之識見 必在於此也.
太陰之肩 宜戒侈心 太陰之肩 若無侈心 大人之威儀 必在於此也.
少陽之腰 宜戒懶心 少陽之腰 若無懶心 大人之才幹 必在於此也.
太陽之臀 宜戒竊心 太陽之臀 若無竊心 大人之方略 必在於此也

辛丑本에서 嗇侈懶詐는 奪侈懶竊로 쓰였다. 少陰之知은 愚而不及하기 때문에 少陰之頭으로 宜戒奪心해야 한다. 太陰之行은 賢而過하기 때문에 太陰之肩으로 宜戒侈心해야 한다. 少陽之行은 不肖而不及하기 때문에 少陽之腰으로 宜戒懶心해야 한다. 太陽之知는 知而過하기 때문에 太陽之臀으로 宜戒竊心해야 한다. 앞서 草 2-5에서 安身은 天機와 獨行의 상황을 모두 포괄한다고 설명하였다. 즉 홀로 관찰자적 입장에서 주변 사람이나 세상을 살피면서 느껴지는 상황이다. 이때 살피면서 간접경험을 통해 느껴지는 감정이 性이고, 命을 세우기 위해 獨行해야 한다. 草本卷의 事務, 交遇, 黨與, 居處에는 天機에 해당하는 天時 世會 人倫 地方, 人事에 해당하는 事務 交遇 黨與 居處, 性에 해당하는 籌策 經綸 行檢 度量, 命에 해당하는 識見 威儀 才幹 方略이 모두 담겨 있다고 볼 수 있다. 辛丑本는 사원구조로 명확해지면서 세분화된 것으로 보인다. 이러한 측면으

211) 草 2-5
是故 太陽之欲心 詐於居處而 不嗇於事務
少陰之欲心 嗇於事務而 不詐於居處
少陽之欲心 懶於黨與而 不侈於交遇
太陰之欲心 侈於交遇而 不懶於黨與
註: 有是黠而有是慝 衆人皆然 惟知命者不然

로 살펴보면, 少陰人은 地方을 잘 살피지만 天時를 살피는 지혜가 부족하여 天時에 대해 인색해지기 쉽다. 그 결과 大人의 識見을 세울 수가 없다. 太陰人은 人倫을 잘 살피지만 世會를 살피는 능력이 부족하여 행동이 과해지는 측면이 있다. 그 결과 大人의 威儀를 세울 수가 없다. 少陽人은 世會를 잘 살피지만 人倫을 살피는 능력이 부족하여 행동력이 부족하다. 그 결과 大人의 才幹을 세울 수가 없다. 太陽人은 天時를 잘 살피지만 地方을 살피는 능력이 부족하여 자신이 과한 지혜로움으로 속이려 한다. 地方은 머리로 살피는 것이 아니라 인자함으로 살펴야 한다. 그 결과 大人의 方略을 세울 수 없다.

*草本卷에서 체질별로 嗇侈懶詐하게 되는 대상의 차이가 있음을 밝혔다. 그리고 그 이유를 知行의 과불급으로 설명하였다. 辛丑本에서 天人性命, 好善之心, 惡惡之心, 邪心, 怠心으로 세분화하였다. 草本卷에서 知行의 과불급으로 인해 발현되는 嗇侈懶詐는 辛丑本에서 怠心으로 구분되었음을 알 수 있다. 그리고 怠心이 나타나게 되는 이유도 체질별로 知行의 과불급의 차이가 있기 때문이다.

표 29. 체질별 奪侈懶竊에 빠지는 원인 및 극복

	草本卷 嗇侈懶詐의 대상	辛丑本 (天機)	奪侈懶竊의 원인	辛丑本 奪侈懶竊의 극복(命)
太陽人	居處	地方	知而過	方略
少陰人	事務	天時	愚而不及	識見
太陰人	交遇	世會	賢而過	威儀
少陽人	黨與	人倫	不肖而不及	才幹

*체질별로 知行의 과불급을 어떻게 나누었을까?

太陽人은 事의 속성을 少陽人은 心의 속성을 太陰人은 身의 속성을 少陰人은 物의 속성을 가장 크게 타고 났다. 草 4-9[212]에서 事心身物의 상호작용에 대해서 서술하였다. 物隨身하고 心觸事하며 身帥物하고 事明心한다고 하였는데 物과 心은 수동적으로 事와 身은 능동적 작용을 한다. 즉 事와 身은 능동적 특성이 있기 때문에 과도해지는 경향이 있고, 物과 心은 수동적 특성이 있기 때문에 불급해지는 경향이 있다고 볼 수 있다. 따라서 事와 身의 속성을 타고난 太陽人과 太陰人은 과도해지는 특성이 있고, 物과 心의 속성을 타고난 少陰人과 少陽人은 불급해지는 특성이 있다고 볼 수 있다. 이때 知行으로 접근하면 事와 物은 知의 차원으로 心과 身은 行의 차원으로 볼 수 있다. 즉, 나를 둘러싸고 있는 사물은 살핌의 대상이기 때문에 太陽人과 少陰人은 이러한 살피고 지각

212) 草 4-9
利勇謀知 物隨身也 君子于止 萬物化也
勤能慧誠 身帥物也 君子于動 萬物動也
明愼審博 心觸事也 君子于覺 萬物靜也
肅艾哲謀 事明心也 君子于決 萬物變也

하는 속성이 있는데, 능동적인 특성을 타고난 太陽人은 과도해지기 쉽고 수동적인 성향을 타고난 少陰人은 불급해지기 쉽다. 나라는 인간은 몸과 마음을 쓰며 살아간다. 이때 太陰人과 少陽人은 몸과 마음을 씀에 있어 능동적이 특성을 타고난 太陰人은 과도해지기 쉽고, 수동적인 성향을 타고난 少陽人은 불급해지기 쉽다.

표 30. 체질별 知行의 過不及이 나타나는 이유

	타고난 事心身物	能動 受動	知行의 속성	知行의 過不及
太陽人	事	能動(事明心)	知	知而過
少陰人	物	受動(物隨身)	知	愚而不及
太陰人	身	能動(身帥物)	行	賢而過
少陽人	心	受動(心觸事)	行	不肖而不及

9-6 夫子之周遍 立於道也 立於道者 立於身也 太陽之象也
曾子之治平 明於德也 明於德者 明於心[213]也 少陰之象也
孟子之雄辯 言於善也 善也者 善於事也 太陰之象也
子思之中庸 行於[214]誠也 誠也者 誠於物也 少陽之象也

夫子의 두루 미침은 道를 세움이다. 道를 세우는 것은 몸을 세우는 것이니 太陽人의 象이다.
曾子의 나라를 다스리고 천하를 편안하게 하는 것은 德을 밝히는 것이다. 德을 밝히는 것은 마음을 밝히는 것이니 少陰人의 象이다.
孟子의 웅장한 변론은 善을 말하는 것이다. 善이라는 것은 일을 함에 있어 善하게 하는 것이니 太陰人의 象이다.
子思의 中庸은 정성스러움을 행하는 것이다. 정성스러움은 사물에 정성스러운 것이니 少陽人의 象이다.

*9-5에서 체질별로 知行의 과불급에 의해 嗇侈懶詐에 빠지는 것을 서술했다면 9-6에서는 知行의 과불급을 극복한 인물들을 제시하였다.

夫子는 공자를 의미한다. 9-4에서 역사적 인물들을 체질적 분류를 하였으며, 어떤 관점으로 분류했는지를 알 수 있다. 공자는 道를 세운 인물이다. 도를 세운다는 것은 생각만 해서 되는 것이 아니라 실제 몸을 써서 솔선수범하며 보여줘야 한다. 그래야 쌓인다. 지혜로움이 과도하면 행동력이 부족할 수 있다. 하지만 공자는 周遊天下하며 道를 세우기 위한 실제적 행동을 한 인물이다. 太陽人으로 품부받아 군자가 되기 위해 노력한 인물이다. 즉 太陽人의 본받을 상이다.

213) 朝醫學에는 '治'로 되어 있다.
214) 手抄本과 朝醫學에는 '而'로 되어 있으나, 문맥상 '於'가 타당하다.

曾子는 大學을 저술한 인물이다. 大學의 핵심은 3강령과 8조목이다. 3강령은 明德, 新民, 至善이고, 8조목은 格物 致知, 誠意, 正心, 修身, 齊家, 治國, 平天下이다. 少陰人은 지혜가 부족한 체질이다. 治國平天下하기 위해서는 지혜가 필요하다. 曾子는 이러한 체질적 약점을 극복하여 덕을 밝혀 治國平天下를 하고자 노력하였다. 덕을 밝히는 것은 마음을 밝히는 것이다. 曾子 역시 少陰人으로 품부받아 군자가 되기 위해 힘쓴 인물이다. 少陰人의 본받을 상이다.

孟子는 王道政治를 꿈꿨던 인물이다. 정치라는 것은 善함을 바탕으로 이루어져야 하고 특히 일처리를 현명하게 하는 것이 중요하다. 선과 악을 현명하게 구별하며 일처리를 하기 위해서는 지혜가 필요하다. 太陰人은 행동력이 과한 체질이다. 이러한 행동력의 과함을 보완하기 위해서는 행동의 기준이 필요하다. 그것이 바로 善한지 不善한지를 구별할 수 있는 지혜이다. 맹자는 체질적 약점을 극복하여 군자가 되기 위해 노력한 인물이다. 太陰人의 본받을 상이다.

子思는 中庸을 저술하였고, 중용에서 誠을 강조하였다. 중용 23장을 보면 "其次致曲 曲能有誠 誠則形 形則著 著則明 明則動 動則變 變則化 唯天下至誠 爲能化"라고 하였다. 지극한 진실무망함이야말로 세상을 변화시킬 수 있고 이것이 中庸의 핵심자세이다. 少陽人은 행동력이 부족한 체질이다. 행동력을 높이기 위해서는 원칙이 필요하다. 그것이 바로 誠이다. 지극하고 진실무망하고 성실해야만 한다. 이때 대상은 만물이다. 모든 만물을 대함에 있어 정성스러움이 있다면 흔들리지 않고 中을 지킬 수 있다. 子思는 체질적 약점을 극복하여 군자가 되기 위해 노력한 인물이다. 少陽人의 본받을 상이다.

事心身物[215]은 原人 4통에서 제시되었던 개념이다. 격치고에 心(太極) → 心身(兩儀) → 事心身物(四象)으로 제시되었다. 상기 네 인물은 체질별로 가장 편소한 장국에 해당하는 事心身物이란 특성을 극복한 사람이다.

辛 3-16
太陰之頷 宜戒驕心 太陰之頷 若無驕心 絶世之籌策 必在於此也.
少陰之臆 宜戒矜心 少陰之臆 若無矜心 絶世之經綸 必在於此也.
太陽之臍 宜戒伐心 太陽之臍 若無伐心 絶世之行檢 必在於此也.
少陽之腹 宜戒夸心 少陽之腹 若無夸心 絶世之度量 必在於此也.

215) 草 4-4
志膽心意 利勇謀知也 利勇謀知 物之用也
屈放收伸 勤能慧誠也 勤能慧誠 身之用也
辨思問學 明愼審博也 明愼審博 心之用也
貌言視聽 肅艾哲謀也 肅艾哲謀 事之用也

표 31. 인간특성의 사원구조 분류

四臟	四象	天機	人事	性	前	邪心	命	後	怠心
肺	事	天時	事務	籌策	頷	驕	識見	頭	奪
脾	心	世會	交遇	經綸	臆	矜	威儀	肩	侈
肝	身	人倫	黨與	行檢	臍	伐	才幹	腰	懶
腎	物	地方	居處	度量	腹	夸	方略	臀	竊

肺大肝小한 太陽人은 身의 측면이 부족하다. 肝大肺小한 太陰人은 事의 측면이 부족하다. 脾大腎小한 少陽人은 物의 측면이 부족하다. 腎大脾小한 少陰人은 心의 측면이 부족하다. 공자, 증자, 자사, 맹자가 성인군자로 불릴 수 있는 이유는 바로 가장 부족한 측면을 극복했기 때문이다. 그리하여 수천 년, 수백 년이 지나더라도 세상에 회자되는 것이다. 辛丑本에서 이러한 극복의 과정이 바로 性을 기르는 것으로 제시하였다.

太陰人은 事에 대한 부족으로 인해 교만한 마음이 들기가 쉽다. 행동력은 과한데 아무 생각 없이 자기 행동이 무조건 옳다는 교만한 마음이 들 수 있다. 따라서 무작정 행동하기보다는 세상이 돌아가는 타이밍을 살피고 일 처리의 善, 不善을 구별하는 노력을 통해 절세의 주책을 기르면 맹자와 같은 사람이 될 수 있다.

少陰人은 心에 대한 부족으로 인해 자랑스러워하는 마음이 들기 쉽다. 세상 사람들을 만나고 예우함에 있어 어떻게 하는 게 진정한 예를 갖추는지에 대한 지혜가 부족하여 암컷처럼 보호만 받고 하고 그러한 상황을 자랑스러워하는 것이다. 스스로 자랑스러워하기보다는 그러한 부족함을 부끄러워하는 마음으로 덕을 밝히고 더 나아가 나라를 다스리고 세상을 편안하게 한다면 증자와 같은 사람이 될 수 있다.

太陽人은 身에 대한 부족으로 伐하려는 마음이 들기 쉽다. 太陽人은 과도한 지혜로움으로 몸을 쓰기보다는 머리로만 판단하고 결론 내리는 성향이 있다. 몸을 두루 써서 인간 사이의 질서나 의로운 무리도 지어봄으로써 실제적인 경험을 통해 자신의 과도한 지혜로움을 경계해야 한다. 그러면 다른 사람들을 벌하고 분노하기보다는 이해하고 너그러워질 수 있다. 공자와 같은 사람이 될 수 있다.

少陽人은 物에 대한 부족으로 과시하려는 마음이 들기 쉽다. 少陽人은 정성스럽고 진실무망하게 행동하는 능력이 부족하다. 그래서 항상 中을 잃고 한쪽으로 치우칠 수 있다. 만물을 인자한 마음으로 거짓 없이 대하고 다루어야 하는데 자신만을 사랑하고 아낄 뿐 남을 위한 행동을 하지 않고 본인 과시만 한다. 이러한 마음을 극복하면 자사와 같은 사람이 될 수 있다.

*9-4는 安身의 차원에서 서술되었다. 9-5는 接人[216]의 차원에서 서술되었다. 安身을 함에 있어서는 자신의 불급한 능력도 무작정 발휘해보자 하는 욕심이 생긴다. 이러한 욕심으로 인해 嗇侈懶詐한 마음이 들기 쉽다. 이러한 마음은 辛丑本에서 怠心인 奪侈懶竊로 제시되었다. 安身의 상황에서는 직접적으로 남이나 사물과 접하기보다는 혼자 생각하고 행동하는 상황이다. 따라서 자신의 불급한 측면도 남과 크게 접하지 않는 상황이므로 홀로 해보게 된다. 하지만 피드백 없이 무작정 행동만 하게 되면 결국 한계를 느끼고 嗇侈懶詐(奪侈懶竊)한 마음에 빠지게 된다. 이것을 극복하는 방법을 "有是黠而有是慝 衆人皆然 惟知命者不然"이라고 하였다. 辛丑本에서는 修其身立其命하라고 하였다. 怠心에 빠지지 않도록 몸을 수양하고 大人의 命(식견, 위의, 재간, 방략)을 세워야 한다고 하였다. 이것이 바로 草本卷의 知命의 의미이다.

接人을 함에 있어 주로 자신이 잘하는 능력으로 접근하다 보니 방심하여 傲驕諂侮한 마음이 들기 쉽다. 낯선 상황이나 낯선 사람과 직접 접촉할 때 인간은 보통 자기가 가장 잘하는 방식으로 접근하게 된다. 그 과정에서 자신의 방식이 상황에 맞지 않더라도 잘 통하다 보면 마음을 놓게 되고 傲驕諂侮한 마음이 들게 되는 것이다. 이러한 마음은 辛丑本에서 邪心인 驕矜伐夸로 제시되었다. 傲驕諂侮(驕矜伐夸)한 마음에 빠지지 않기 위한 방법으로 "有是能而有是惑 衆人皆然 有盡性者不然"라고 하였다. 辛丑本에서는 存其心養其性[217]하라고 하였다. 邪心을 꾸짖고 절세의 性(주책, 경륜, 행검, 도량)을 길러야 한다고 하였다. 이것이 바로 草本卷의 盡性의 의미이다.

동무는 인간은 잘하는 능력과 부족한 능력을 동시에 가지고 있는 존재로 보았다. 큰 틀에서는 知行의 과불급 즉 지적 능력과 행동력의 과불급으로 나누었다. 생각해 볼 수 있는 경우의 수는 네 가지이다. 지적 능력이 유달리 과도한 사람, 지적 능력이 유달리 부족한 사람, 행동력이 유달리 과도한 사람, 행동력이 유달리 부족한 사람 이렇게 넷으로 나눌 수 있다. 이때 인간은 항상 安身의 상황과 接人의 상황에 놓인다. 각 상황에 따라 저런 특성을 품부받고 태어난 사람의 대처도 각각 다름을 동무는 이야기하고 있는 것이다. 辛丑本에서는 安身과 接人이라는 용어는 없어지고, 天人性命, 性情, 邪心, 怠心 등으

216) 草 2-9
是故 太陽之放心 驕於交遇而不諂於黨與
少陰之放心 諂於黨與而不驕於交遇
少陽之放心 傲於事務而不侮於居處
太陰之放心 侮於居處而不傲於事務
註 : 有是能而有是惑 衆人皆然 有盡性者不然

217) 辛 1-26
人之耳目鼻口 好善之心 以衆人耳目鼻口論之而 堯舜未爲加一鞭也
人之肺脾肝腎 惡惡之心 以堯舜肺脾肝腎論之而 衆人未爲少一鞭也
人皆可以爲堯舜者 以此.
人之頷臆臍腹之中 誣世之心 每每隱伏也 **存其心養其性** 然後 人皆可以爲堯舜之知也
人之頭肩腰臀之下 罔民之心 種種暗藏也 **修其身立其命** 然後 人皆可以爲堯舜之行也
人皆自不爲堯舜者 以此.

로 다시 인간관을 재편하였다. 즉 이원구조에서 사원구조로 더 분화되었다. 安身은 天機-命-性氣-怠心의 측면으로 接人은 人事-性-情氣-邪心의 측면으로 새롭게 설정되었다. 관찰자적 입장이자 홀로 행동하는 입장인 安身은 天機를 살피고 獨行하는 인간관으로 발전했고, 경험자적 입장이자 남과 접하며 살피는 입장인 接人은 人事를 행하고 博通하는 인간관으로 발전했다.

표 32. 草本卷 辛丑本 인간관 구조 비교

草本卷	辛丑本
安身-性氣	天機-性氣 命-獨行
接人-情氣	人事-情氣 性-博通

右病變之第四統

☆病變 4통 요약

病變 4통은 原人에 해당하는 내용들이 서술되었다. 각 체질별 타고난 성질에 대해 이야기한 뒤 陰人과 陽人의 특성에 대해서도 서술하였다. 그리고 만 명 중 체질 비율에 대한 설명을 하였으며, 역사적 인물 30명의 체질을 제시하였다. 체질별 知行의 과불급에 설명하였으며 그러한 과불급을 극복한 공자, 맹자, 증자, 자사를 제시하여 체질별 본받을 인간상을 제시하였다. 病變 4통은 내용은 짧지만 특히 9-5와 9-6을 통해 安身과 接人의 측면이 어떻게 天人性命의 사원구조로 분화되었는지 단초를 얻을 수 있었다.

第五統

10-1 肺部盛則肩背暢
脾部盛則胸膈通
肝部盛則兩脇張
腎部盛則腰腸雄

肺 부위가 盛하면 어깨와 등이 펼쳐진다.
脾 부위가 盛하면 흉격이 통한다.
肝 부위가 盛하면 양 옆구리가 넓어진다.
腎 부위가 盛하면 허리와 장이 웅장해진다.

*四臟이 위치한 곳이 발달했을 경우에 겉으로 관찰되는 모습을 서술하였다. 草 3-3[218]에서 肝부위는 兩脇으로, 脾부위는 胸膛으로, 腎부위는 膂脊으로, 肺부위는 肩臂로 제시하였다. 肺는 늑골에 감싸여 있는데 실제 해부학적 위치와는 사실 맞지 않는다. 肺가 어디에 있다는 것을 동무가 몰랐을 리는 없다. 인체를 상하로 4등분하였을 때 상초에 해당하는 부분의 기운을 담당하는 중추를 肺로 설정하였다. 따라서 肺의 기능적 측면을 관찰할 때 실제 肺가 위치한 부위가 아닌 어깨나 등과 같은 체간의 상부로 설정한 것으로 보인다. 脾는 중상초에 해당하는데 실제 위치는 횡격막보다 아래 위치하며 胃보다 후면에 있다. 흉격에는 오히려 肺와 심장이 위치한다. 인체를 상하로 4등분하였을 때 중상초에 해당하는 부분의 기운을 담당하는 중추를 脾로 설정하였다. 따라서 비의 기능적 측면을 관찰할 때 실제 비가 위치한 부위가 아닌 흉격이라는 체간의 중상부로 설정한 것으로 보인다. 肝은 좌측보다 우측에 더 많은 부분이 있으며 횡격막 아래쪽에 위치하고, 늑골에 의해 일부분은 보호받는 위치에 있다. 인체를 상하로 4등분하였을 때 중하초에 해당하는 부분의 기운을 담당하는 중추를 肝으로 설정하였다. 따라서 간의 기능적 측면을 관찰할 때 실제 간이 위치한 부위가 아닌 양 옆구리라는 체간의 중하부로 설정한 것으로 보인다. 腎은 흉추하부와 요추상부에 위치한다. 인체를 상하로 4등분하였을 때 하초에 해당하는 부분의 기운을 담당하는 중추를 腎으로 설정하였다. 따라서 腎의 기능적 측면을 관찰할 때 실제 腎이 위치한 부위가 아닌 허리와 장이라는 체간의 하부로 설정한 것으로 보인다.

218) 草 3-3
頻起怒而頻伏怒則　兩脇暴盛而暴衰也　兩脇暴盛而暴衰則 肝血傷也
乍發喜而乍收喜則　胸膛暴闊而暴窄也　胸膛暴闊而暴窄則 脾氣傷也
忽動哀而忽止哀則　膂脊暴伸而暴屈也　膂脊暴伸而暴屈則 腎精傷也
屢得樂而屢失樂則　肩臂暴揚而暴抑也　肩臂暴揚而暴抑則 肺神傷也

辛 4-1

肺部位 在顀下背上	胃脘部位 在頷下胸上故	背上胸上以上	謂之上焦
脾部位 在膂	胃部位 在膈故	膂膈之間	謂之中上焦
肝部位 在腰	小腸部位 在臍故	腰臍之間	謂之中下焦
腎部位 在腰脊下	大腸部位 在臍腹下故	脊下臍下以下	謂之下焦.

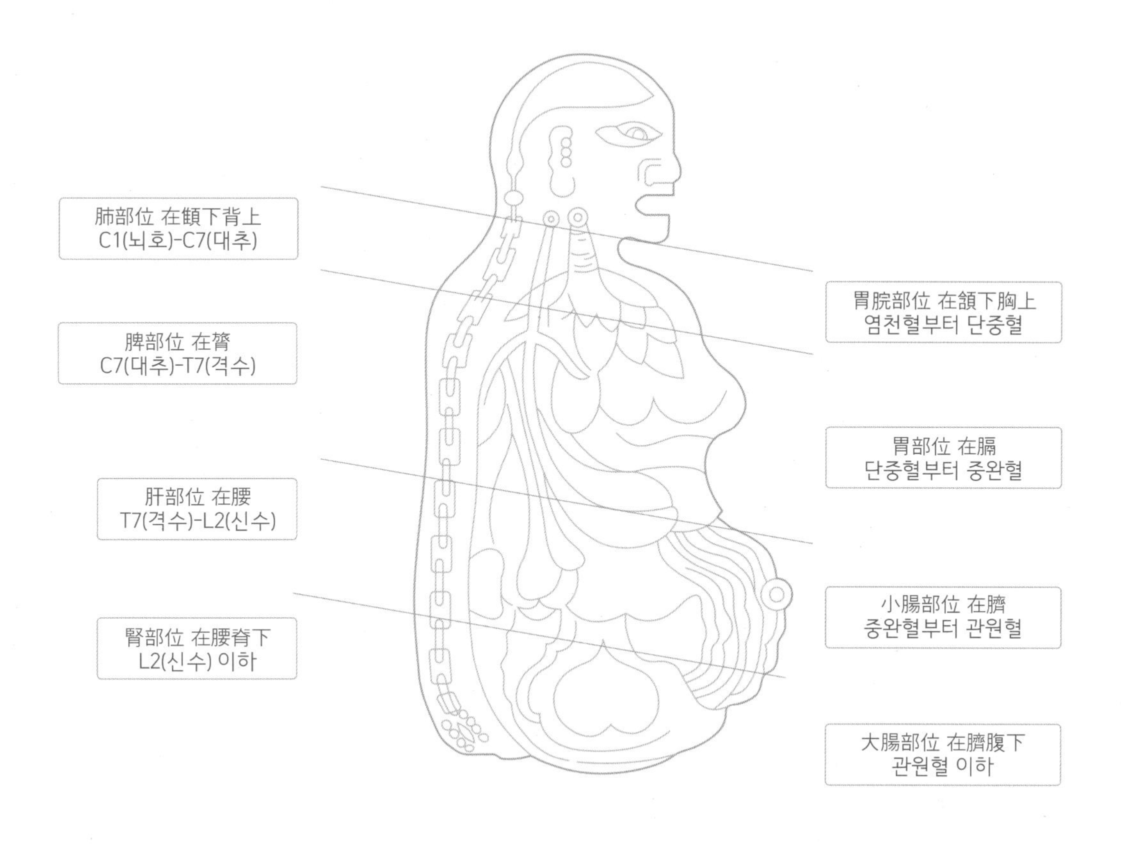

그림 2. 四焦圖

*東武는 體幹을 上下를 기준으로 4가지 구획으로 나누었다. 기존 한의학에서는 三焦라고 하여 3가지로 나누어서 보던 것을 中焦를 한 번 더 나눈 것이 특징이다. 그리고 인체를 前後로 나눠 보고 있다. 肺脾肝腎 즉 四臟은 인체의 후면부에 있고, 胃脘, 胃, 小腸, 大腸, 즉 四腑는 인체의 전면부에 있다. 東武가 臟腑論을 서술할 때 참고했을 것이라고 가장 유력한 자료는 東醫寶鑑의 身形臟腑圖이다. 身形臟腑圖에서 上下의 순서를 보면 肺, 脾, 肝, 腎의 순서로 그려져 있고, 胃脘, 胃, 小腸, 大腸의 순서로 기술되어 있다. 東武가 四臟과 四腑의 上下의 위치를 결정할 때 身形臟腑圖의 순서를 따른 것으로 보인다. 실제 해부학적 위치와는 맞지가 않는다.

上焦는 머리의 後髮際부터 大椎穴까지, 그리고 턱 아래부터 膻中穴까지로 볼 수 있다. 肺部位 在顀下背上 胃脘部位 在頷下胸上이란 표현에서 정확한 기준점을 찾기는 어렵다. 椎下는 枕骨(후두융기) 이하 정도로 사료된다. 背도 위치를 나누기가 애매하다. 우리가 흔히 말하는 등은 목 아래를 의미한다. 즉 顀下背上은 頸椎부위 정도로 생각할 수 있다. 上焦가 발달한 太陽人의 腦顀의 일어나는 형세가 강하다고 하였는데, 이때 腦顀는 목덜미를 의미한다. 즉 肺부위는 頸椎후면의 목덜미를 의미한다. 胃脘부위는 在頷下胸上라고 하였는데, 頷은 턱을 의미하여 廉泉穴 정도로 사료된다. 胸上의 胸도 정확한 위치를 잡기가 애매하다. 胃脘 즉, 식도의 기능을 잘 살필 수 있고 上焦라는 부위적 특성을 고려할 때 膻中穴을 기준점으로 삼는 것이 낫다고 생각한다. 식도염이 있을 때 膻中穴 주변이 뻐근하고 우리가 호흡을 관찰할 때 膻中穴의 움직임을 보는 것도 이 부위가 上焦의 움직임을 잘 반영해준다고 사료된다. 즉 廉泉穴부터 膻中穴까지의 부위를 胃脘의 부위로 볼 수 있다.

中上焦에서 脾부위는 大椎穴부터 膈兪穴이 있는 선상까지, 胃부위는 膻中穴부터 中脘穴까지로 사료된다. 우선 膂라는 것은 背膂를 의미한다. 背膂는 등을 의미하는데 大椎穴부터 횡격막이 있는 膈兪穴 라인까지를 등으로 보는 것이 타당하다. 胃부위는 膻中穴부터 中脘穴까지로 보는 것이 타당하다. 위장의 기능에 문제가 있을 때 주로 명치 주변이 답답하거나 아니면 中脘穴 부위에 통증을 호소한다. 病證論을 보면 少陽人의 경우 結胸證은 명치와 가슴에서 주로 病態가 나타나며, 少陰人의 경우에도 구미혈 주변에서 胃局의 病態를 관찰할 수 있다. 즉 胃 부위는 명치를 중심으로 위로는 膻中穴 아래로는 中脘穴까지 보는 것이 타당하다.

中下焦는 肝부위는 膈兪穴부터 腎兪穴까지, 小腸부위는 中脘穴부터 關元穴까지로 사료된다. 腰라는 것을 정확히 설명하는 것은 불가능하지만 주로 허리라고 생각하는 부위가 보통 腎兪穴을 기준으로 위쪽이고, 골반이라고 보는 곳은 腎兪穴보다 아래쪽으로 본다. 小腸부위는 배꼽을 중심으로 위로는 中脘穴, 아래로는 關元穴까지로 나누면 타당할 것으로 본다. 小腸에 이상이 있으면 주로 배꼽 주변이 아프며, 關元穴 이하로는 膀胱이나 大腸에 이상이 주로 관찰되므로 關元穴 이하는 下焦로 보는 것이 나을 것 같다.

下焦는 腎부위는 腎兪穴 이하, 大腸부위는 關元穴 이하로 사료된다. 주로 腎虛腰痛이나 腰薦椎部 통증이 나타나는 부위가 腰椎 4번, 5번 근처이다. 腰脊下라는 것이 굉장히 애매한 표현이기 때문에 위치를 선정하기는 어렵지만 腎兪穴 이하의 골반강 후면부가 타당할 듯싶다. 大腸부위는 關元穴 이하의 골반강 전면으로 보는 것이 타당할 것 같다.

東武가 나눈 四焦라는 부위는 현실적으로 정확히 어느 부위를 의미하는지는 정확히 알 수가 없다. 하지만 身形臟腑圖에 기초하고 임상적으로 상식적으로 생각했을 때 기술한 대로 나눠서 적용하는 것이 上焦, 中上焦, 中下焦, 下焦의 형세를 파악해서 의학적으

로 활용하는 데 유리할 것으로 보인다.[219]

10-2 肺部衰[220] 則皮毛焦
脾部衰[169] 則肉理寒
肝部衰[169] 則筋脉酸
腎部衰[169] 則骨髓枯

肺 부위가 쇠약해지면 피부가 초췌하다.
脾 부위가 쇠약해지면 기육이 차다.
肝 부위가 쇠약해지면 근맥이 시큰거린다.
腎 부위가 쇠약해지면 골수가 마른다.

※인체의 외형을 구성하는 피모, 살, 근육, 뼈를 통해 肺脾肝腎의 기운의 쇠약을 관찰할 수 있다. 즉 肺脾肝腎의 盛衰에 의해 인체의 외형을 구성하는 피근육골도 영향을 받음을 알 수 있다.

※辛 4-11
膩海之濁滓 則頭 以直伸之力 鍛錬之而成皮毛
膜海之濁滓 則手 以能收之力 鍛錬之而成筋
血海之濁滓 則腰 以寬放之力 鍛錬之而成肉
精海之濁滓 則足 以屈強之力 鍛錬之而成骨

기존 한의학에서는 肝은 筋을 주관하고 脾는 肉을 주관한다고 하였는데 草本卷에서는 이러한 배속과 일치하지만 辛丑本에서는 변경되었다. 辛丑本에서 脾에 해당하는 부위를 筋으로 肝에 해당하는 부위를 肉으로 보았다. 해부학적으로는 표피 → 진피 → 피하지방 → 근막 → 근육 → 뼈 순서로 外에서 內를 구성한다. 筋肉은 근육섬유다발과 이것을 싸고 있는 막으로 구성되어 있다. 肉은 피하지방을 의미하기보다는 근육섬유다발을 의미하고, 筋은 근막이나 근막이 뭉쳐진 힘줄(tendon)을 의미하는 것으로 보인다. 肺 → 脾 → 肝 → 腎으로 上에서 下 즉, 陽에서 陰으로 가는 의미를 겉을 싸고 있는 외형에서도 피모 → 근막 → 근육 → 골이라는 外에서 內 즉, 陽에서 陰으로 가는 의미를 담아 辛丑本에서 배속을 바꾼 것으로 보인다. 실제로 팔다리가 찬 경우 근육 양이 부족한 경우가 많다. 이것이 肉理가 寒한 것이다. 근막이 뭉쳐서 근육을 조이거나 힘줄이 당기게 되면 시큰거리는 느낌을 받을 수 있다. 이것이 筋脉이 酸한 것이다.

219) 장현수, 『동의수세보원가이드』, 군자출판사, 2018, p100-101.
220) 朝醫學에는 '衰弱'으로 되어 있다.

10-3 肺意快則能哭泣
脾魄壯則能歌唱
肝魂寧則能話談
腎志裕則能善笑

肺의 意가 쾌활하면 능히 울 수 있다.
脾의 魄이 씩씩하면 능히 노래를 부를 수 있다.
肝의 魂이 평안하면 능히 이야기할 수 있다.
腎의 志가 너그러우면 능히 잘 웃을 수 있다.

*10-2, 10-3에서는 肺脾肝腎의 盛衰에 따라 영향받는 신체적 특성이 제시되었는데, 10-3, 10-4는 肺脾肝腎은 정신적 특성이 있고, 그 양상에 따라 행동으로 나타남을 제시하였다. 5-6[221]에서 肺脾肝腎은 哀怒喜樂할 수 있는 능력이 있고, 의백혼지를 저장하고 있다고 하였다. 폐의 意가 쾌활하면 哀氣가 발동하여 때문에 능히 울 수 있다. 비의 魄이 씩씩하면 怒氣가 발동하여 노래할 수 있다. 간의 魂이 평안하면 喜氣가 발동하여 능히 말할 수 있다. 신의 志가 너그러우면 樂氣가 발동하여 능히 웃을 수 있다. 즉, 肺脾肝腎의 감정 발현 능력이 겉으로 드러나는 양상을 제시한 것으로 보인다. 肺脾肝腎에 저장된 의백혼지가 쾌활하고, 씩씩하고, 평안하고, 너그러우면 능히 슬퍼서 울고, 분노의 노래를 부르고, 기쁨의 대화를 하고, 즐거운 미소를 짓는다. 이러한 정신적 측면이 막혀 있거나 손상되었다면 인간의 가장 기본적인 감정인 喜怒哀樂을 밖으로 펼치지 못하게 된다.

10-4 肺意阻則怔忡作也
脾魄蕩則悗亂[222]作也
肝魂淫則恍惚作也
腎志促則健忘作也

221) 草 5-6
肺旺春 脾旺夏 肝旺秋 腎旺冬
春氣生 夏氣長 秋氣收 冬氣藏
肺象木 脾象火 肝象金 腎象水
木氣發 火氣鬱 金氣溢 水氣泄
肺以呼 脾以束 肝以緩 腎以吸
呼則遠 束則大 緩則廣 吸則深
肺能哀 脾能怒 肝能喜 腎能樂
哀則直 怒則栗 喜則寛 樂則溫
肺充神 脾充氣 肝充血 腎充精
神凝散 氣完聚 血和行 精畜止
肺藏意 脾藏魄 肝藏魂 腎藏志
意妙伸 魄活動 魂安靜 志忽屈

222) 手抄本과 朝醫學에는 '悅亂'로 되어 있으나, 문맥상 '悗亂'이 타당하다.

肺의 意가 막히면 怔忡이 일어난다.
脾의 魄이 방자하면 悗亂이 일어난다.
肝의 魂이 음탕하면 恍惚(어떤 사물에 마음을 빼앗겨 멍한 모양)이 일어난다.
腎의 志가 촉급하면 健忘이 일어나게 된다.

*草 5-6에서 意妙伸 魄活動 魂安靜 志忽屈 한다고 하였다. 肺의 意가 막히면 결국 펼쳐지지 못하고 맺혀 가슴이 답답하고 두근거리게 된다. 脾의 魄이 방자하면 활동이 과해져 문란하게 되어 어찌할 바를 모르게 된다. 肝의 魂이 음탕하면 움직임 없이 가만히 멍하게 된다. 腎의 志가 촉급해지면 갈무리하지 못하고 잊어버리게 된다.

*辛 17-10
太陰人 恒有怯心 怯心寧靜 則居之安 資之深 而造於道也[223)]
怯心益多 則放心桎梏 而物化之也
若怯心 至於怕心 則大病 作而怔忡也 怔忡者 太陰人病之重證也

辛 17-12
少陽人 恒有懼心 懼心寧靜 則居之安 資之深 而造於道也
懼心益多 則放心桎梏 而物化之也
若懼心 至於恐心 則大病 作而健忘也 健忘者 少陽人病之險證也.

辛 17-9
少陰人 有手足悗亂證也

辛丑本에서 太陰人의 怔忡, 少陽人의 健忘, 少陰人의 悗亂에 대해서 제시되었다. 太陽人의 恍惚에 대해서는 제시되지 않았다. 여기서 유추할 수 있는 것은 臟局大小에 따라 정신적, 심리적 질환이 나타난다는 것이다. 肝大肺小한 太陰人은 肺意가 阻하여 정충증이 두드러지게 나타난다. 脾大腎小한 少陽人은 腎志가 促하여 건망증이 두드러지게 나타난다. 腎大脾小한 少陰人은 脾魄이 蕩하여 문란증이 두드러지게 나타난다. 草本卷의 생각이 辛丑本에도 반영되어 있음을 알 수 있다.

223) 離婁章句下 十四章
孟子 曰君子 **深造之以道는 欲其自得之也니 自得之則居之安하고 居之安則資之深**하고 資之深則取之左右에 逢其原이니 故로 君子는 欲其自得之也니라 孟子 曰博學而詳說之는 將以反說約也니

10-5 少陰人 飮食善化則完實而無病
少陽人 大便善通則完實而無病
太陰人 汗液通暢則完實而無病
太陽人 小便旺多則完實而無病

少陰人은 음식이 잘 소화되면 완전히 건실하고 병이 없다.
少陽人은 대변이 잘 통하면 완전히 건실하고 병이 없다.
太陰人은 땀이 잘 나면 완전히 건실하고 병이 없다.
太陽人은 소변이 많이 나오면 완전히 건실하고 병이 없다.

*동무는 太陽人, 太陰人은 기액의 발산과 흡수를 중심으로, 少陽人, 少陰人은 水穀의 소화 및 배출을 중심으로 건강상태를 파악하고자 했다.[224] 腎大脾小한 少陰人이 만약 소화가 잘 되면 水穀의 소화를 주로 담당하는 脾가 가장 약한 장국이지만 버티고 있는 것이기 때문에 건강하다고 볼 수 있다. 脾大腎小한 少陽人이 만약 대변을 잘 본다면 水穀을 대변을 통해 배출을 腎이 가장 약한 장국이지만 버티고 있는 것이기 때문에 건강하다고 볼 수 있다. 肝大肺小한 太陰人이 만약 땀이 잘 통하듯이 나면 피모를 통해 기액의 배출을 담당하는 肺가 가장 약한 장국이지만 버티고 있는 것이기 때문에 건강하다고 볼 수 있다. 肺大肝小한 太陽人이 만약 소변을 시원하게 많이 본다면 기액을 흡수를 담당하는 간이 가장 약한 장국이지만 버티고 있는 것이기 때문에 건강하다고 볼 수 있다.

10-6 少陰人 面色淡紫則無病 濁黃則有病
太陰人 面色潤紫則無病
少陽人 面色潤蒼則無病 白黑則有病
太陽人 面色淡白則無病 黑則有病

少陰人은 안색이 맑은 자주색이면 병이 없고, 탁한 누런 색이면 병이 있다.
太陰人은 안색이 윤기 있는 자주색이면 병이 없다.
少陽人은 안색이 윤기 있는 푸른색이면 병이 없고, 하얗거나 검은색이면 병이 있다.
太陽人은 안색이 맑은 흰색이면 병이 없고, 검은색이면 병이 있다.

*안색을 통해 체질별 건강상태를 살피고자 하였다. 안색은 10-5에서 제시한 完實無病의 조건과 연관 지어 생각해볼 수 있다. 少陰人이 안색이 맑고 붉은 기운이 돌면 병이 없다. 하지만 소화상태가 나빠 안색이 탁하고 누렇게 뜬 느낌이 있으면 병이 있다. 辛丑本에서

224) 草 5-10
脾以納 腎以出 脾腎者 出納水穀道之府庫也
肝以充 肺以散 肝肺者 散充氣道之門戶也

少陰人의 황달에 대한 내용이 있다.[225] 太陰人은 피부가 건조하지 않고 땀이 촉촉하게 나서 윤기가 있고 붉은 기운이 돌면 병이 없다. 辛丑本에 太陰人의 조열병에 대한 내용이 있다.[226] 少陽人은 대변을 평소 시원하게 잘 봐서 안색이 윤기가 있으면서도 약간 퍼런 느낌이 들면 병이 없고, 얼굴이 아예 검거나 창백하면 병이 있다. 辛丑本에 少陽人이 리열병으로 三陽合病으로 대변 불통하고 얼굴에 때가 끼는 증상에 대한 내용이 있다.[227] 太陽人은 평소 소변을 시원하게 잘 보고 안색이 맑고 희면 병이 없지만 소변을 보지 못하고 검은 빛이 돌면 병이 있다. 太陽人은 소변을 못 봐서 발생되는 병태에 대한 뚜렷한 설명은 없다. 하지만 면색 및 다른 건강지표에 대해서는 제시하였다.[228]

10-7 太陽人少陰人 膚肉淸瘦則無病 濁肥則有病
太陰人少陽人 膚肉濁肥則無病 淸瘦則有病

太陽人 少陰人은 피부와 기육이 맑고 마르면 병이 없고, 탁하고 살이 찌면 병이 있다.
太陰人 少陽人은 피부와 기육이 탁하고 살이 찌면 병이 없고, 맑고 마르면 병이 있다.

*피부의 淸濁과 기육의 肥瘦를 통해 체질병 건강상태를 설명하였다.

---

225) 辛 7-67
論曰 **陰黃 卽少陰人病也** 當用朱氏茵蔯橘皮湯 茵蔯四逆湯
女勞之黃 熱家之黃 利小便之黃 想或非少陰人病 而余所經驗 未嘗一遇黃疸 而治之故 未得仔細裏許
然 痞滿 黃疸 浮腫 同出一證 而有輕重
若欲利小便 則乾薑 良薑 陳皮 靑皮 香附子 益智仁 能利少陰人小便
荊芥 防風 羌活 獨活 茯苓 澤瀉 能利少陽人小便.

226) 辛 13-17
內經曰 諸澁 枯涸皺揭 皆屬於燥.

辛 13-18
論曰 太陰人 **面色靑白者 多無燥證**
面色黃赤黑者 多有燥證 蓋肝熱肺燥而然也.

227) 辛 10-5
三陽合病 **頭痛面垢** 譫語遺尿 中外俱熱 自汗煩渴 腹痛身重 白虎湯主之.

辛 10-6
論曰 陽明證者 但熱無寒之謂也 三陽合病者 太陽少陽陽明證 俱有之謂也.
此證 當用猪苓湯 白虎湯
然 古方猪苓湯 不如新方 猪苓車前子湯之俱備
古方白虎湯 不如新方 地黃白虎湯之全美矣
若陽明證 小便不利者 兼大便秘燥 則當用地黃白虎湯.

228) 辛 15-11
太陽人 大便 一則宜滑也 二則宜體大而多也
小便 一則宜多也 二則宜數也
面色 宜白不宜黑
肌肉 宜瘦不宜肥
鳩尾下 不宜有塊 塊小則病輕 而其塊 易消 塊大則病重 而其塊 難消.

*辛 15-8

問 朱震亨論噎膈反胃曰 血液俱耗 胃脘乾枯 食物難入 其說如何.

曰水穀 納於胃 而脾衛之 出於大腸 而腎衛之 脾腎者 出納水穀之府庫 而迭爲補瀉者也
氣液 呼於胃脘 而肺衛之 吸於小腸 而肝衛之 肺肝者 呼吸氣液之門戶 而迭爲進退者也.
是故 少陽人 大腸出水穀陰寒之氣 不足 則胃中納水穀陽熱之氣 必盛也
太陽人 小腸吸氣液陰凉之氣 不足 則胃脘呼氣液陽溫之氣 必盛也
胃脘陽溫之氣 太盛則 胃脘血液 乾枯 其勢固然也. 然 非但乾枯而然也
上呼之氣 太過而 中吸之氣 太不支故 食物不吸入 而還呼出也.

*辛丑本의 내용을 유추하면 少陽人은 대장을 통해 水穀을 出하는 힘이 부족하고, 위를 통해 水穀을 納하는 힘이 과하다. 太陰人은 위완을 통해 기액을 呼하는 힘이 약하고, 소장을 통해 기액을 吸하는 힘이 과하다. 따라서 기액과 水穀을 안으로 흡수하는 능력으로 인해 피부가 탁하고 살이 찌기가 쉽다. 따라서 피부가 탁하고 살이 쪘더라도 병적으로 판단할 수 없다. 하지만 타고난 특성과 다르게 맑고 마른다면 병이 있는 것으로 유추할 수 있다.

少陰人은 위를 통해 水穀을 納하는 힘이 약하고, 대장을 통해 水穀을 出하는 힘이 과하다. 太陽人은 소장을 통해 기액을 吸하는 힘이 부족하고, 위완을 통해 기액을 呼하는 힘은 과하다. 따라서 기액과 水穀을 밖으로 배출하는 능력으로 인해 피부가 맑고 말랐더라도 병적으로 판단할 수 없다. 하지만 타고난 특성과 다르게 탁해지고 살이 찐다면 병이 있는 것으로 유추할 수 있다.

10-8 太陽少陽 寢眠呼吸緩端寬臥靜重則 吉
太陰少陰 寢眠呼吸洪壯轉輾有力則 吉

太陽人 少陽人은 잘 때 호흡이 완만하고 바르고 너그러이 누워 조용하고 무거우면 吉하다.
太陰人 少陰人은 잘 때 호흡이 넓고 건장하고 몸을 돌림에 힘이 있으면 吉하다.

*수면양상에 따른 체질별 건강상태를 설명하였다. 양인들은 수면할 때 양적인 특성에 의해 호흡도 고르지 않고 잠버릇도 거칠 가능성이 높다. 그러한 패턴이 과도해지면 양적인 특성이 너무 두드러지는 것이기 때문에 만약 과도한 양적인 특성이 잘 조절된다면 수면양상 역시 호흡도 완만하고 잠버릇도 고요하다고 볼 수 있다. 음인들은 음적인 특성에 의해 호흡이 완만하고 잠버릇도 고요할 가능성이 높다. 그러한 패턴이 과도해지면 음적인 특성이 너무 두드러지는 것이기 때문에 만약 과도한 음적인 특성이 잘 조절된다면 수면양상 역시 호흡은 크고 잠버릇도 이러 저리 돌아다니게 된다. 여기서는 양인과 음인으로 나눠서 건강상태를 구별하고자 한 것으로 보인다.

10-9 **太陽太陰 身體多汗則無病 乏汗則有病**
少陽少陰 身體乏汗則無病 多汗則有病

太陽人 太陰人은 신체에 땀이 많으면 병이 없고, 땀이 없으면 병이 있다.
少陽人 少陰人은 신체에 땀이 없으면 병이 없고, 땀이 많으면 병이 있다.

*땀을 통해 체질별 건강상태를 설명하였다. 太陰人은 땀이 시원하게 잘 나면 完實無病하다고 하였다. 少陰人은 辛丑本에서 망양병[229]을 통해 과도한 땀은 위중한 병태로 보았다. 少陽人은 소갈병[230]에서 도한을 병적인 상태로 보았다. 太陽人의 경우에는 땀에 대한 내용은 제시되지 않았다. 정확히 동무가 왜 太人과 少人으로 구별하여 땀에 대해서 이렇게 나눠 설명했는지는 모르겠지만, 이러한 草本卷의 생각이 辛丑本에 반영된 것으로 보인다.

10-10 **太陽少陽 大小便滑利則 吉**
太陰少陰 大小便滑利則 不吉

太陽人 少陽人은 대소변이 滑利하면 吉하다.
太陰人 少陰人은 대소변이 滑利하면 不吉하다.

*대변이 무르고 소변을 자주 보는 증상을 통해 陽人과 陰人의 상태를 평가하였다. 동무는 대변이 무르고 소변을 자주 보는 것을 下降之氣[231]가 과다하면 나타나는 증상으로 보았다. 따라서 陽人들은 이러한 증상이 나타나면 부족한 陰氣가 그래도 여유가 있는 것으로 본 것이고, 陰人들이 이러한 증상이 나타나면 陰氣가 과도하여 불길하다고 평가하였다.

---

229) 辛 6-35
太陽病 發熱惡寒 汗自出者 亡陽之初證也
陽明病 不惡寒 反惡熱 汗自出者 亡陽之中證也
<u>陽明病 發熱汗多</u>者 亡陽之末證也

230) 辛 10-24
論曰 <u>少陽人 大腸淸陽 快足於胃 充溢於頭面四肢 則汗必不出也</u>
<u>少陽人 汗者 自是陽弱也</u> 而服凉膈散 病已 則此病 卽上消 而其病 輕也.

231) 辛 2-14
<u>哀怒之氣 上升 喜樂之氣 下降</u>
上升之氣 過多 則下焦傷 下降之氣 過多 則上焦傷.

辛 2-15
哀怒之氣 順動 則發越而上騰
喜樂之氣 順動 則緩安而下墜
<u>哀怒之氣 陽也</u> 順動則順而上升
<u>喜樂之氣 陰也</u> 順動則順而下降.

10-11 少陰人之急病欲占其吉凶則　當觀於人中[232]之汗不汗也
少陽人之急病欲占其吉凶則　當觀於肘外之汗[233]不汗也
太陰人之急病欲占其吉凶則　當觀於顴上[234]之汗不汗也
太陽人之急病欲占其吉凶則　當觀於外腎之汗不汗也

少陰人의 급병에 그 길흉을 점치고자 하면 마땅히 인중에 땀이 나는지 안 나는지를 보아야 한다.
少陽人의 급병에 그 길흉을 점치고자 하면 마땅히 팔꿈치 외측에 땀이 나는지 안 나는지를 보아야 한다.
太陰人의 급병에 그 길흉을 점치고자 하면 마땅히 광대 위에 땀이 나는지 안 나는지를 보아야 한다.
太陽人의 급병에 그 길흉을 점치고자 하면 마땅히 外腎에 땀이 나는지 안 나는지를 보아야 한다.

*땀이 나는 위치를 관찰하여 체질별 병의 길흉을 전망할 수 있다. 이러한 생각은 辛丑本에도 그대로 연결되었다. 우선 땀이 나는 상황은 환자의 컨디션이 개선되면서 나타날 때이다. 감기에 걸려서 땀이 흠뻑 난 뒤 병이 풀리는 것을 많이 경험해봤을 것이다. 동무는 병이 풀릴 때 땀이 주로 나타나는 신체부위가 체질별로 다름을 경험적으로 알게 된 것으로 보인다. 少陰人은 人中에 땀이 송글송글 나면 胃氣가 회복된 것으로 볼 수 있다. 辛丑本 少陰人 병증론 곳곳에 인중에 땀이 나는 것을 관찰하여 병의 예후를 파악했음을 알 수 있다. 少陽人은 辛丑本에서는 팔꿈치 외측이 아닌 손과 발바닥에 땀이 나는지 여부로 表裏病의 예후를 파악하였다. 비국음기와 신국음기의 회복 정도를 파악할 수 있는 지표를 손바닥과 발바닥의 땀으로 파악한 것으로 보인다. 太陰人은 광대뼈 위에 땀이 송글송글 나면 살길이 넓어졌다고 표현하였다. 폐국온기가 회복됨을 파악할 수 있는 지표를 안면부의 땀으로 파악한 것으로 보인다. 太陽人에 대해서는 辛丑本에 제시되지 않는다. 같은 논리로 유추해보면 간국량기가 회복됨을 파악할 수 있는 지표를 음경이나 불알의 땀으로 파악한 것으로 보인다.

232) 辛 7-17
蓋少陰人 霍亂關格病 得人中汗者 始免危也
食滯大下者 次免危也
自然能吐者 快免危也

233) 辛 9-10
論曰 少陽人病 無論表裏病 手足掌心有汗 則病解
手足掌心不汗 則雖全體皆汗 而病不解.

234) 辛 12-7
顴上之汗 生路寬闊也.

10-12 少陰人病中 雄壯叫呼 喜欲冷水則 其病雖重 終當效也
少陽人病中 沈潛安靜 稍稍進食則[235] 其病雖重 終當效也
太陰人病中 身濕有汗則 其病雖重 終當效也
太陽人病中 胸痛利泄則[236] 其病雖重 終當效也

少陰人이 病中에 웅장하게 소리 내어 숨을 내쉬고 찬물 마시기를 좋아하면 그 병이 비록 중하더라도 끝내 좋아질 것이다.
少陽人이 病中에 마음을 가라앉히고 안정되어 점점 음식을 먹으면 그 병이 비록 중하더라도 끝내 좋아질 것이다.
太陰人이 病中에 몸이 축축하고 땀이 있으면 그 병이 비록 중하더라도 끝내 좋아질 것이다.
太陽人이 病中에 가슴이 아프고 설사를 하면 그 병이 비록 중하더라도 끝내 좋아질 것이다.

*질병상태일 때 치료 예후를 판단할 수 있는 지표를 체질별로 제시하였다. 少陰人은 10-3에서 脾魄壯則能歌唱 한다고 하였다. 脾氣가 건장하면 능히 노래를 할 수 있을 정도로 공기를 밖으로 내쉴 수 있다고 볼 수 있다. 雄壯叫呼는 같은 의미로 생각해 볼 수 있다. 少陰人은 完實無病의 조건이 飮食善化이다. 冷水는 소화불량을 유발하는 경우가 많고, 특히 복통, 식체, 장염이 있는 경우에는 체질을 막론하고 찬물보다는 따뜻한 물을 먹는 게 위장에 부담이 덜하다. 喜欲冷水는 脾氣가 버티고 있어 찬물을 먹어도 소화에 이상이 없을 정도로 飮食善化의 조건이 갖춰진 것을 의미한다.

少陽人은 10-3, 10-4에서 腎志裕則 能善笑하고 腎志促則 健忘作也 한다고 하였다. 腎氣가 건장하다면 정신적으로 잘 웃음을 지을 정도로 너그럽고, 건장하지 않으면 촉급해져 자주 까먹는 실수를 하게 된다. 沈潛安靜 稍稍進食은 腎氣가 버티고 있어 촉급되지 않고 음식도 천천히 먹을 수 있는 여유있는 모습을 의미한다.

太陰人은 汗液通暢하면 完實無病하다고 하였다. 身濕有汗은 땀이 겉으로 축축하게 보일 정도 잘 나고 있는 상태를 의미한다.

辛丑本에서 太陽人[237]이 만약 腹痛 腸鳴 泄瀉 痢疾의 증상이 있으면, 小腸의 裏氣가 충실한 것이다. 그 病은 쉽게 치료할 수 있고 그 사람 역시 完健한 것이라고 하였다. 胸痛利泄은 편소한 太陽人의 소장의 기운이 충실할 때 나타나는 증상으로 볼 수 있다.

235) 手抄本과 朝醫學에는 '稍稍進食者則'으로 되어 있으나, 문맥상 '稍稍進食則'으로 보는 것이 타당하다.
236) 手抄本과 朝醫學에는 '者'로 되어 있으나, 문맥상 '則'으로 보는 것이 타당하다.
237) 辛 15-5
太陽人 若有腹痛 腸鳴 泄瀉 痢疾之證 則小腸裏氣 充實也 其病易治 其人 亦完健.

10-13 少陽人重病中 無口味 忽大飽食 有口味者 此壞症也
循衣摸床[238)239)] 諸般凶症 不遠皆偏而必死 但稍稍小食吉兆也

少陽人이 重病 중에 입맛이 없는데 갑자기 크게 포식하고 입맛이 있는 것은 이는 壞症이다. 옷깃을 어루만지고 침상을 더듬는 것과 같은 모든 凶症이 멀지 않으니 모두 치우쳐 반드시 죽게 된다. 단지 점점 소식하는 것은 좋은 증상이다.

*脾氣가 좋은 少陽人이라도 중병에 걸리면 당연히 입맛이 떨어질 수 있다. 그런데 갑자기 식욕이 돌면서 과식하게 되는 것은 괴이한 증상이다. 이때 손을 가만히 두지 못하고 이리저리 움직이는 狂症이 나타날 수 있다. 循衣摸床은 10-12에서 제시된 沈潛安靜 稍稍進食가 반대되는 양태이다. 즉, 少陽人이 열이 나면서 사람도 알아보지 못하고 마치 귀신을 본 것처럼 두려워하고 불안해하는 상태이다. 만약 沈潛安靜되어 稍稍小食하다면 다시 腎氣가 회복되어 안정된 상태로 볼 수 있다.

10-14 太陰人急病 身冷而全體四肢俱大汗者 危證也
但身溫而頂顴項背次第得汗者 吉兆也
太陰之汗 始於頂者 可喜也
中於顴者 免危也
終於背者 病愈也

太陰人 急病에 몸은 냉하고 전신 사지에 모두 크게 땀이 나는 것은 危證이다.
단지 몸은 따뜻한데 정수리와 광대, 뒷목 등에서 차례대로 땀이 나면 吉한 징조이다.
太陰人의 땀은 처음에 정수리에 나면 가히 喜한 것이고, 중간에 광대에서 나면 위험함을 면한 것이고 마지막에 등에서 나면 병이 낫는 것이다.

*太陰人이 급한 병증을 보일 때 예후를 판단할 수 있는 지표를 제시하였다. 몸이 차면서 온몸에 땀이 흠뻑 젖은 듯이 나면 위험한 증상이다. 辛丑本에서 太陰人의 땀의 양상과 부위에 대해 예후를 살피는 것이 제시되었다. 우선 땀의 양상을 보면[240)] 땀이 너무 미미한 크기로 나오거나 혹은 줄줄 흐르듯이 나는 것은 正氣가 약하고 사기가 강한 것이라고 하였다. 그리고 땀이 기장 정도 크기로 나오고 발열이 약간 오랫동안 지속되다가 다시

238) 手抄本과 朝醫學에는 '循衣摸掌'으로 되어 있으나, 문맥상 '循衣摸床'이 타당하다.
239) 辛 6-19
傷寒 若吐 若下後 不解 不大便五六日 至十餘日 日晡所發潮熱不惡寒 **狂言如見鬼狀 若劇者 發則不識人 循衣摸床 惕而不安 微喘直視** 脈弦者生 脈濇者死.
240) 辛 12-6
太陰人汗 無論額上 眉稜上 顴上 汗出如黍粒 發熱稍久 而還入者 正强邪弱 快汗也
汗出如微粒 或淋漓無粒 乍時而還入者 正弱邪强 非快汗也.

들어가면 正氣가 강하고 사기가 약하다고 하였다. 즉, 열이 나면서 몸이 따뜻해진 상태에서 송글송글 흘리는 땀은 상쾌한 땀임을 알 수 있다. 반대로 열이 나지 않고 몸은 냉하면서 땀이 줄줄 새듯이 나면 사기가 강하고 正氣가 약하기 때문에 위험한 증상이다. 辛丑本에서는 땀이 차례로 나는 부위를 제시하고 그에 따른 예후를 평가하였다. 이 부분은 草本卷과 차이가 있다.

※辛 12-7

太陰人 背部後面 自腦以下 有汗 而面部髮際以下 不汗者 匈證也
　　　全面 皆有汗 而耳門左右 不汗者 死證也.
大凡太陰人汗 始自耳後高骨 面部髮際 大通於胸臆間 而病解也
　　髮際之汗 始免死也　　額上之汗 僅免危也
　　眉稜之汗 快免危也　　顴上之汗 生路寬闊也
　　脣頤之汗 病已解也　　胸臆之汗 病大解也.
嘗見此證 額上汗 欲作眉稜汗者 寒厥之勢 不甚猛也
　　顴上汗 欲作脣頤汗者 寒厥之勢 甚猛 至於寒戰叩齒 完若動風 而其汗 直達兩腋
　　張仲景所云 厥深者 熱亦深 厥微者 熱亦微 蓋謂此也.
此證 寒厥之勢 多日者 病重之勢也
　　寒厥之勢 猛峻者 非病重之勢也.

草本卷에서는 정수리 → 광대 → 뒷목 → 등 순으로 병이 풀리는 것으로 제시하였다. 즉 정수리부터 광대를 거쳐 인체 후면으로 나는 땀을 살폈다. 하지만 辛丑本에서는 이마 → 눈썹 → 광대 → 입술 → 턱 → 가슴 순으로 인체 전면으로 나는 땀을 살폈다. 광대 이하로는 전면부로 바뀌었다. 후발제 이하로 등 뒤쪽에서 땀이 있더라도 전발제 이하로 땀이 없으면 흉증으로 보았고, 얼굴 전면에 땀이 있어도 이문혈 양측으로 땀이 없으면 죽는 증상으로 보았다. 이러한 변화는 동무가 임상 경험이 축적되면서 바뀌었거나 장부론이 정리되면서 上焦의 水穀溫氣가 각 신체부위에 순환하고 저장되는 과정에 대한 생각이 반영되어 변경되었다고 볼 수 있다. 이 부분에 대해서는 저자의 저작인 동의수세보원가이드에 상술[241)]하였으니 참고하길 바란다.

10-15 **少陽人病　小便赤黃則　其病進**
太陽人病　小便赤黃則　其病退也
少陰之病　面色膩滓則　其病進也
太陰之病　面色膩滓則　其病退也

241) 장현수,『동의수세보원가이드』, 군자출판사, 2018, p404-405.

少陽人 病에 소변이 붉고 황색이면 그 병이 진행된다.
太陽人 病에 소변이 붉고 황색이면 그 병이 물러나는 것이다.
少陰人 病에 얼굴색이 기름지고 때가 낀 듯하면 그 병이 진행된다.
太陰人 病에 얼굴색이 기름지고 때가 낀 듯하면 그 병이 물러나는 것이다.

*질병상태일 때 체질별로 병의 악화와 호전을 알 수 있는 지표를 제시하였다. 少陽人은 소변이 赤澁하고 누러면 병이 악화된다. 少陽人의 열증이 심해지는 것으로 볼 수 있다. 하지만 太陽人이 소변이 赤澁하고 누러면 병이 호전되는 것은 납득하기가 어렵다. 太陽人은 小便旺多하면 完實無病하다고 하였는데 이와 대비되는 증상을 호전반응으로 본 것은 이유를 뚜렷하게 알 수가 없다. 少陰人은 10-6에서 얼굴이 맑고 자줏빛이 돌면 병이 없다고 하였는데 반대로 기름지고 탁한 느낌이 들면 소화상태가 나빠져 안색이 변한 것으로 볼 수 있다. 따라서 악화되는 것으로 볼 수 있다. 太陰人은 10-6에서 얼굴에 윤기가 있고 자줏빛이 돌면 병이 없다고 하였는데, 기름기가 있고 탁해지면 병이 호전되는 것으로 보는 것은 그 이유를 뚜렷하게 알 수가 없다. 이 부분은 임상을 통한 경험적 관찰이 필요하다.

10-16 太陽少陽之病 唯嘔逆吐食者 其病進也 而少陽人尤甚也
下利後重者 其病退也 而太陽人尤速也[242]
太陰少陰之病 下利後重者 其病進也 而少陰人[243]尤甚也
嘔逆吐食者 其病退也 而太陰人[244]尤速也

太陽人 少陽人의 병에서 오직 구역질하고 음식을 토하면 그 병이 진행되는 것인데 少陽人이 더욱 심하게 악화된다. 설사하면서 뒤가 묵직하면 그 병이 물러나는 것인데 太陽人이 더욱 빠르게 좋아진다.
太陰人, 少陰人의 병에서 설사하면서 뒤가 묵직하면 그 병이 진행되는데, 少陰人은 더욱 심하게 악화된다. 구역질을 하고, 음식물을 토하면 그 병이 좋아지는데, 太陰人이 더욱 빠르게 좋아진다.

*陽人들은 陽氣가 과도해서 나타나는 구역과 구토는 병이 악화되는 지표이다. 만약 少陽人이 太陽人보다 구역, 구토가 나타나면 더 심한 상태로 봐야 한다. 辛丑本[245]에서 少陽

242) 手抄本과 朝醫學에는 '也'가 없으나, 문맥상 있어야 타당하다.
243) 手抄本과 朝醫學에는 '人'이 누락되어 있다.
244) 手抄本에는 '人'이 누락되어 있다.
245) 辛 15-9
曰少陽人 有嘔吐則 必有大熱也
少陰人 有嘔吐則 必有大寒也
太陰人 有嘔吐則 必病愈也
今此噎膈反胃 不寒不熱 非實非虛 則此非太陽人病 而何也.

人의 구토는 속열이 심하기 때문이라고 하였다. 또한 소년이 이러한 증상이 있으면 요절하는 경우가 많고 등한시해서는 안 된다고 하였다. 그리고 반드시 중하고 험한 병으로 보고 예방하여 약을 복용하라고 하였다.[246] 설사하고 뒤가 묵직한 증상은 음기가 과도해서 나타나는 증상으로 보았다. 따라서 草本卷에서는 병이 호전되는 반응으로 보았다. 하지만 辛丑本에서는 少陽人 亡陰證[247]을 새롭게 제시하고 중한 병태로 다르게 평가하였다. 太陽人 설사의 경우에는 소장의 리기가 충실해서 나타나는 병태로 쉽게 치료할 수 있고 그 환자 역시 건강한 상태로 보았다.[248]

陰人들은 陰氣가 과도하기 때문에 설사하고 뒤가 묵직한 경우에는 병이 악화되는 것으로 보았다. 少陰人은 辛丑本에서 태음병과 소음병을 통해 설사가 심해질수록 병이 악화되는 것으로 서술하였다.[249]

太陰人의 경우에서 설사병의 경우 병으로 보고 치료하였다.[250] 양기의 회복증상으로 볼 수 있는 구역 구토는 草本卷에서는 호전되는 증상으로 보았지만 辛丑本에서는 생각이 바뀌었다. 少陰人 有嘔吐則 必有大寒也 太陰人 有嘔吐則 必病愈也라고 하였는데, 少陰人은 寒氣가 강해져서 생기는 구토로 보았다. 少陰人의 구토는 실제 한기로 인해 소화상태가 나빠져서 생기는 구토도 있지만 병이 나아가며 스스로 토할 수 있는 것을 호

解㑊者 上體完健而下體解㑊然 脺痠 不能行去之謂也
少陰少陽太陰人 有此證則他證疊出 而亦必無 寒不寒 熱不熱 弱不弱 壯不壯之理矣.

246) 辛 11-4
凡少陽人 間有鼻血少許 或口鼻間痰涎中 有血 雖細微 皆吐血之屬也
又 口中 暗有冷涎 逆上者 雖不嘔吐 亦嘔吐之屬也.
少年 有此證者 **多致夭折 以其等閒任置**故也.
此二證 **必在重病險病之列 不可不預防服藥** 永除病根然後 可保無虞.

247) 辛 9-37
盤龍山 老人者 李翁所居地 有盤龍山故 李翁 自謂盤龍山老人也.
此書中 論曰二者 無非盤龍山老人之論 而此章 特擧盤龍山老人者
蓋亡陽亡陰 最是險病 而人必尋常視之 易於例治故 別以盤龍山老人 提擧驚呼 而警覺之也.

辛 9-38
亡陰證 古醫別無經驗用藥頭話 而李子建 朱震亨 書中 若干論及之
然 自無明的快驗 蓋**此病 從古以來 殺人孟浪甚速 未暇經驗獵得裡**許故也.

248) 辛 15-5
太陽人 若有腹痛 腸鳴 泄瀉 痢疾之證 則小腸裏氣 充實也 其病易治 其人 亦完健.

249) 辛 7-46
凡少陰人泄瀉 日三度 重於一二度也 四五度 重於二三度也 而日四度泄瀉 則太重也
泄瀉一日 輕於二日也 二日 輕於三四日也 而連三日泄瀉 則太重也.
少陰人 平人 一月間 或泄瀉二三次 則不可謂輕病人也
一日間 乾便三四度 則不可謂輕病人也
下利淸穀者 雖日數十行 口中必不燥乾 而冷氣外解也
下利淸水者 腹中 必有靑水也
若下利黃水 則非淸水 而又必雜穢物也.

250) 辛 13-30
太陰人證 有泄瀉病 表寒證泄瀉 當用太陰調胃湯
表熱證泄瀉 當用葛根蘿葍子湯.

전 반응으로 보기도 하였다.[251] 따라서 少陰人의 구역, 구토의 경우에는 다른 지표들도 같이 고려해서 판단해야 한다. 太陰人의 경우 구토를 하면 병이 낫는다라고 하였다.

10-17 **太陽少陰 天行時氣 十日內 病症有進無退則 其病必死**
太陰少陽 天行時氣 二十日內 病症有進無退則 其病必死

太陽人 少陰人은 유행병이 돌 때 10일 이내에 병증이 진행되고 물러나지 않으면 반드시 죽는다.
太陰人 少陽人은 유행병이 돌 때 20일 이내에 병증이 진행되고 물러나지 않으면 반드시 죽는다.

*조선시대에는 疫疾이라고 불리는 독감으로 인해 많은 사람이 죽었다. 동무 생존 시기쯤에는 怪疾이라는 콜레라가 유행하였다. 이러한 전염성질환의 경우에는 체질을 불문하고 모두 걸릴 수 있다. 하지만 같은 유행병에 걸리더라도 체질별로 버틸 수 있는 차이가 있음을 동무는 제시하였다. 太陽人과 少陰人은 유행병에 걸리는 경우 10일 이내에 회복되는 기미가 없으면 죽게 되고, 太陰人과 少陽人은 20일 이내에 회복되는 기미가 없으면 죽게 된다. 이렇게 분류한 이유는 동무의 관찰 경험에 의한 결론인지 아니면 확실한 연역적 추론인지는 모르겠다. 코로나 환자를 보더라도 나이가 젊고 체격이 건장하고 식사를 잘하는 사람일수록 증상도 가볍고 생존율도 높음을 알 수 있다. 노인의 경우 기저질환도 있지만 식사량이 적고 체격이 왜소한 경우가 더 많다. 太陰人과 少陽人은 太陽人, 少陰人에 비해 체격도 크고, 소화 상태나 식사량이 많은 경우가 더 많기 때문에 같은 병에 걸리더라도 좀 더 오랜 기간 버틸 수 있는 가능성이 높을 것으로 보인다.

10-18 **少陰人 平時屢噫者病也 霍亂時屢噫者 病解[252]也**
太陰人 平時屢咳者病也 重病時屢咳者 病解也
少陽人 大便澁滑者病也 一日間屢次則 非惡症也
太陽人 小便澁短者病也 二時間屢次則 非惡症也

少陰人은 평소 자주 트림하는 것은 병이다. 곽란에 걸렸을 때 자주 트림하는 것은 병이 풀리는 것이다.
太陰人은 평소 자주 기침을 하는 것은 병이다. 중병에 걸렸을 때 자주 기침하는 것은 병이 풀리

---

251) 辛 7-17
蓋少陰人 霍亂關格病 得人中汗者 始免危也
食滯大下者 次免危也
<u>自然能吐者 快免危也</u>
禁進粥食 但進好熟冷 或米飮者 扶正抑邪之良方也
宿滯之彌留者 得好熟冷 乘熱溫進 則消化 無異於飮食 雖絶食 二三四日 不必爲慮.
252) 朝醫學에는 '鮮'으로 되어 있다.

는 것이다.
少陽人은 대변이 시원하지 않고 무르면 병이다. 하루 동안 자주 대변을 보는 것은 나쁜 증상이 아니다.
太陽人은 소변이 시원하지 않고 양이 적은 것은 병이다. 2시간 동안 자주 보는 것은 나쁜 증상이 아니다.

※素病에 대한 내용이 제시되었다. 少陰人은 소화 상태가 약한 경우가 많이 때문에 소화불량으로 인해 트림을 자주 할 수 있다. 이것은 飮食善化라는 完實無病의 조건에 반하는 증상이기 때문에 병으로 볼 수 있다. 하지만 곽란으로 복통, 구토, 설사 등의 증상이 나타날 때 트림을 하는 것은 음식물을 소화시키려는 胃氣가 회복되는 과정으로 볼 수 있다. 음식을 먹기만 해도 배 아프고 토하고 설사하다가 그러한 증상들이 그치고 트림을 여러 번 하는 것은 그래도 소화시키는 상태로 볼 수 있다.

太陰人은 呼散之氣가 약해지면 기운이 안으로 몰리게 되고 그 결과 기침을 통해서 기계적으로 배출하려는 증상이 생길 수 있다. 기침도 그러한 증상 중 하나이기 때문에 평소에 자주 기침하는 증상이 나타날 수 있다. 하지면 중병에 걸려서 병이 심할 때는 숨을 헐떡거리는 증상과 동반되어 호흡곤란이 나타날 수 있다. 이러한 증상이 완화되고 기침을 하는 것은 呼散之氣가 회복되면서 밖으로 배출시키는 수 있는 힘이 회복되었다고 볼 수 있다. 병이 풀리는 것이다.

少陽人은 대변이 항상 잘 통해야 完實無病하다. 시원하지 않고 무르면 병으로 볼 수 있다. 그래도 하루에 시원하지도 않고 묽게 보더라도 자주 본다면 나쁜 증상은 아니다. 즉 볼 때마다 대변이 시원하지 않고 양상이 좋지 않더라도 그래도 자주 보면 대변을 통해 裏熱이 조절되기 때문에 나쁜 증상은 아니다.

太陽人은 소변을 시원하게 많이 보면 完實無病하다. 만약 시원하지도 않고 소량으로 본다면 병으로 볼 수 있다. 하지만 시원하지도 않고 소변 양도 적지만 수시로 자주 본다면 나쁜 증상은 아니다. 즉, 볼 때마다 소변이 시원하지도 않고 양이 적어도 자주 본다는 것은 吸聚之氣가 그래도 버티고 있어 소변을 생성할 수 있다는 것이다.

※10-19는 完實無病의 조건을 통해 나타날 수 있는 素病과 保命之主를 통해 시기에 따라 다르게 판단할 수 있는 지표를 제시한 것으로 보인다.

甲 11-3
少陰人 以陽煖之氣 爲保命之主故 膂胃爲本而 膀胱大腸爲標也.
少陽人 以陰淸之氣 爲保命之主故 膀胱大腸爲本而 膂胃之爲標也.

甲 13-8
太陰人 以呼散之氣 爲保命之主故 腦顀胃脘爲本而 腰脊小腸爲標.
太陽人 以吸聚之氣 爲保命之主故 腰脊小腸爲本而 腦顀胃脘爲標.

保命之主는 甲午本에 수록된 내용이다. 각 체질별로 생명을 보존할 수 있는 주인과도 같은 기운으로 제시되었다. 이러한 기운을 보존하는 것이 수세보원하는 데 있어서 가장 중요하다. 少陰人은 陽煖之氣를 약해져서 트림을 할 수 있지만, 陽煖之氣가 있어야 트림이라도 할 수 있는 힘이 있다. 少陽人은 陰淸之氣가 약해서 대변이 시원치 않고 묽을 수 있지만, 자주만 본다면 陰淸之氣를 통해 대변이 나가는 것이다. 太陰人은 呼散之氣가 약해져서 기침을 할 수도 있지만, 회복기에는 呼散之氣가 있어야 기침이라도 할 수 있는 힘이 있다. 太陽人은 吸聚之氣가 약해져서 소변도 시원치 않고 양도 적을 수 있지만, 吸聚之氣가 있어야 소량이라도 자주 볼 수 있는 소변을 만들 수가 있다.

10-19 少陰人病中 咳靜時快則 脾氣旺也
太陽人病中 嚏響累發則 肝氣立也
太陰人病中 噫氣出張則 肺氣不抑也
少陽人病中 放氣出緩則 腎氣不促也

少陰人이 病中에 기침이 안정되고 때로 시원하면 脾氣가 왕성한 것이다.
太陽人이 病中에 재채기의 울림이 누차 발생하면 肝氣가 선 것이다.
太陰人이 病中에 트림이 크게 나오면 肺氣가 억눌리지 않은 것이다.
少陽人이 病中에 방귀가 완만히 나오면 腎氣가 촉급하지 않은 것이다.

*소리를 통한 병세를 파악하는 방법을 제시하였다. 少陰人이 만약 기침이 안정되면서 때로는 시원하게 한다면 이것은 脾氣가 왕성해진 것으로 볼 수 있다. 명치가 답답하면 기침을 시원하게 할 수가 없다. 少陰人은 心下痞가 잘 생길 수 있는데 이러한 증상이 해소되었다는 것은 脾氣가 왕성해진 것으로 볼 수 있다. 재채기는 코를 통해서 하는 것이다. 이목구비 중 코는 肝黨[253]에 속한다. 간의 기운이 서게 되면 재채기를 할 수 있는 여력도 생긴다. 트림은 위장에 있던 가스가 입을 통해 나오는 것이다. 이때 식도의 분문이 열려야만 배출될 수 있다. 식도 즉, 胃脘은 肺黨에 속한다.[254] 트림을 크게 하기 위해서는 식

253) 辛 4-6
水穀凉氣 自小腸而化油 入于臍 爲油海 油海者 油之所舍也
油海之淸氣 出于鼻而爲血 入于腰脊 而爲血海 血海者 血之所舍也
血海之血汁淸者 內歸于肝 濁滓 外歸于肉故
小腸與臍鼻腰脊肉 皆肝之黨也.

254) 辛 4-4
水穀溫氣 自胃脘而化津 入于舌下 爲津海 津海者 津之所舍也
津海之淸氣 出于耳而爲神 入于頭腦 而爲膩海 膩海者 神之所舍也

도를 조절해야 하는데 폐 기운의 정도를 이러한 트림 소리의 크기를 통해 파악할 수 있다. 방귀는 대장 속의 공기가 항문을 통해 빠져나가는 것이다. 방귀 냄새가 지독하다면 장내 환경이 좋지 않다고 볼 수 있다. 방귀가 지독하지 않고 완만하면서 나온 뒤 속이 편안한 느낌을 받는다면 少陽人의 대장의 상태는 좋다고 볼 수 있다. 대장은 腎黨에 속한다.[255] 방귀의 냄새나 방출의 편안함 등을 통해 腎氣의 상태를 살필 수 있다.

10-20 少陽人重病中 膚肉肥而形氣萎憊者 非危證也 卽安症也 膚肉瘦而精神醒爽者 非差症也 卽燥症也

少陽人이 重病 中에 피부와 기육에 살이 찌고 形氣가 나른하고 피곤한 것은 위험한 증상은 아니고 안정된 증상이다.
피부와 기육이 마르고 정신이 맑고 예민한 사람은 차도가 있는 증상이 아니라 燥症이다.

*10-7에서 少陽人은 피부와 기육이 탁하고 살이 찌면 병이 없고, 맑고 마르면 병이 있다고 하였는데 구절과 통한다. 즉, 少陽人이 중병에 걸렸는데 살이 찌고 나른하고 피곤하면서 움직임이 줄어들면 이것은 병세가 안정되어 가고 있는 것으로 볼 수 있다. 반대로 살이 빠지고 정신이 예민해진다면 이것은 초조한 증상이다. 燥症은 安症에 대비되는 점점 마음이 焦燥해지는 증상이라는 것을 표현한 것으로 보인다.

10-21 少陰人重病中 面色紫而形氣煩懣者 非凶證也 卽吉證[256]也

少陰人이 重病 中에 얼굴색이 자주 빛에 形氣가 번거롭고 갑갑해하는 것은 凶證은 아니고 吉證이다.

*10-6에서 少陰人이 얼굴이 맑고 자주색이면 병이 없다고 하였다. 이 구절과 통한다. 少陰人이 관찰할 때 무언가 번거롭고 답답해 보이면서 계속 움직이려 한다면 이것은 길증이다. 少陰人의 陽氣가 회복되는 과정에서 나타나는 증상으로 볼 수 있다.

膩海之膩汁淸者 內歸于肺 濁滓 外歸于皮毛故
胃脘與舌耳頭腦皮毛 皆肺之黨也.

255) 辛 4-7
水穀寒氣 自大腸而化液 入于前陰毛際之內 爲液海 液海者 液之所舍也
液海之淸氣 出于口而爲精 入于膀胱 而爲精海 精海者 精之所舍也
精海之精汁淸者 內歸于腎 濁滓 外歸于骨故
大腸與前陰口膀胱骨 皆腎之黨也.

256) 手抄本에는 '證', 朝醫學에는 '症'으로 되어 있다.

10-22 **少陽人 面色靑而精神昏沈者 非歇症也 卽陷證[178]也**

少陽人은 얼굴색이 푸르고 정신이 혼미하고 가라앉은 것은 여유가 있는 증상이 아니고 함몰되는 증상이다.

*10-6에서 少陽人은 얼굴색이 윤기 있는 푸른색(潤蒼)이면 병이 없다고 하였다. 靑과 蒼 모두 푸르다라는 뜻인데, 여기서는 靑으로 쓴 이유는 푸른색이지만 윤기가 없다는 의미로 썼다고 보인다. 즉, 얼굴에 생기나 윤기가 없고 푸르기만 하면서 정신을 차리지 못하고 흐릿한 것은 급격히 병세가 나빠지는 것이다.

10-23 **少陰人 頭痛發熱病 病則病也 比之冷泄則輕症也**
少陽人 腹痛滯病 病則病也 比之汗咳則輕症也

少陰人이 頭痛發熱하는 병은, 병은 병이지만 냉하면서 설사하는 것과 비교하면 가벼운 증상이다.
少陽人이 腹痛滯하는 병은, 병은 병이지만 땀나고 기침하는 것과 비교하면 가벼운 증상이다.

*頭痛發熱은 少陰人 腎受熱表熱病에서 나타나는 병태이다. 속이 냉하면서 설사하는 것은 少陰人 胃受寒裏寒病에서 나타나는 병태이다.[257] 草本卷에서는 표열증을 리한증보다는 가벼운 병태로 보았다.

腹痛滯病은 少陽人 脾受寒表寒病의 망음병에서 주로 나타나는 병태이다.[258] 辛丑本에서는 표병 중 역증에 속하는 위중한 병태로 보았다. 땀이 나고 기침하는 것은 少陽人 胃受熱裏熱病 소갈병에서 나타날 수 있는 증상이다.[259] 草本卷에서는 少陽人의 망음병에 대한 이해 및 경험 부족으로 이렇게 판단한 것으로 보인다. 이러한 생각의 변화는 辛 9-44에 치험례와 함께 제시되었다.

257) 辛 6-36
陰證 口中和　而有腹痛泄瀉者 太陰病也
　　口中不和 而有腹痛泄瀉者 少陰病也
陽證 自汗不出 而有頭痛身熱者 太陽陽明病 鬱狂證也
　　自汗出　而頭痛身熱者　太陽陽明病 亡陽證也.
陰證之太陰病 陽證之鬱狂病 有輕證重證也.
陰證之少陰病 陽證之亡陽病 有險證危證也. 亡陽少陰病 自初痛 已爲險證 繼而爲危證也.

258) 辛 11-1
少陽人病 中風 吐血 嘔吐 **腹痛 食滯痞滿** 五證 同出一屬 而自有輕重
　　浮腫 喘促 結胸 痢疾 寒熱往來胸脇滿 五證 同出一屬 而自有輕重.

259) 辛 10-24
論曰 少陽人 大腸淸陽 快足於胃 充溢於頭面四肢 則汗必不出也
　　少陽人 汗者 自是陽弱也 而服凉膈散 病已 則此病 卽上消 而其病 輕也.

辛 9-44
其後 又有一 少陽人 十七歲 女兒 素證 間有悖氣 食滯腹痛矣
忽一日 頭痛寒熱食滯 有醫 用蘇合元三箇 薑湯調下 仍爲泄瀉 日數十行 十餘日不止
引飮不眠 間有譫語證 時則己亥年 冬十一月 二十三日也.
卽夜 用生地黃 石膏 各六兩 知母三兩 其夜 泄瀉度數 減半
其翌日 用荊防地黃湯 加石膏四錢 二貼連服 安睡而能通小便
荊防地黃湯 二貼藥力 十倍於知母白虎湯 可知矣.

이전에는 少陽人에게 복통, 설사, 소화불량이 나타나는 경우에는 가볍게 보았다. 少陽人은 리열에 의해 발생하는 증상이니 석고 생지황을 통해 열만 치료하면 좋아지는 병으로 보았다. 하지만 상기 치험례에서 숙지황을 통해 고갈된 陰淸之氣를 보충하는 것이 열만 잡는 것보다 더 중요함을 깨달았다. 즉, 망음병은 단순히 少陽人의 完實無病의 조건인 대변선통이 깨지지 않았기 때문에 가볍게 볼 수 있는 것이 아니라 保命之主인 陰淸之氣 자체가 흔들리는 병태임을 깨달은 것이다. 草本卷과 달라진 동무의 생각을 엿볼 수 있다.

10-24 **少陰人病 間間泄瀉而咳靜雄壯則 其病非重症也 七分輕也**
少陽人病 間間咳嗽而善食身冷則 其病非重症[260]也 七分輕也

少陰人 병에서 간간히 설사하더라도 기침이 안정되고 웅장하면 그 병은 重症이 아니고, 70프로는 가볍다.
少陽人 병에서 간간히 기침을 하더라도 음식을 잘 먹고 몸이 냉하면 그 병은 重症이 아니고, 70프로는 가볍다.

*10-19에서 少陰人이 병중에 기침이 안정되고 때로는 시원하면 비기가 왕성하다고 하였다. 비록 설사를 하더라도 명치가 답답하지 않고 기침을 편안하게 할 수 있다면 병이 가볍다고 볼 수 있다. 10-12에서 少陽人이 病中에 마음을 가라앉히고 안정되어 점점 음식을 먹으면 그 병이 비록 중하더라도 끝내 좋아질 것이라고 하였다. 즉, 기침을 하더라도 열이 나지 않고 마음이 편안하면서 조용히 음식을 먹을 정도로 안정이 된다면 가벼운 상태이다. 만약 열도 나고 안절부절 못하고 음식을 먹지 않고 돌아다닐 정도면 중증이다.

10-25 **少陰人 頭痛病 氣色屢變則 其病非輕症也 十分重症也**
少陽人 滯痢病 浮腫有漸則 其病非輕症也 十分重症也

260) 手抄本과 朝醫學에는 '症'이 없으나, 문맥상 있는 것이 좋다.

少陰人 頭痛病으로 기색이 자주 변하면 그 병은 輕症이 아니고 완전히 重症이다.
少陽人 체하고 痢疾病에 부종의 징조가 있으면 그 병은 輕症이 아니고 완전히 중증이다.

*少陰人의 頭痛病은 가볍게 볼 수도 있지만 만약 감정상태나 기분이 얼굴이나 태도를 통해 계속 변동이 관찰되면 가볍지 않다. 즉, 性情이 흔들리는 상태이다. 手足紊亂證도 氣色屢變의 지표로 볼 수 있다.

辛 11-1
少陽人病 中風 吐血 嘔吐 腹痛 食滯痞滿 五證 同出一屬 而自有輕重
浮腫 喘促 結胸 痢疾 寒熱往來胸脇滿 五證 同出一屬 而自有輕重.

辛 11-11
痢疾之比結胸 則痢疾爲順證也 而痢疾之謂重證者 以其與浮腫相近也
嘔吐之比腹痛 則嘔吐爲逆證也 而嘔吐之謂惡證者 以其距中風不遠也.

滯痢病은 10-23의 少陽人 腹痛滯病는 다르다. 10-23 腹痛滯病은 망음병의 범주로 볼 수 있고, 10-25의 滯痢病은 결흉병의 범주로 볼 수 있다. 결흉병은 망음병에 비해 가벼운 병태이지만 만약 이질이 낫지 않고 부종까지 나타나면 중증이다.

10-26 **太陰人有夢泄 其證自尋常**
太陽人有夢泄 其證[261] 不尋常

太陰人이 夢泄이 있는 것은 예사로운 증상이다.
太陽人이 夢泄이 있는 것은 예사로운 증상이 아니다.

*몽설은 수면 중에 성적 욕망 또는 흥분을 통해 꿈을 꾸고 사정하는 것을 의미한다. 정신적인 측면과 관련이 많은 증상이다. 草本卷에서 太陰人 몽설병을 가볍게 보았지만 辛丑本[262]에서는 虛勞의 重證으로 보았다. 도모하는 것이 많고 생각하는 것이 무궁하여 발생하는 정신적인 질환으로 보았다. 동무의 임상경험이 쌓이면서 생각이 바뀐 것으로 보인다. 太陽人 열격병에 대한 참고내용으로 辛丑本에서 "辛 15-2 張鷄峯曰 噎當是神思間病 惟內觀自養 可以治之."을 제시하였다. "噎은 마땅히 精神과 思考 間의 病으로 오직

261) 朝醫學에는 '症'으로 되어 있다.
262) 辛 13-37
太陰人證 有夢泄病 一月內 三四發者 虛勞 重證也
大便秘一日 則宜用熱多寒少湯 加大黃一錢
大便每日不秘 則加龍骨 減大黃 或用拱辰黑元丹 鹿茸大補湯.
此病 出於謀慮太多 思想無窮.

안을 살펴 스스로를 길러야 가히 치료할 수 있다."라고 하였다. 즉, 정신적인 수양을 강조하였다. 태양인의 몽설병은 열격병에 준하는 병으로 볼 수 있다.

10-27 太陽人 有腹痛病限必神速
太陰人 有腹痛病限必遲滯

太陽人의 복통은 병의 기한이 반드시 빠르다.
太陰人의 복통은 병의 기한이 반드시 지체된다.

*辛丑本에서 太陽人의 복통은 소장리기가 충실하여 쉽게 치료할 수 있다고 하였다.[263] 동무는 이러한 이유을 통해 병기가 짧다고 본 것 같다. 辛丑本에서 太陰人은 胸腹痛이 있으면 위험한 증상이라고 하였다.[264] 이때 麻黃定痛湯[265]을 사용하는데, 이 처방은 太陰調胃湯에 杏仁, 龍眼肉, 四君子가 추가된 처방이다. 呼吸이 곤란하면서 가슴이 답답하고, 食後痞滿을 넘어 腹滿, 腹痛까지 진행된 상태로 볼 수 있다.

10-28 少陰人 有暴泄泄瀉過三日則 其病必重
少陽人 有久泄泄瀉雖月餘 其病輕也

少陰人이 갑자기 설사하는데 설사가 3일을 넘기면 그 병은 반드시 重하다.
少陽人이 오랜 기간 설사하는데 설사가 비록 한 달이 지나도 그 병은 가볍다.

*辛 7-46
凡少陰人泄瀉 日三度 重於一二度也 四五度 重於二三度也 而日四度泄瀉 則太重也
泄瀉一日 輕於二日也 二日 輕於三四日也 而連三日泄瀉 則太重也.
少陰人 平人 一月間 或泄瀉二三次 則不可謂輕病人也
一日間 乾便三四度 則不可謂輕病人也
下利清穀者 雖日數十行 口中必不燥乾 而冷氣外解也
下利清水者 腹中 必有青水也
若下利黃水 則非清水 而又必雜穢物也.

263) 辛 15-5
太陽人 若有**腹痛** 腸鳴 泄瀉 痢疾之證 則小腸裏氣 充實也 **其病易治** 其人 亦完健.

264) 辛 13-33
太陰人證 有胸腹痛病 危險證也 當用麻黃定痛湯.

265) 麻黃定痛湯
薏苡仁 三錢 麻黃 蘿菖子 各二錢 杏仁 石菖蒲 桔梗 麥門冬 五味子 使君子 龍眼肉 柏子仁 各一錢 乾栗 七箇

辛丑本에서 少陰人 설사의 횟수, 기간, 양상에 대해 상세히 논하였다. 草本卷과 같은 관점으로 3일 이상 연속으로 설사하면 매우 중한 병태로 보았다.

辛 9-33
少陰人病 一日發汗 陽氣上升 人中穴 先汗 則病必愈也
　而二日三日 汗不止 病不愈 則陽不上升 而亡陽無疑也
少陽人病 一日滑利 陰氣下降 手足掌心 先汗 則病必愈也
　而二日三日 泄不止 病不愈 則陰不下降 而亡陰無疑也.
凡亡陽亡陰證 明知醫理者 得病前 可以預執證也
　得病一二日 明白易見也 至于三日 則雖愚者 執證 亦明若觀火矣
　用藥 必無過二三日矣 四日 則晩矣 五日 則臨危也.

辛 9-34
少陰人 平居 裡煩汗多者 得病 則必成亡陽也
少陽人 平居 表寒下多者 得病 則必成亡陰也
亡陽亡陰人 平居 預治補陰補陽 可也
　不可至於亡陽亡陰得病 臨危然後 救病也.

辛丑本에서는 草本卷과 생각이 달라졌음을 알 수 있다. 亡陰病에 대한 개념이 명확해지면서 少陽人도 장기간 설사하는 경우에 위급한 증상으로 보았다.

辛 9-38
亡陰證 古醫別無經驗用藥頭話 而李子建 朱震亨 書中 若干論及之
　　然 自無明的快驗 蓋此病 從古以來 殺人孟浪甚速 未暇經驗獵得裡許故也.

亡陰病에 대한 기존 의사들이 약을 쓴 경험에 대한 기록이 거의 없고, 걸린 사람이 갑자기 죽는 경우가 많아 경험하기가 힘든 병태라고 하였다. 草本卷에서는 설사병에 대해 연역적인 추론을 통해 少陽人 대변선통이라는 完實無病의 조건에 어긋나지 않기 때문에 위중하지 않고 여유롭게 보는 시각이 있었다. 하지만 실제 임상 경험을 통해 연역적인 추론 이외에도 다른 원인을 생각해보게 되어 새롭게 辛丑本에서는 망음병이라는 병태를 제시한 것이다.

10-29 如[266]太陰人 瘧疾惡寒時飮冷水 發熱時不飮冷水
少陰人[267] 瘧疾發熱時飮冷水 惡寒時不飮冷水

太陰人이 학질에 걸려 오한이 날 때 냉수를 마시지만 열이 날 때는 냉수를 마시지 못한다.
少陰人이 학질에 걸려 열이 날 때는 냉수를 마시지만 오한이 날 때는 냉수를 마시지 못한다.

*학질은 말라리아 원충에 감염되어 나타나는 병이다. 瘧疾의 경우 惡寒과 發熱이 나타나다가 땀이 나면서 熱이 내리면서 증상이 완화되고, 嘔逆이나 泄瀉와 같은 소화관 증상도 동반한다. 병의 원인은 같지만 나타나는 증상은 체질별로 다름을 동무가 관찰한 것으로 보인다.

*辛 17-9
太陰人 瘧疾惡寒中 能飮冷水 少陰人 瘧疾惡寒中 不飮冷水

辛丑本에서 發熱時에 냉수에 대한 반응은 삭제되고, 惡寒中에 냉수에 대한 반응은 기술되었다. 보통 오한이 있으면 찬물보다는 따뜻한 물을 주로 마신다. 太陰人은 少陰人보다 소화력이 좋은 편이기 때문에 냉수도 먹을 수 있지만 소화력이 약한 少陰人은 냉수 자체를 먹기 힘들어 한다.

10-30 少陰之外感 鼻涕太多
太陽之外感 鼻涕太少
少陽之外感 肢節重痛
太陰之外感 肢節微痛

少陰人 외감은 콧물이 매우 많다.
太陽人 외감은 콧물이 매우 적다.
少陽人 외감은 사지관절이 무겁고 아프다.
太陰人 외감은 사지관절이 약간 아프다.

*감기 걸렸을 때 체질별로 나타나는 증상을 서술하였다. 같은 감기 바이러스에 걸렸더라도 체질별로 증상이 다름을 관찰하였다. 少陰人과 太陽人은 주로 코감기 양상으로 나타나는데 少陰人은 콧물감기 양상으로 太陽人은 코막힘 감기 양상으로 나타난다. 少陽人과 太陰人은 몸살감기 양상으로 나타나는데 少陽人은 신체통이 뚜렷하지만, 太陰人은

266) 手抄本과 朝醫學에는 '如'가 있지만, 없어도 상관없는 글자이다.
267) 手抄本에는 少陽人으로 하고 있으나, '陽'자 옆에 '陰'을 작게 쓴 것이 있으며, 朝醫學에는 少陰人으로 되어 있다. 少陰人으로 보는 것이 타당하다.

약간 아픈 정도로 나타난다. 단순 감기가 아닌 독감과 같은 傷寒의 경우에는 太陰人도 신체통이 심하다.[268] 傷寒과 傷風은 구별해야 한다.

10-31 **太陽之人形證 平居鼻涕絶少而大便罕泄**
少陽之人形證 運氣頭頂必强 鼻梁必淵

太陽人의 形證은 평소에 콧물은 아주 적고 대변은 드물게 설사한다.
少陽人의 形證은 運氣病에 걸리면 정수리가 반드시 뻣뻣하고 콧마루에 반드시 농이 찬다.

*形證이라는 표현을 사용하였다. 10-31에 나타나는 증상들은 체질에 따라 나타나는 양상이 뚜렷하기 때문에 形證이라는 표현을 쓴 것으로 보인다. 즉, 太陽人의 체형기상과 性情을 가졌다면 대부분 평소에 콧물도 적고 설사도 드물고, 少陽人의 체형기상과 性情을 가졌다면 유행성 전염병에 걸렸을 때 다른 체질과 달리 정수리가 뻣뻣하면서 코에 농이 차는 증상이 뚜렷하게 나타난다. 동무의 체질병 병증 관찰에 대한 확신이 드러난 것으로 보인다.

10-32 **太陽太陰少陰人 喜飮冷水者 臟氣生發之徵也**
少陽人 喜飮冷水者 病氣橫侵之兆也

太陽人 太陰人 少陰人은 냉수 마시기를 좋아하면 臟氣가 생기고 발하는 징조이다.
少陽人은 냉수 마시기를 좋아하면 病氣가 횡행하고 침범하는 징조이다.

*太陽人, 太陰人, 少陰人은 평소에 찬물을 즐겨 마실 수 있으면 장의 기운이 살아나고 발하는 지표로 보았다. 이와 반대로 少陽人은 오히려 병의 기운이 멋대로 침범하는 지표로 보았다. 少陰人의 경우 소화력이 약하기 때문에 찬물을 평소 자주 먹을 수 있는 것은 긍정적인 지표로 볼 수 있다. 하지만 다른 체질들의 찬물에 대한 기호로 병세를 판단하는 것은 뚜렷한 이유를 찾을 수 없다. 이러한 내용은 辛丑本에서는 제시되지 않았는데 동무가 임상 경험이 축적되면서 파기한 것으로 보인다.

---

268) 辛 12-1
張仲景曰 太陽傷寒 頭痛發熱 身疼腰痛 骨節皆痛 惡寒無汗而喘 麻黃湯主之.
○ 註曰 傷寒 **頭痛身疼腰痛 以至牽連百骨節** 俱痛者 此太陽傷寒 榮血不利故也.

辛 12-2
論曰 此 卽太陰人傷寒 背顀表病輕證也.
此證 麻黃湯 非不當用 而桂枝甘草 皆爲蠹材 此證 當用麻黃發表湯.

10-33 少陽之冷滯 少陰之燥渴 太陽之大便不通 太陰之小便秘澁 雖非歇[269]證 終非危證

少陽人의 冷滯, 少陰人의 燥渴, 太陽人의 大便不通, 太陰人의 小便秘澁은 비록 여유 있는 증상은 아니나 끝내 위험한 증상이 되지는 않는다.

※少陽人은 리열로 인해 병이 발현되는데, 그와 반대로 냉기로 인한 滯症이 나타나면 리열에 반대되는 양상이기 때문에 위험한 증상은 아니다. 하지만 이러한 생각은 辛丑本에서 망음병에 대한 생각이 정립되면서 바뀌었다.[270] 少陰人은 裏冷으로 인해 병이 발현되는데, 그와 반대로 熱氣로 인한 燥渴이 생기면 裏冷에 반하는 양상이기 때문에 위험한 증상은 아니다. 太陽人은 대변을 오랜 기간 보지 못해도 위험한 증상으로 보지 않았다. 이러한 생각은 辛丑本에서도 이어졌다.[271] 그래도 약을 써서 치료해야 할 대상으로 판단하였다. 草本卷에서 太陰人은 소변을 시원하게 보지 못하는 것은 위험한 증상은 아니라고 보았다. 辛丑本에서는 조열병을 제시하고 飮一溲二[272] 즉 소변을 섭취량보다 과다하게 보는 것을 위험한 병태로 보았다.

10-34 少陽之面腫 少陰之眩暈 太陽之食脹 太陰之昏倦 眞是重症 終非輕證

少陽人의 面腫, 少陰人의 眩暈, 太陽人의 食脹, 太陰人은 昏倦은 진실로 重症이니 끝내 가벼운 증상이 되지 않는다.

※체질별로 가벼워지지 않고 중한 병태로 진행될 수 있는 증상을 서술하였다. 보통 신장 기능이 떨어지면 안면이 붓고, 심장 기능이 떨어지면 하지가 붓는다. 脾大腎小한 少陽人의 경우 만약 안면부종까지 나타날 정도로 신장 기능이 떨어지면 중증으로 볼 수 있다.

269) 手抄本과 朝醫學에는 '渴'로 되어 있으나, 문맥상 '歇'으로 보는 것이 타당하다.

270) 辛 9-34
少陰人 平居 裡煩汗多者 得病 則必成亡陽也
<u>少陽人 平居 表寒下多者 得病 則必成亡陰也</u>
亡陽亡陰人 平居 預治補陰補陽 可也
不可至於亡陽亡陰得病 臨危然後 救病也.

271) 辛 17-15
太陽人 有八九日 <u>大便不通證 其病 非殆證也</u> 不必疑惑 而亦不可無藥 當用獼猴藤五加皮湯.

272) 辛 13-20
靈樞曰 二陽結 謂之消 飮一溲二 死不治.
註曰 二陽結 謂胃及大腸 熱結也.

辛 13-23
論曰 此病 非少陽人 消渴也 卽太陰人燥熱也

少陰人의 경우 상승하는 陽煖之氣가 부족하게 되면 어지럼증을 호소할 수 있다. 太陽人이 소화가 되지 않고 배가 팽만하게 불러오면 중증으로 보았다. 열격병으로 음식을 먹어도 배는 불러오는데 토하는 증상이 동반되는 상태로 볼 수 있다. 太陰人이 정신이 희미하고 팔 다리가 힘이 없는 것은 중증이다. 이 증상은 食後痞滿 腿脚無力病으로 볼 수 있다.[273] 太陰人이 음식을 먹으면 속이 더부룩하면서 음혈이 점점 고갈되면서 정신도 희미하고 다리도 가늘어지면서 힘이 빠진다. 辛丑本에서 조열병에서 나타나는 증상인지, 위완한증에서 나타나는 증상인지에 따라 구별해서 치료하였다.

10-35 眼明手捷 少陰之吉祥
能食安寢 少陽之吉祥
肉肥汗多 太陰之吉祥
肉瘦溺數 太陽之吉祥

눈이 밝고 손이 민첩한 것은 少陰人의 吉祥이다.
잘 먹고 편안하게 자는 것은 少陽人의 吉祥이다.
기육이 살찌고 땀이 많은 것은 太陰人의 吉祥이다.
기육이 마르고 소변을 자주 보는 것은 太陽人의 吉祥이다.

*눈은 脾黨에 속한다.[274] 손의 움직임 또는 힘 역시 脾氣를 살펴볼 수 있는 지표이다.[275] 눈이 밝고 손이 민첩하고 쥐는 힘도 충분하다면 腎大脾小한 少陰人의 脾氣가 충실한 것으로 볼 수 있기 때문에 길상이다. 少陽人은 10-12 少陽人病中 沈潛安靜 稍稍進食則 其病雖重 終當效也라고 하였다. 정신적으로 편안하면서 음식을 먹을 여유가 생기면 少陽人의 길상이다. 太陰人은 살이 찌고 땀이 많은 것은 길상이다. 만약 음혈이 고갈되는 조열증이 발생하여 기육이 빠져 사지가 무력해지고, 땀이 줄어 피부가 건조하고 갈라진다면 나쁜 증상이다. 太陽人은 소변이 시원하게 자주 배출되면서 기육이 마르면 길상이다. 만약 소화가 되지 않고 토하고 배가 불러오면서 소변도 잘 못보고 몸이 붓고 비대해지면 나쁜 증상이다.

273) 辛 13-29
太陰人證 有食後痞滿 腿脚無力病 宜用拱辰黑元丹 鹿茸大補湯 太陰調胃湯 調胃升清湯.
274) 辛 4-5
胃與兩乳目背膂筋 皆脾之黨也.
275) 辛 4-11
膜海之濁滓 則手 以能收之力 鍛錬之而成筋

10-36 精神陷短 少陰之凶證
語靜微弱 太陰之凶證
肉脫鮮食 少陽之凶證
肉浮多食 太陽之凶證

정신이 결함이 있고 모자란 것은 少陰人의 凶證이다.
말이 고요하고 미약한 것은 太陰人의 凶證이다.
살이 빠지고 잘 먹지 못하는 것은 少陽人의 凶證이다.
살이 붓고 많이 먹는 것은 太陽人의 凶證이다.

*10-35는 길증, 10-36은 흉증을 제시하였다. 眼明手捷가 대비되는 것이 精神陷短이다. 눈이 흐리멍덩하고 손의 움직임은 뭔가 어색하고 모자라 보이는 것이 精神陷短이다. 少陰人이 만약 이러한 증상이 있으면 흉증이다. 太陰人은 呼散之氣가 충분하면 음성이 웅장하고 널리 퍼진다. 목소리가 작고 안으로 먹어가는 듯하면 흉증이다. 少陽人이 정신은 예민하고 초조하여 식욕도 없고 먹을 여유조차 없어 살까지 빠지면 흉증이다. 太陽人이 소변을 시원하게 보지 못하고 붓고, 소화는 안 되는데 계속 분노를 먹는 것으로 풀면 흉증이다.

10-37 少陰人 腸氣虛弱則 百會穴必惡風
少陽人 腸氣虛弱則 膝脛必惡寒
太陰人 腸氣虛弱則 肩肉必瘦
太陽人 腸氣虛弱則 外腎必冷

少陰人은 腸氣가 허약하면 백회혈이 반드시 바람을 싫어한다.
少陽人은 腸氣가 허약하면 즉 무릎과 정강이가 한기를 싫어한다.
太陰人은 腸氣가 허약하면 어깨의 근육이 반드시 마른다.
太陽人은 腸氣가 허약하면 음낭이 차다.

*腸氣가 허약할 때 발생하는 체질별 表證에 대해 서술하였다. 腸氣은 腸 즉, 소화관의 기운을 의미한다. 腸氣가 虛弱하여 다양한 소화기 증상(裏證)이 발생하고 이때 더불어 表證도 병발할 수 있음을 강조하기 위해 10-37를 기술한 것으로 보인다. 表裏兼病으로 볼 수 있다. 少陰人은 腸氣가 허약하여 복통, 설사, 심하비 등의 증상이 나타날 때와 더불어 머리 정수리에 바람만 스쳐도 싫어하는 증상이 나타난다.

少陽人은 腸氣가 허약하여 결흉, 대변불통, 식체비만과 같은 증상이 나타날 때 무릎이나 정강이가 찬 기운을 싫어하는 증상이 나타난다. 辛丑本에서 少陽人이 腸氣가 虛弱

하여 대변을 여러 날 동안 보지 못했을 때 양 다리와 무릎이 시리고 힘이 없는 증상이 나타나는 치험례가 제시되었다.[276)]

太陰人은 腸氣가 虛弱하여 음식을 먹으면 막힌 듯하고 그득한 증상이 나타날 때 어깨의 근육이 빠지면서 무력해지는 증상이 나타난다. 辛丑本에서 太陰人이 음식을 먹고 나면 痞滿하면서 다리에 힘이 없는 증상을 제시하였다.[277)] 즉 다리 쪽 근육이 빠지면서 힘이 없어진다.

太陽人은 腸氣가 虛弱하면 음낭이 차가워진다. 10-11에서 太陽人 急病의 길흉을 外腎의 땀으로 살피라고 하였다. 즉 땀이 난다는 것은 기본적으로 따뜻하다는 뜻이다. 太陽人이 소화도 안 되고, 구역이나 구토 증상이 있을 때 음낭이 싸늘해지는 증상이 나타난다. 辛丑本에는 없는 내용이기 때문에 太陽人의 진단 및 치료에 있어 중요한 지표가 될 수 있다.

10-38 太陰人[278)]之執證 若有可疑則 當占於六脉之緊長
少陽人之執證 若有可疑則 當占於夜睡之盜汗也
少陰人[184)]之執證 平居呼吸如常 而有時有太息
太陽人[184)]之執證 平居飮食如常 而有時有就嘔逆

太陰人의 執證은 만약 의심나는 바가 있으면 마땅히 六脉의 緊長을 헤아려야 한다.
少陽人의 執證에 만약 의심나는 바가 있으면 마땅히 밤에 잘 때 盜汗이 있는지 헤아려야 한다.
少陰人의 執證은 평소에 호흡이 예전과 같은데 때때로 한숨을 쉰다.
太陽人의 執證은 평소에 먹고 마시는 것은 예전과 같은데 때때로 구역질을 하는 지 보아야 한다.

※체질 진단 시 어떤 체질인지 헷갈릴 때 참고할 수 있는 체질별 특이 증상을 제시하였다. 辛丑本에서 太陰人과 少陰人의 맥상을 제시하였다.[279)] 그 외의 부분에는 맥상에 대한 내용은 거의 없다. 太陰人은 맥이 긴장감이 있고 촌관척 이상으로 길게 잡힌다. 그리고 기육이 단단하고 실한 느낌이 든다고 하였다. 草本卷과 맥상에 대한 내용은 일치한다.

---

276) 辛 11-21
嘗治 少陽人 七十老人 大便四五日不通 或六七日不通 飮食如常 兩脚膝寒無力
用輕粉甘遂龍虎丹 大便卽通
後數日 大便又秘 則又用 屢次用之 竟以大便 一日一度 爲準 而病愈 此老 竟得八十壽.
277) 辛 13-29
太陰人證 有食後痞滿 腿脚無力病 宜用拱辰黑元丹 鹿茸大補湯 太陰調胃湯 調胃升淸湯.
278) 手抄本과 朝醫學에는 '人'이 누락되어 있다.
279) 辛 17-9
太陰人脈 長而緊 少陰人脈 緩而弱
太陰人肌肉 堅實 少陰人肌肉 浮軟

少陰人은 맥이 완만하고 느슨한 느낌이 들면서 약하고 기육은 부드럽고 연한 느낌이다. 太陰人은 피부결이 팽팽하고 단단한 느낌이 들기 때문에 맥상 역시 탄력이 있고 촌관척뿐만 아니라 그 위 아래서도 맥상을 느낄 수 있다. 太陰人의 특징적인 증상이기 때문에 草本卷뿐만 아니라 辛丑本에서도 제시한 것으로 보인다. 少陽人은 밤에 식은 땀이 나는 경우가 다른 체질보다 자주 있을 수 있기 때문에 제시한 것으로 보인다. 少陰人 辛丑本에서 평상시 호흡이 고르다가 가끔 한숨을 쉰다고 하였다.[280] 少陰人인지 太陰人인지 헷갈릴 때 평소 한숨을 자주 쉰다면 少陰人일 가능성이 높다고 볼 수 있다. 太陽人은 소화도 괜찮고 먹고 마시는 것이 평소에 문제가 없는데 가끔씩 이유 없이 구토를 하면 이는 열격으로 볼 수 있다. 동무는 病變 5통에서 각 체질별 증상이나 예후를 알 수 있는 지표들을 제시하였다. 10-38에서 일타강사처럼 체질을 구별할 수 있는 가장 쉬운 지표를 제시하여 후학들이 헷갈리지 않도록 하고자 하는 의도가 보인다.

10-39 太陰人　運氣病五六日　片汗不出則　熊膽不可不用
少陽人　運氣病二晝夜　大便不通則　甘遂不可不用
少陰人　運氣病七日內　人中不汗則　桂蔘不可不用
又少陰人　乾霍亂面色帶青而上下不通則　巴豆不可不用
太陰人　語靜微低而腦膜阻塞則　瓜蒂不可不用
少陽人　丹毒紅粒遍體煩燥而不寧則　石膏不可不用

太陰人이 運氣病으로 5~6일 되도록 한쪽으로 땀이 나지 않으면 웅담을 쓰지 않을 수 없다.
少陽人이 運氣病으로 2번의 낮과 밤이 지나도록 대변이 통하지 않으면 감수를 쓰지 않을 수 없다.
少陰人이 運氣病으로 7일 이내 人中에서 땀이 나지 않으면 계지와 인삼을 쓰지 않을 수 없다.
또 少陰人 乾霍亂이 들어 얼굴색이 푸르고 위 아래로 통하지 않으면 파두를 쓰지 않을 수 없다.
太陰人이 말이 고요하고 미약하고 낮으며 뇌막이 막히면 과체를 쓰지 않을 수 없다.
少陽人이 丹毒으로 붉은 반점이 몸 전체로 퍼지고 煩燥하고 편안하지 않으면 石膏를 쓰지 않을 수 없다.

*用藥의 원칙이 되는 증상을 기술하였다. 熊膽, 甘遂, 巴豆, 瓜蒂, 石膏, 人蔘은 쉽게 쓸 수 있는 약재가 아니다. 따라서 정확한 기준이 필요하다. 유행하는 감염성 질환에 걸렸을 때 시기를 놓치면 병이 급격히 진행되어 죽음에 이를 수 있다. 太陰人의 경우에는 10-14처럼 정수리부터 광대, 목 뒤, 등쪽으로 땀이 나지 않는다면, 웅담을 사용해서 그쪽으로

280) 辛 17-9
少陰人 平時呼吸 平均 而間有一太息呼吸也 太陰人 則無此太息呼吸也

땀이 나야 병이 풀린다.[281]

少陽人은 2일 안에 대변불통을 해소해야 하는데 이때 감수를 써서 설사를 시켜야 한다. 辛丑本에서 감수와 석고를 비교하였다.[282] 表寒病과 裏熱病 모두 대변불통 증상이 발생할 수 있다. 하지만 감수를 쓰는 경우와 석고를 쓰는 경우는 다르다. 감수를 쓰는 경우는 傷寒(유행성 독감)으로 인해 表寒證이 뚜렷하면서 結胸證으로 가래가 가슴에 그득하고 답답하고 구역감이 들면서 대변을 못 볼 때 쓴다. 즉, 감수라는 자극성 사하제를 통해 설사시켜 痰飮을 제거하는 것이다(破水結). 석고는 裏熱이 뚜렷하다면 대변불통 여부와 상관없이 설사를 해도 쓸 수 있다. 裏熱이 심해져 陽毒發斑이 나타나고 정신적으로도 조급해지고 불안감이 커질 때 석고를 반드시 써야 한다.

少陰人은 유행성 감염병으로 만약 인중혈 주변에 송글송글 땀이 나지 않는다면 인삼과 계지를 사용해서 陽煖之氣를 보충해줘야 한다. 草本卷과 辛丑本에서 人中穴의 汗 여부를 중요한 호전지표로 제시하였다. 10-39의 少陰人 運氣病七日內라는 표현에서 동무가 草本卷에서 말하는 상황은 태양병이라고 볼 수 있다. 辛丑本에서 태양병으로 발열이 6일이 지속되었는데 땀이 나면서 풀리지 않으면 太陽太陰之胃家實病이라고 하였다. 正氣와 사기가 꽉 막힌 병이고 대량으로 약을 써야 한다고 하였다.[283] 치료에 있어서 인삼과 계지가 들어간 처방을 제시하였다.[284] 少陰人이 건곽란으로 토하지도 설사하지도 못하면서 복통이 심할 때에는 파두를 써서 固冷積滯를 제거해주는 것이 중요하다. 辛丑本에서 直中陰經 乾藿亂關格之病에 巴豆如意丹을 사용하는 치험례가 기술되었다.[285]

281) 草 10-14
太陰人急病 身冷而全體四肢俱大汗者 危證也
　　但身溫而頂顴項背次第得汗者 吉兆也
太陰之汗 始於頂者 可喜也
　　中於顴者 免危也
　　終於背者 病愈也

282) 辛 9-18
甘遂 表寒病 破水結之藥也 石膏 裏熱病 通大便之藥也
表病 可用甘遂 而不可用石膏 裡病 可用石膏 而不可用甘遂.
然 揚手擲足 引飮泄瀉證 用石膏
　痺風膝寒 大便不通證 用甘遂.

283) 辛 8-6
發熱六日 不得汗解 食滯六日 不能化下者 太陽太陰之胃家實黃疸病也
　太陽太陰之胃家實黃疸 正邪壅錮之病 不可不大用藥也.

284) 辛 8-9
陽明太陽之危者 獨蔘八物湯 補中益氣湯 可以解之
　而病勢危時 若非日三四服 而又連日服 則難解也
少陰太陰之危者 獨蔘附子理中湯 桂附藿陳理中湯 可以解之
　而病勢危時 若非日三四服 而又連日服 則難解也.

285) 辛 7-17
論曰 嘗治 少陰人 直中陰經 乾藿亂關格之病
時屬中伏節候 少陰人 一人 面部氣色 或靑或白 如彈丸圈 四五點成團
　起居如常 而坐於房室中倚壁 一身委靡無力 而但欲寐
問其這間原委 則曰 數日前 下利淸水一二行 仍爲便閉 至今爲兩晝夜 別無他故云

파두로 食滯 즉, 固冷積滯를 제거해줘야 한다.

太陰人이 語靜微低而腦膜阻塞라는 것은 중풍에 걸린 것을 의미한다. 뇌경색으로 인해 언어장애가 발생한 것이다. 辛丑本에서 과체산을 통한 치험례를 기술하였다.[286] 10-39의 관점이 辛丑本에서도 그대로 이어지는 것을 확인할 수 있다.

10-40 **太陽病 以太陽藥投之 而病勢益劇 有加無減者 臟氣已渴 而其病不治 太陰少陽少陰倣此**

太陽人의 병에 太陽人 약을 투여하였으나, 병세가 더욱 극렬하여 심해짐은 있고 덜함은 없는 것은 臟의 기운이 이미 고갈된 것이니 그 병은 치료할 수 없다. 太陰人, 少陽人, 少陰人도 이와 같다.

※치료의 한계를 제시하였다. 지금까지 체질별로 여러 증상이나 지표들을 서술하였다. 이것들을 바탕으로 체질을 진단하고 그 체질에 맞는 약을 썼지만 병이 낫지 않고 점점 심해질 수도 있음을 제시하고 있다. 즉, 사상의학으로 모든 사람을 치료할 수 있는 것은 아니다. 만약 臟氣 즉 命脈實數가 고갈되어 버렸다면 치료하기는 어렵다. 따라서 평소 편소지장의 臟氣가 고갈되지 않도록 예방하는 것이 최선이다.

10-41 **問 水穀之入於腸胃也 爲其所化一也 而少陽軀殼[287]常病於熱 少陰軀殼[185]常病于寒者何也**
曰 少陽人受穀之胃濶 而泄穀之大腸窄 譬如甕中酒釀宿釀密封則 熱氣易生也
少陰人泄穀之大腸濶 而受穀之胃窄 譬如停溜之水泉生泉益來則 寒氣易生也
是故 少陽大便一日數三次益好 少陰大便二三日一次無妨

問所飮食 則曰 食麥飯云
急用巴豆如意丹 一半時刻 其汗 自人中穴出 而達于面上 下利一二度 時當日暮
觀其下利 則淸水中 雜穢物而出 終夜下利十餘行
翌日 平明至日暮 又十餘行下利 而淸穀麥粒 皆如黃豆大
其病 爲食滯故 連三日 絶不穀食 日所食 但進好熟冷 一二碗

286) 辛 13-38
太陰人證 有卒中風病
胸臆格格 有窒塞聲 而目瞪者 必用瓜蒂散
手足拘攣 眼合者 當用牛黃淸心丸.
素面色黃赤黑者 多有目瞪者 素面色靑白者 多有眼合者
面色靑白而眼合者 手足拘攣 則其病急危也 不必待拘攣
但見眼合 而素面色靑白者 必急用淸心丸 古方淸心丸 每每神效.
目瞪者 亦急發而稍緩死 眼合者 急發急死 然 目瞪者 亦不可以緩論 而急治之.

287) 朝醫學에는 '驅殼'으로 되어 있으나, '軀殼'이 옳다.

묻기를 "水穀이 腸胃에 들어감에 그 변화하는 바는 하나인데, 少陽人의 몸은 항상 病이 熱에서 나고 少陰人의 몸은 病이 寒에서 나는 것은 어떤 까닭입니까?"
이르길 "少陽人의 水穀을 받은 胃는 넓지만 水穀을 배설하는 大腸은 좁다. 비유컨대 항아리 속의 술을 숙성하기 위해 밀봉하면 熱氣가 쉽게 생기는 것과 같다.
少陰人의 水穀을 배설하는 大腸은 넓지만 水穀을 받는 胃는 좁다. 비유컨대 머물러 있는 물에 샘에서 솟는 물이 자꾸 샘솟아 온다면 寒氣가 쉽게 생기는 것과 같다.
이런 까닭에 少陽人이 대변을 하루에 두서너 번 보면 더욱 좋고, 少陰人은 대변을 2-3일에 한 번 보아도 무방하다."

*少陽人의 병의 원인을 熱로 보고 少陰人의 병의 원인을 寒으로 보는 이유를 제시하였다. 음식과 물이 입을 통해 들어가면 우선 胃에 저장된다. 그 후 소장 대장을 거쳐 배출된다. 위에 머무는 시간이 길어질수록 熱氣가 생성되고, 빨리 빠져나갈수록 熱氣의 생산은 줄어들게 된다. 辛丑本 장부론에서 위에서 水穀熱氣가 흡수된다고 하였고, 대장에서는 水穀寒氣가 흡수된다고 하였다. 少陽人은 胃에서 水穀을 받아들이는 능력이 크기 때문에 열기를 많이 흡수, 생산할 수 있고, 반대로 대장을 통해 배출할 수 있는 능력이 부족하여 결국 과해지면 열로 인한 병이 발생하게 된다. 少陰人은 胃에서 水穀을 받아들이는 능력이 부족하기 때문에 열기의 흡수 생산이 적은데, 반대로 대장을 통해 배출하는 능력이 커 결국 충분히 흡수 생산하기도 전에 빠져나가는 정도가 커 결국 과해지면 寒으로 인한 병이 발생하게 된다. 따라서 少陽人은 대변을 자주 봐서 과해진 열기를 대장을 통해 배출하면 좋은 것이고, 少陰人은 대변을 자주 보지 않고 위에서 열기를 흡수 생산할 수 있는 여유가 있는 것이 좋다.

10-42 問 少陽少陰人 常服寒溫藥 以防[288]不足則如何
曰 少陽人[289] 戒暴哀之傷 而有時服淡平潤藥
少陰人 戒暴喜之傷 而[290]有時服淡平溫藥則 文武幷用長久之術或者近似也
若少陽人不戒哀心 少陰人不戒喜心 而不服藥則 譬如秦始皇漢光武[291]財用日耗 而四海益亂

묻기를 "少陽人 少陰人이 항상 찬 약과 따뜻한 약을 복용하여 부족한 것을 방지하는 것이 어떠합니까?"
이르길 "少陽人은 갑자기 애달파하여 상하는 것을 경계하고 때때로 맑고 平潤한 약을 복용하

288) 手抄本과 朝醫學에는 '訪'으로 되어 있다. 문맥을 고려하면, 少陽人은 寒藥으로 부족한 것을 방지하고, 少陰人은 溫藥으로 부족한 것을 방지한다는 뜻이다. 그래서 원문의 '訪'을 '防'으로 바꾸었다.
289) 手抄本과 朝醫學에는 '人'이 없으나, 문맥상 있어야 한다.
290) 手抄本과 朝醫學에는 '而'가 없으나, 문맥상 있어야 한다.
291) 법을 함부로 남용하여 武를 더럽힌다는 뜻이다. 朝醫學에는 '窮'이 없으나, 있어야 한다.

고, 少陰人은 갑자기 기뻐하여 상하는 것을 경계하고 때때로 맑고 평온한 약을 복용하면, 文武를 병용하여 길게 오래 사는 술법과 거의 가깝고 비슷하다.
만약 少陽人이 애심을 경계하지 않고 少陰人은 희심을 경계하지 않으면서 약도 복용하지 않으면, 비유컨대 진시황과 한나라의 광무제가 법을 함부로 남용하여 武를 더럽히고 재물의 씀이 날로 소모되고, 四海가 더욱 어지러워진 것과 같다."

*少陽人은 찬 약을 통해 열기를 조절하고, 少陰人은 따뜻한 약을 통해 한기를 조절하여 부족해지는 것을 예방하는 것에 대한 질문에 답을 하였다. 약을 통해 예방하는 것도 의미가 있다. 하지만 폭발하는 情氣를 경계하는 것이 더 중요하다. 약 또한 성질이 맑고 평탄한 야을 써야 한다. 강한약으로 보충하면 안 된다. 性情을 확충하면서 약까지 평소 잘 복용하면 文武를 모두 갖춘 것과 같다. 만약 性情을 조절하지 않고, 적절한 약도 복용하지 않으면 진시황이나 한무제가 사사롭게 본인들 편한 대로 법을 만들어서 사회를 혼란스럽게 하고 백성을 힘들게 한 것과 같을 정도로 나쁘다.

右病變之第五統

☆病變 5통 요약

病變 5통은 체질별로 나타날 수 있는 생리적, 병리적, 심리적 지표들을 제시하였고, 의학서답게 병의 예후를 판단할 수 있는 지표들도 제시하였다. 이 내용들은 甲午本 辛丑本으로 오면서 살아남은 부분도 있고 삭제된 부분도 있고 변경된 부분들도 있다. 동무는 체형, 피부, 肥瘦, 체온, 안색, 호흡, 소화, 수면, 땀, 대소변, 심리상태, 질병상태, 건강조건 등 인간에 대해서 관찰하고 경험할 수 있는 것들을 최대한 기술하고자 하였다. 단순히 臟局大小를 통해 연역적인 체질구분으로만 끝나지 않고 실제적으로 의학을 통해 자신의 이론을 증명하고자 하는 귀납적인 노력이 잘 드러난 파트가 바로 病變 5통이다.

11-1 張仲景所論傷寒病 太陽傷風證[292] 陽明大實大滿證[190] 及三陰證[190] 皆少陰人運氣病也
少陽半表半裏症及陽明熱證[190] 皆少陽人運氣病也
太陽傷風脉緊無汗之證[190] 卽[293] 太陰人尋常外感也

장중경이 논한 傷寒病에서 太陽傷風證 陽明大實大滿證 및 三陰證은 모두 少陰人의 運氣病이다.
少陽半表半裏症 및 陽明熱證은 모두 少陽人의 運氣病이다.
太陽傷風脉緊無汗之證은 太陰人의 일상적인 外感病이다.

*장중경의 상한론에서 제시된 육경병증을 체질별로 구분하였다. 運氣病과 外感病은 차이가 있다. 운기병은 독감과 같은 유행성의 중증의 감염병이고, 외감병은 일상적인 감기로 볼 수 있다. 패독산에 대한 설명에서 운기병에 대한 설명이 제시된다. 동무는 12-1에서 "天行時氣之病 張仲景盡稱傷寒病 今俗稱運氣 從俗無妨 故病名異稱"라고 하였다. 하늘의 운행하는 시기에 따라 유행하는 병을 장중경은 상한병이라고 하였고 요새는 통속적으로 운기병이라고 하였는데 그렇게 불러도 무방하다고 하였다. 즉, 運氣病은 독감, 코로나, 사스와 같은 중증의 유행성 감염병으로 볼 수 있다.

太陽傷風證은 辛丑本에서 少陰人 울광병과 망양병으로 나누어서 치료하였다. 陽明大實大滿證은 太陽病胃家實病으로 분류하여 치료하였으며, 三陰證 중 궐음증은 태양병 궐음증으로 표병으로 분류하였으며, 태음증과 소음증은 리병으로 분류하여 치료하였다. 少陽半表半裏症은 소양상풍증으로 少陽人 표병에서 다루었으며, 陽明熱證은 大便不通의 정도를 고려하여 熱多寒少, 但熱無寒, 陽厥로 나눠서 리병에서 다루었다. 太陽傷風脉緊無汗之證은 太陰人의 背顀表病輕證으로 다루었다.

*辛 5-5
六條病證中
三陰病證 皆少陰人病證也
少陽病證 卽少陽人病證也
太陽病證 陽明病證 則少陽人 少陰人 太陰人病證 均有之 而少陰人病證 居多也.

辛丑本의 육경병증 분류는 草本卷과는 약간의 차이가 있다. 양명병증이 辛丑本에서는 太陰人에게서도 나타나는 병증이지만 草本卷에서는 제시가 되지 않았다. 태양병증의

292) 手抄本에는 '症'으로 되어 있다.
293) 手抄本과 朝醫學에는 '旣'로 되어 있으나, 문맥을 고려하여 '卽'으로 고쳤다.

경우에도 草本卷에서는 少陽人에게 분류되지 않았지만 辛丑本에서는 少陽人에게서 나타날 수 있는 병태로 보았다. 임상경험을 통해 辛丑本에서 생각이 바뀐 것으로 보인다.

11-2 張仲景半表半裏病 小柴胡湯易之以敗毒散可也 大柴胡湯易之以[294]黃芩大黃湯可也

張仲景半表半裏病은 **소시호탕을 패독산으로 바꾸는 것이 옳다. 대시호탕은 황금대황탕으로 바꾸는 것이 옳다.**

*소시호탕에 대해서 동무는 辛丑本에서 한심한 처방이라고 평가했다.[295] 공신의 형방패독산을 三神山의 不死藥이라고 극찬하였다. 이러한 생각을 바탕으로 草本卷 약방 1번 처방을 패독산으로 제시한 것으로 보인다. 동무는 패독산에 다양한 가감을 통해 少陽人의 외감병을 치료하고자 하였다.[296]

대시호탕은 辛丑本에서 太陰人病 경험방에 제시되었다.[297] 少陽半表半裏症이 陽明熱證 전변되었을 때 대시호탕을 사용하는 것으로 보인다. 대시호탕에는 황금과 대황이 들어간다. 하지만 이상한 점은 少陽人病 경험방에 대시호탕이 제시된 것이 아니라 太陰人病 경험방에 제시된 점이다. 또한 대시호탕 대신 제시하는 약은 少陽人藥이 아니라 太

294) 手抄本과 朝醫學에는 '易以之而'로 되어 있으나, 문맥상 '易之以'로 보는 것이 타당하다.
295) 辛 9-8
古人之於此證 用汗吐下三法 則其病 輒生譫語壞證 病益危險故 仲景 變通之
而用小柴胡湯 淸痰燥痰 溫冷相雜 平均和解 欲其病不轉變 而自愈
此法 以汗吐下三法 論之則可謂近善而巧矣
然 此小柴胡湯 亦非平均和解 病不轉變之藥 則從古斯今 得此病者 眞是寒心矣.
耳聾胸滿 傷風之病 豈可以小柴胡湯 擬之乎.
噫 後來 龔信所製 荊防敗毒散 豈非少陽人 表寒病 三神山 不死藥乎.
此證 淸裏熱 而降表陰 則痰飮自散 而結胸之證 預防不成也
淸痰而燥痰 則無益於陰降痰散 延拖結胸 將成而或別生奇證也.
296) 草 12-1
敗毒散
少陽外感
本方 加 石膏 二錢 名曰 石膏敗毒散 治運氣瘧疾 熱多寒少之證
加 柴胡 一錢 名曰 柴胡敗毒散 治上同
加 猪苓 一錢 益加 木通 一錢 名曰 木通敗毒散 治浮腫
加 玄參 一錢 名曰 玄參敗毒散 治咽喉
合因三貼藥 置釜中鼎中 用水三大碗 煮成一大碗 分三次服 或一次頓服 分三次服者 予煎藥 惡寒欲發未發之時 一次服 間一食頃惡寒大發時又一次服 又間食頃又一次服 若煮藥未及 而惡寒已發頃 大發時一次恒服
天行時氣之病 張仲景盡稱傷寒病 今俗稱運氣 從俗無妨 故病名異稱
羌活 獨活 柴胡 前胡 木通 車前子 生地 赤茯苓 防風 各二錢 荊芥 五分 甘草 三分
297) 大柴胡湯
柴胡 四錢 黃芩 白芍藥 各二錢 五分 大黃 二錢 枳實 一錢 五分
○ 治少陽轉屬陽明 身熱 不惡寒 反惡熱 大便硬 小便赤 譫語 腹脹 潮熱

陰人藥이다.[298] 11-1에서는 누락되었지만 陽明熱證의 경우에는 太陰人運氣病에서 나타날 수 있다고 본다. 따라서 辛丑本에서 다시 정리하는 과정에서 의원론에 양명병도 太陰人한테 나타난다고 하였고, 경험용약에서도 太陰人에게 재분류한 것으로 보인다.

11-3 太陰人尋常外感日限速者 則麻黃神速
　若運氣重證日限遲者 熊膽一二次用之 生脉散徐徐以助之可也
小兒痘疹 自有出痘貫膿日限 百病亦然
熊膽有輕淸之力
麻黃有促迫之力
太陰人運氣病 精神强而氣可支者 麻黃可用
　　　　　　精神弱而氣不足者 熊膽可用
痼病久病 用藥寧緩也 不可急也
運氣急病 用藥宜早也 不可晩也 察病勢之順逆 觀[299]時日之過不及 間低隙以一二貼藥圖之者 善之善也

太陰人의 일상적인 외감병에 병의 기한이 빠르면 마황이 신속하고, 만약 運氣重證에 병의 기한이 지체되면 웅담을 한 두 차례 쓰고 생맥산으로 서서히 도우면 좋다. 소아 痘疹에 마마가 생겨 고름이 나오는 기한이 스스로 있는 것 같이 모든 병이 역시 그러하다.
웅담은 가볍고 맑은 힘이 있다.
마황은 재촉하고 핍박하는 힘이 있다.
太陰人의 운기병에 정신이 강하고 기운이 지탱할 수 있으면 마황을 쓸 수 있다.
정신이 약하고 기운이 부족하면 웅담을 쓸 수 있다.
고질병과 오래된 병은 약을 씀에 편안하고 완만하게 쓰고 급하게 써서는 안 된다.
運氣의 급병은 약을 씀에 마땅히 서둘러 쓰고 늦어서는 안 된다. 병세의 順逆을 살피고 時日의 지나침과 모자람을 보아서 잠깐 틈 사이로 1~2첩을 써서 도모하는 것이 가장 좋다.

*太陰人의 감기와 유행성 감염병 치료에 대해 설명하였다. 일상적인 감기는 병기도 짧고 건강상태도 나쁘지 않기 때문에 성질이 강한 마황으로 신속히 치료하는 것이 낫다. 운기병의 경우에는 병기도 길고, 건강상태도 좋지 않기 때문에 웅담 같이 성질이 완만한 약을 쓴 뒤, 생맥산으로 서서히 치료해야 한다. 즉, 병의 종류를 파악하고, 걸린 사람의 상태에 따라 치료약도 선택해야 하고 방식도 정해야 한다. 고질병이나 만성병의 경우에는 약을 급하게 쓰기보다는 병세를 살피며 완만한 약으로 치료한다. 운기병 같이 급성 유행성

298) 草 14-9
皂角黃芩大黃湯
治逆氣 感冒 大便秘結
大黃 三錢 元芩 二錢 皂角 一錢

299) 朝醫學에는 '視'로 되어 있다.

감염병은 서둘러 약을 써야 한다. 이때 우선 환자의 정신 상태나 컨디션을 보고 마황과 같은 강한 약을 쓸지, 웅담과 같은 완만한 약을 쓸지를 결정한다. 病勢의 順逆을 살핀다는 것이 바로 이런 의미이다. 정신이 강하고 기운을 지탱할 수 있으면 順證이고, 정신이 약하고 기운이 부족하면 逆證이다. 또한 약을 쓸 타이밍을 잘 살펴서 1~2첩을 써서 반응도 살펴야 한다.

*辛 8-9
病勢極危時 日四服
病勢半危時 日三服
病勢不減 則日二服
病勢少減 則二日三服 而一日則一服 一日則二服
病勢大減 則日一服
病勢又大減 則間二三四五日 一服
蓋有病者 可以服藥 無病者 不可以服藥 重病可以重藥 輕病不可以重藥
若輕病好用重藥 無病者好服藥 臟氣脆弱 益招病矣.

辛丑本에서 용약법에 대해 좀 더 구체적으로 서술하였다. 병세의 정도에 따라 복약하는 횟수를 조정하였다. 또한 병이 있을 때는 약을 복용하지만 병이 없을 때는 약을 복용하지 않도록 하였고, 중병에는 성질이 무겁고 강한 약을 쓸 수 있지만 가벼운 병에는 쓸 수 없다고 하였다.

辛 8-10
膏粱 雖則助味 常食則損味 羊裘 雖則禦寒 常着則攝寒
膏粱羊裘 猶不可以常食常着 況藥乎
若論常服藥之有害 則反爲百倍於全不服藥之無利也
蓋有病者 明知其證 則必不可不服藥
無病者 雖明知其證 必不可服藥
歷觀於世之服鴉片煙水銀 山參 鹿茸者 屢服 則無不促壽者 以此占之 則可知矣.

고량진미도 자주 먹으면 입맛을 잃고, 양가죽 옷도 항상 입으면 추위를 잘 참지 못하게 된다. 약도 마찬가지이다. 병이 있을 때는 그 증상에 따라 약을 써야 하지만 병이 없을 때는 증상을 있더라도 약을 써서는 안 된다. 즉, 병이라고 규정할 정도로 심하지 않은 증상은 굳이 약을 쓰지 않는 것이 낫다. 아편, 수은, 산삼, 녹용과 같이 성질이 뚜렷한 약은 여러 번 사용하면 목숨을 재촉한다고 하였다. 즉 병세에 따라 약도 신중하게 선택해야 한다.

11-4 **夫運氣病 一貼藥能殺人能活人 所以張仲景謹于傷寒也 用藥雖曰宜早也 又恐妄意而銳者也**
蓋癰疽非熟手猶可也 傷寒非熟手不可也

무릇 운기병은 한 첩의 약으로 능히 사람을 죽일 수도 살릴 수도 있고 이런 까닭에 장중경이 傷寒病을 삼갔던 것이다. 약을 씀에 비록 서둘러 쓰라 말하였지만, 또한 한편으로 망령되이 날카롭게 쓰는 것이 두렵다. 대개 옹저는 숙련된 의사가 아니더라도 오히려 가능하지만, 상한은 숙련된 의사가 아니면 가능하지 않다.

*11-3에서 運氣急病은 약을 서둘러 쓰라고 하였다. 때를 놓치면 급속히 사람이 죽을 수 있기 때문이다. 하지만 한 첩만 잘못 써도 사람이 죽을 수 있을 수 있기 때문에 병세의 순역과 약을 쓸 타이밍을 신중히 살펴야 한다. 장중경도 운기병과 같은 상한병을 치료함에 약의 선택과 쓰는 타이밍을 신중히 하였다. 옹저와 같은 痼病久病은 여유를 가지고 치료하며 능숙하지 않아도 가능하지만, 유행성 감염병의 경우에는 정말 숙련된 의사의 진단과 치료가 필요하다. 2년간 많은 생명을 앗아간 COVID-19의 경우를 보면 전 세계의 여러 의사들이 치료하고자 하였지만 현재도 치료하지 못할 정도로 어려운 병이다. 동무가 생각하는 運氣病의 난이도는 이 정도에 비유할 수 있다.

辛 6-19
傷寒 若吐 若下後 不解 不大便五六日 至十餘日 日晡所發潮熱不惡寒 狂言如見鬼狀
若劇者 發則不識人 循衣摸床 惕而不安 微喘直視 脈弦者生 脈濇者死.

辛 6-20
論曰 秦漢時醫方治法 大便秘燥者 有大黃治法 無巴豆治法.
故 張仲景 亦用大黃大承氣湯 治少陰人 太陽病轉屬陽明
其人濈然微汗出 胃中燥煩實 不大便五六日 至十餘日 日晡發潮熱 不惡寒 狂言如見鬼狀之時而用之則神效.
若劇者 發則不識人 循衣摸床 惕而不安 微喘直視 用之於此 則脈弦者生 脈濇者死.
蓋此方 治少陰人太陽病轉屬陽明 不大便五六日 日晡發潮熱者可用 而 其他則不可用也.
仲景 知此方 有可用不可用之時候故 亦能昭詳 少陰人 太陽陽明病證候也.
蓋仲景 一心精力 都在於深得 大承氣湯可用時候故 不可用之時候 亦昭詳知之也.
仲景 太陽陽明病 藥方中 惟桂枝湯 人蔘桂枝湯 得其彷佛而 大承氣湯則置人死生於茫無津涯之中 必求大承氣湯 可用之時候而 待其不大便五六日 日晡發潮熱 狂言時 是豈美法也哉.
蓋少陰人病候 自汗不出則 脾不弱也
大便秘燥則 胃實也

少陰人 太陽陽明病 自汗不出 脾不弱者 輕病也 大便雖硬 用藥則易愈也 故 大黃枳實厚朴芒硝之藥 亦能成功於此時 而劇者 猶有半生半死
若用八物君子湯 升陽益氣湯 與巴豆丹則 雖劇者 亦無脈弦者生 脈濇者死之理也.
又太陽病表證 因在時 何不早用溫補升陽之藥 與巴豆 預圖其病而 必待陽明病 日晡發潮熱 狂言時 用承氣湯 使人半生半死耶.

장중경은 상한병으로 태양에서 양명으로 전속된 重證에 大承氣湯을 사용하여 치료하였다. 동무는 중경은 한 마음으로 정력을 다해 대승기탕을 상한병에 쓸 수 있는 타이밍과 증상을 소상히 살펴 치료하였다라고 평가하였다. 그러면서 사람을 죽을지도 모를 물가에 이를 때까지 기다려 치료하기보다는 少陰人이라는 체질을 파악한 뒤, 팔물군자탕, 승양익기탕으로 太陽病表證이 남아 있는 증세가 가벼운 시기에는 溫補升陽하거나 아니면 파두를 써서 양명병으로 악화되는 것을 예방하는 것이 낫다고 하였다. 즉 상한병의 치료에 있어 장중경의 병세에 대한 관찰과 약을 쓰는 타이밍에 대해서 인정을 했지만, 체질을 파악하고 그에 따라 병세를 살펴 미리 예방하는 방법이 더 낫다고 본 것이다.

11-5 **補中益氣湯之升麻柴胡 大小承氣湯之大黃芒硝 白虎湯[300]之粳米 益元散之生甘草 制用有得變通之宜 古方自不可**
四君子之茯苓 四物之地黃 六味之山藥 贅味及害主藥之性 古方不如新方

보중익기탕의 승마 시호, 대소승기탕의 대황 망초, 백호탕의 갱미, 익원산의 생감초는 법제하여 씀에 변통하는 마땅함이 있으나 고방 그대로는 옳지 않다.
사군자탕의 복령, 사물탕의 숙지황, 육미지황탕의 산약은 군더더기 약으로 主藥의 성질을 해치니 고방이 신방만 못하다.

*동무는 草本卷뿐만 아니라 甲午本 辛丑本에서 자신이 새로 만든 처방이 더 낫다고 여러 번 서술하였다. 앞에서 장중경의 대승기탕 사용에 대한 평가에서 본 것처럼 체질적 특성을 파악해서 치료하는 것이 더 환자에게 도움이 된다고 본 것이다.

승마는 太陰人 약이고, 시호는 少陽人 약이다. 따라서 보중익기탕에서 제외하였다.[301] 대황은 太陰人 약, 망초는 少陽人 약이다. 대승기탕과 소승기탕은 少陰人 경험용 약으로 분류하였는데 따라서 대황과 망초를 고방 그대로 쓰는 것을 옳지 않다고 보았다.

300) 朝醫學에는 '白痡湯'으로 되어 있으나, 문맥상 '白虎湯'이 타당하다.
301) 草 13-27
補中益氣湯
治內傷頭痛 眩暈 憎寒壯熱 不知食味 四體無力
黃芪蜜炙 三錢 人蔘 炙甘草 各一錢 白朮 當歸 各七分 陳皮 五分

갱미는 少陽人 체질에 적합하지는 않지만 석고의 성질을 완화시켜 소화관에 부담이 되지 않는 목적에서는 사용가능하다고 보았다.[302] 동무가 신방으로 쓴 백호탕에서도 갱미는 소량 사용을 허락하였다.[303] 하지만 대부분의 백호탕을 활용한 신방에서는 갱미는 사용하지 않았다. 익원산은 少陽人 처방으로 분류하였다. 감초는 少陰人 약이기 때문에 옳지 않다고 본 것 같다. 하지만 草本卷에서 익원산을 사용함에 있어 감초를 제외하지는 않았다.[304] 기존의 익원산에 주사를 추가하였는데, 주사 즉, 수은의 독성을 완화하기 위함으로 제외하지 않은 것으로 보인다. 하지만 辛丑本에서는 감초를 제거하고 감수와 택사를 추가하였다.[305] 辛丑本으로 오면서 체질에 따라 약을 확실히 구분해서 써야 함에 대한 생각이 강해진 것으로 보인다.

사군자탕의 복령은 少陽人 약이다. 따라서 제외하고 신방을 만들었다.[306] 사물탕의 숙지황 역시 少陽人 약이다. 따라서 제외하고 신방을 만들었다.[307] 육미지황탕의 산약은 太陰人 약이다. 따라서 제외하고 신방을 만들었다.[308]

---

302) 草 11-10
甘草 生用則補肝 炙用則補脾
地黃 生用則淸胃火 熟用則滋陰元
水銀配硫黃則除大毒
<u>石膏配粳米則安腸胃</u>

303) 草 12-10 白虎湯
治運氣 熱煩 發狂
熱煩過時則發狂 發狂過時則危 先用敗毒散 後用此方 少陰人發狂 承氣湯主之 少陽人發狂 此方主之 熱煩二三貼連服 發狂 六七貼連服
石膏 四錢 知母 二錢 粳米少許

304) 益元散
治暑氣腹痛
滑石末 二錢半 甘草末 五分 朱砂末 一分

305) 朱砂益元散
滑石 二錢 澤瀉 一錢 甘遂 五分 朱砂 一分 右爲末 溫水 或井華水 調服. 夏月滌暑 宜用.

306) 草 13-24
四君子湯
治脾元虛弱
本方 加 當歸 桂皮 治休瘧病
本方 加 訶子 肉豆蔲 炮附子 治氣虛泄痢
人蔘 白朮 炙甘草 白何烏 各一錢

307) 草 13-25
四物湯
治脾元損傷
本方 加 蘇葉 陳皮 名曰 安胎飮 治孕婦病
加 小茴香 川楝子 五靈脂 治裏急疝氣
四君子 合 四物湯 名曰 八珍湯
加 桂皮 黃芪 名 十全大補湯 俱治少陰人虛勞
當歸 川芎 白芍藥 砂仁 各一錢

308) 草 12-2
六味地黃湯
治內傷虛勞虛損
本方 加 地骨皮 貝母 各一錢 名曰 地骨皮地黃湯 治盜汗咳嗽
加 黃柏 知母 各二錢 名曰 知柏地黃湯 治陰虛便血

草本卷 저술 당시부터 동무는 체질 약에 대한 본초분류가 확실히 있었다고 볼 수 있고, 그 생각은 辛丑本까지도 이어졌다.

11-6 **少陰少陽太陰藥中 蔘 茸 輕粉 麝香 功力略相同也**
白朮 當歸 枸杞子 熟地黃 麥門冬 五味子 功力略相同也
生薑 陳皮 竹瀝 瓜蔞仁 黃芩 皀角 功力略相同也
半夏 南星 黑丑 莞花 大黃 樗根皮 功力略相同也
丁香 木香 藿香 朱砂 黃連 龍膽草 牛黃 遠志 麥門冬
功力略相同也

少陰人 少陽人 太陰人 약 中 인삼, 녹용, 경분, 사향은 공력이 대략 서로 같다.
백출, 당귀, 구기자, 숙지황, 맥문동, 오미자는 공력이 대략 서로 같다.
생강, 진피, 죽력, 과루인, 황금, 조각은 공력이 대략 서로 같다.
반하, 남성, 흑축, 원화, 대황, 저근피는 공력이 대략 서로 같다.
정향, 목향, 곽향, 주사, 황련, 용담초, 우황, 원지, 맥문동은 공력이 대략 서로 같다.

*체질별 비슷한 공력을 가진 약들을 정리하였다. 少陰人, 少陽人, 太陰人 약 순으로 서술하였다. 功力은 필자가 임상활용 및 동무유고 약성가를 참고하여 임의로 설정하였다.

표 33. 체질별 약재 功力 비교

功力	少陰人	少陽人	太陰人
强藥	蔘 茸	輕粉	麝香
補元	白朮 當歸	枸杞子 熟地黃	麥門冬 五味子
消滯	生薑 陳皮	竹瀝 瓜蔞仁	黃芩 皀角
祛痰	半夏 南星	黑丑 莞花	大黃 樗根皮
安神	丁香 木香 藿香	朱砂 黃連 龍膽草	牛黃 遠志 麥門冬

蔘, 茸, 輕粉, 麝香은 모두 성질이 강한 약이다. 辛丑本에서도[309] 고량진미에 대비하여 자주 먹으면 오히려 목숨을 단축할 수 있는 약으로 설명하였다. 11-26에서는 少陽人의 수은(경분)을 少陰人의 인삼, 녹용과 비교하였는데 약의 힘이 강한 약이고, 치료도 빠를 수 있지만 해로움도 크다고 하였다. 즉 경분, 인삼은 효과가 비슷한 약이 아니라 성질

加 牛膝 車前子 各一錢 治水腫
加 竹瀝 生地黃 治吐血
虛損者 十五日三十貼服之 虛勞者 百五十日 三百貼服之 用水三瓢 煮成一瓢 炭火濃煎 半空心日再服
熟地黃 四錢 山茱萸 枸杞子 各三錢 白茯苓 澤瀉 各二錢 牧丹皮 一錢

309) 辛 8-10
歷觀於世之服鴉片煙水銀 山參 鹿茸者 屢服 則無不促壽者 以此占之 則可知矣.

이 한쪽으로 치우친 강한 약(强藥)으로 볼 수 있다. 여기서 특이한 점은 녹용을 少陰人 약으로 분류한 것이다. 甲午本 辛丑本에서는 太陰人 약으로 녹용을 활용하였다. 15-4에서 노루 간은 少陰人 약인 것에는 의심할 바가 없지만 녹용이 少陰人 약이라는 것은 의심할 바가 있다고 하였다.[310] 그 이유로 少陰人뿐만 아니라 太陰人도 녹용 복용 후 효과를 관찰하였기 때문이다. 辛丑本에서는 노루 간은 少陰人 부종에 사용하였다. 이때 시력도 평소보다 배로 좋아지고 진기가 솟구쳐 나온다고 하였다. 즉 하함된 양기를 위로 강력하게 상승시키는 효과가 있어 허로로 인해 발생하는 부종에는 노루 간을 활용한 것으로 볼 수 있다. 少陽人의 허로에 복용한 경우 피를 토하면 사망한 것을 관찰하기도 하였다.[311]

辛丑本에서 최종적으로 녹용은 太陰人의 음혈모갈증이 발생했을 때 활용하는 것으로 정리가 되었다. 太陰人의 소모성 질환이 심할 때 강력히 음혈을 보충하는 목적으로 사용하였다. 사향은 향이 아주 강력한 약재이다. 太陰人의 呼散之氣를 순간적으로 보충할 때 쓰이고, 비용도 비용이지만 성질이 강해 아주 소량씩만 사용한다.

백출은 대표적인 비위를 튼튼하게 해주는 약이고, 당귀는 11-7에서 가볍게 通膈시키는 약이라고 하였다. 동무유고 약성가에 당귀는 비장을 건장하게 하고 안을 지키는 힘이 있다고 하였다. 실제로 당귀는 보혈의 대표 약이다. 백출과 당귀는 汗吐下를 시키기보다는 補充의 공력을 가지고 있다고 판단된다. 구기자, 숙지황은 음기를 보충하는 대표적인 약재이다. 동무유고 약성가에서 숙지황은 신장을 보충하고 조화롭게 한다고 하였다. 맥문동, 오미자도 보음을 목적으로 활용하는 약재이다. 동무유고 약성가에서 맥문동은 폐장을 보충하고 조화롭게 하고, 오미자는 폐장을 건강하게 하고 바로 세운다고 하였다. 따라서 모두 원기를 보충하는 공력을 가지고 있다고 판단된다.

생강과 진피는 소화를 돕는 대표적인 약재이다. 죽력과 과루인은 동무유고 약성가에서 少陽人의 담음을 제거하는 약재로 기술되었다. 흉격의 담음으로 인해 소화불량, 오심, 구토 등의 증상이 있을 때 활용할 수 있다. 동무유고 약성가에 황금은 폐장의 원기를 수렴한다고 하였다. 조각은 강력한 通膈약이고 자극성과 독성이 있다. 모두 막혀 있는 것을 사그라트리는 공력이 있다(消滯).

반하와 남성은 대표적인 거담제이다. 흑축 원화는 11-78에서 강력한 通膈약으로 활용되었다. 대황은 11-7에서 가볍게 설사를 시켜 通膈해주는 약으로 쓰였고, 樗根皮 반

310) 草 15-4
獐肝爲少陰人藥則眞的無疑 鹿茸爲少陰人藥則猶加疑
少陰人有服鹿茸顯效 其後又見太陰人二人有服鹿血顯效 皆未得其實不敢眞決

311) 辛 8-13
嘗見 少陰人浮腫 獐肝一部 切片作膾 一服盡 連用五部 其病卽效
又有 少陰人 服獐肝一部 眼力倍常 眞氣湧出
少陽人虛勞病 服獐肝一部 其人 吐血而死.

대로 이질[312]이 심할 때도 사용되었고, 夢遺에도 활용되었다.[313] 동무유고 약성가에서 폐의 진기를 각성한다고 하였다. 모두 비정상적인 체액이 울체되었을 때 이것을 제거하는 목적의 공력이 있다(祛痰).

정향, 목향, 곽향은 모두 방향성 약재이다. 동무유고 약성가에 소화를 돕고 식욕을 촉진한다고 하였다. 주로 기울증이나 기체증에 많이 활용된다. 황련과 용담초는 성인의 중풍과 소아경풍에 같이 활용하였다.[314] 주사[315]는 황련과 같이 경계나 건망증에 활용하였다. 우황은 11-7에서 해표해주는 성질이 있는 약으로 보았고[316], 또한 중풍 치료에 활용하였다.[317] 辛丑本에서도 우황청심원을 중풍에 활용하였다. 원지는 동무유고 약성가에서 폐의 진기를 각성해주는 약으로 보았다. 맥문동은 불면증에 활용하기도 하는 약재이다. 따라서 모두 정신을 안정시켜주는 공력이 있다고 판단된다.
공력에 대한 분류는 동무의 의도와 정확히 일치하지는 않겠지만 동무도 이러한 측면을 반영해서 분류한 것으로 사료된다.

11-7 少陰解[318]表之藥 輕則葱白 蘇葉 重則人蔘 桂枝
少陽解表之藥 輕則防風 重則羌活 柴胡
太陰解表之藥 輕則麻黃 杏仁 重則牛黃 熊膽
少陰通膈之藥 輕則桃仁 當歸 大小承氣湯 重則如意丹
少陽通膈之藥 輕則香油 萞麻油 重則黑丑 甘遂 蕘花
太陰通膈之藥 輕則大黃 青礞石 重則皂角 瓜蒂

312) 乾栗樗根皮湯
乾栗 一兩 樗根白皮 三四五錢
○ 治痢疾 或湯服 或丸服而 丸服者 或單用樗根白皮 五錢
313) 樗根皮丸
樗根白皮 爲末 酒糊和丸
○ 治夢遺 此藥性 凉而燥 不可單服
314) 草 12-5
澤瀉湯
治大人中風 小兒急驚風
玄參 山梔子 黃連 草龍膽 羌活 防風 各一錢
315) 草 12-12
朱砂安神湯
治驚悸 健忘
黃連 朱砂 枸杞子 白茯苓 各等分作丸
316) 草 11-7
太陰解表之藥 輕則麻黃 杏仁 重則牛黃 熊膽
317) 草 14-11
石菖蒲酒
治痞滿沈滯 日服一二盃 或三四盃
牛黃治中風 熊膽解疫氣 麝香治痞悶 黃栗治泄瀉
太陰人浮腫有黃栗得效 太陰人滿身瘡有大服麝香而得效者
318) 朝醫學에는 '鮮'으로 되어 있으나, 문맥상 '解'로 보는 것이 타당하다.

少陰人의 해표약 중 가벼운 것은 총백 소엽이고, 중한 것은 인삼 계지이다.
少陽人의 해표약 중 가벼운 것은 방풍이고, 중한 것은 강활 시호이다.
太陰人의 해표약 중 가벼운 것은 마황 행인이고, 중한 것은 우황 웅담이다.
少陰人의 통격약 중 가벼운 것은 도인 당귀 대소승기탕이고, 중한 것은 여의단이다.
少陽人의 통격약 중 가벼운 것은 향유 피마유이고, 중한 것은 흑축 감수 원화이다.
太陰人의 통격약 중 가벼운 것은 대황 청몽석이고, 중한 것은 조각 과체이다.

*해표약과 통격약을 체질별로 가벼운 약과 중한 약으로 구별하였다.

표 34. 解表藥과 通膈藥

		少陰人	少陽人	太陰人
解表藥	輕	葱白 蘇葉	防風	麻黃 杏仁
	重	人蔘 桂枝	羌活 柴胡	牛黃 熊膽
通膈藥	輕	桃仁 當歸 大小承氣湯	香油 蓖麻油	大黃 靑礞石
	重	如意丹	黑丑 甘遂 莞花	皂角 瓜蒂

해표약은 주로 땀을 내는 목적으로 쓰는 약이고, 통격약은 토하거나 설사를 통해 뚫어주는 약이다. 汗法과 吐下法에 쓸 수 있는 약을 체질별로 분류한 것이다.

11-8 觀[319]古方之用人蔘于外感則 人蔘有補中善表之力可知也
觀古方之用黃芪于虛汗則 黃芪有固中實表之力可知也
觀古方之用官桂于痘疹則 官桂有壯中達表之力可知也
觀古方之用附子于陰症泄瀉則 附子有逐冷壯火達表之力可知也
皆四藥補藥而兼表功

고방의 인삼을 外感에 쓴 것을 보면, 인삼은 속을 補하고 겉을 좋게 하는 힘이 있음을 알 수 있다.
고방의 황기를 虛汗에 쓴 것을 보면, 황기는 속을 견고하게 하고 겉을 충실하게 하는 힘이 있음을 알 수 있다.
고방의 관계를 痘疹에 쓴 것을 보면, 관계는 속을 굳세게 하고 겉을 통하게 함이 있음을 알 수 있다.
고방의 부자를 陰症泄瀉에 쓴 것을 보면, 부자는 冷을 쫓고 火를 굳세게 하여 겉을 통달하게 하는 힘이 있음을 알 수 있다.
이 네 가지 약물은 모두 補藥이면서 表를 다스리는 공력이 있다.

319) 朝醫學에는 '視'로 되어 있다.

*동무는 인삼, 황기, 관계, 부자를 활용했던 기존 의서를 분석한 뒤 11-8과 같이 정리하였다. 모두 속을 치료하면서 겉도 치료하는 공력을 동시에 지니고 있다. 外感, 虛汗, 痘疹은 모두 表證이다. 겉으로 나타나는 증상이다. 음증설사는 속이 냉하여 발생하는 설사인데 이때 겉도 음증으로 싸늘해진다. 즉 少陰人병을 치료함에 있어 우선 내부의 陽煖之氣를 다스리면서 겉까지 치료하는 게 치법의 핵심이다. 외감병을 치료함에 있어 단순히 해표하는 약만 쓰는 것이 아니라 인삼으로 陽煖之氣를 보충하여 겉까지 좋게 만들어야 한다. 양기가 허하여 식은땀이 날 때는 황기로 陽煖之氣를 견고하게 하여 겉까지 충실하게 해야 한다. 두진과 같은 천연두가 발생했을 때는 육계로 陽煖之氣를 굳세게 하여 겉까지 도달할 수 있도록 해야 한다. 냉기가 너무 강하여 陽煖之氣가 약해져 설사를 할 때는 부자로 냉기를 우선 제거하면서 陽煖之氣를 굳세게 살려 겉까지 도달할 수 있도록 해야 한다.

11-9 當歸 白芍藥微炒 白朮半炒 乾薑 附子 南星炮用 黃芪灸用
蓋脾氣喜完聚而忌損散
故凡藥性之過于橫散者 或炒 或灸 或炮 使完聚而保和脾元
古方用藥 經歷已久 後人眞不可淺見 而妄違之
至于驗症診脈 博采古醫經驗 青於藍而出於藍則 出于無咎

당귀, 백작약은 약간 볶고 백출은 반만 볶고 건강, 부자, 남성은 炮해서 쓰고 황기는 구워서 사용한다.
대개 脾氣는 완전히 모이는 것을 좋아하고 손상되어 흩어지는 것을 싫어한다.
따라서 모든 藥性의 과하여 횡행하여 흩어짐에 혹은 볶고, 혹은 굽고, 혹은 炮하는 것은 완전히 모이게 하여 脾元을 보호하고 조화롭게 한다.
고방의 용약은 경력은 이미 오래되었으니 후인은 진실로 얕은 소견으로 망령되이 어겨서는 안 된다. 병증 경험하고 진맥함에 이르러 옛날 의사의 경험을 널리 체득하면 청출어람하여 허물에서 벗어난다.

*약재의 법제에 대해 설명하였다. 少陰人 약재의 경우 법제를 통해 약성을 완만하게 하여 비기를 상하지 않도록 해야 한다. 당귀와 백작약은 살짝 볶으면 찬 성질이 준다. 백출도 적당히 볶아 자극성을 낮출 수 있다. 건강, 부자, 남성은 자극성이 강하기 때문에 炮를 해야 한다. 황기는 보통 꿀에 구워서 사용한다. 그리고 옛날 의사들의 경험에 대해 인정하는 태도를 보인다. 법제의 경우에는 오랜 세월 동안 안전성을 높이기 위한 경험이 누적된 산물이다.

*新定 少陰人病 應用要藥 二十四方
附子 炮用 甘草 灸用 乾薑 炮用 或 生用 黃芪 灸用 或 生用

辛丑本에서도 약재에 대한 법제를 제시하였다. 필자도 少陰人 치료에 있어서 법제의 중요성을 항상 느끼고 있다. 처방은 맞지만 법제를 잘못해서 환자가 고생하는 경우를 많이 보았다. 그래서 반드시 환자의 상태에 따라 법제를 꼭 시행 후 조제를 진행한다. 특히 다른 체질보다 少陰人의 경우에 소화기가 약하고 예민한 경우가 많아 꼭 주의해야 한다.

11-10 甘草 生用則補肝 炙用則補脾
地黃 生用則淸胃火 熟用則滋陰元
水銀配硫黃則除大毒
石膏配粳米則安腸胃

감초는 생으로 쓰면 肝을 보하고 구워서 쓰면 脾를 보한다.
지황은 생으로 쓰면 胃火를 맑히고 熟用하면 陰元을 보충한다.
수은은 유황과 배합하면 큰 독을 없앤다.
석고를 갱미에 배합하면 腸胃를 편안하게 한다.

※법제에 따라 약성이 달라지고 효능도 달라진다. 배합에 따라 독성이나 자극성을 줄일 수 있다. 辛丑本에서 감초는 少陰人 약으로 분류하였다. 하지만 草本卷에서는 생으로 쓰면 肝을 보한다고 하였고, 구워서 쓰면 비를 보한다고 하였다. 즉, 생으로 쓰면 太陽人 약이고, 구워서 쓰면 少陰人 약으로 보았다. 동무의 초기 생각을 엿볼 수 있다. 15-2에서 太陽人 미후도탕에 생감초를 사용하였다.[320]

辛丑本에서는 감초는 太陽人 약에 활용하지 않았다. 생지황과 숙지황의 경우도 동무는 약성을 구별하여 사용하였다. 위열이 심하여 대변불통이 있을 때는 주로 생지황을 사용하였고, 보음을 위주로 할 때는 숙지황을 사용하였다. 13-20에서도 변비가 있으면 숙지황을 생지황으로 바꾸거나, 아니면 석고를 사용하라고 하였다.[321] 丹砂는 유화수은(硫化水銀)을 의미하는데 수은과 유황의 화합물이다. 포박자에서 신선이 되는 선약 중 최상의 것을 단사라고 하였다. 少陽人에게 활용한 朱砂, 靈砂가 바로 유화수은이다. 석고는 수화 황산염 광물이다. 결정구조를 가지고 있는데 만약 위장 점막이 약한 사람이 복용하면 자극성이 있을 수 있다. 따라서 갱미를 활용해서 그 자극성을 줄이는 것도 한 방법이다. 필자는 석고가 들어간 少陽人 처방을 사용하는 경우에 자극성이 느껴지면 식후 바로

320) 草 15-2
獼猴桃湯
治太陽人裏證
獼猴桃 葡萄 各三錢 木果 二錢 白芍藥 生甘草 各一錢

321) 草 13-20
獨活防風湯
忍冬藤 熟地黃 各四錢 山茱萸 黃柏 獨活 各二錢 牛膝 車前子 羌活 荊芥 防風 各一錢
大便秘則換生地黃 不然則石膏尤妙 若五十後有喝 有脚氣症 左○入膽用

복용하도록 한다.

*동무가 약을 사용함에 있어 법제나 약성에 대해 파악하기 위한 노력이 있었음을 알 수 있다. 실제로 환자에게 써보지 않고 책으로만 읽어서 체득하기에는 어려운 부분이다.

11-11 **太陰之藥 宜通外而[322)]不宜固中**
少陽之藥 宜清腸而不宜溫裏
太陽之藥 宜固中而不宜通外
少陰之藥 宜溫裏而不宜清腸

太陰人 약은 밖을 통하게 하는 것이 마땅하고, 안을 굳게 하는 것은 마땅하지 않다.
少陽人 약은 腸을 맑게 하는 것이 마땅하고, 속을 따뜻하게 하는 것은 마땅하지 않다.
太陽人 약은 안을 굳게 하는 것이 마땅하고, 밖을 통하게 하는 것은 마땅하지 않다.
少陰人 약은 속을 따뜻하게 하는 것이 마땅하고, 장을 맑게 하는 것은 마땅하지 않다.

*체질별 방제의 기본 원칙을 제시하였다. 太陽人과 太陰人은 내외로 묶어서 설명하였고, 少陽人과 少陰人은 한열로 묶어서 설명하였다. 이렇게 치료하는 기준은 바로 체질별 保命之主이다. 吸聚之氣가 과하고 呼散之氣가 부족한 太陰人은 항상 呼散之氣를 보충하여 밖으로 통하도록 해줘야 한다. 呼散之氣가 과하고 吸聚之氣가 부족한 太陽人은 항상 吸聚之氣를 보충하여 안을 단단하게 해줘야 한다. 通外는 呼散之氣를 보충하여 밖으로 통하게 하는 기운의 방향성을 주는 것이고, 固中은 吸聚之氣를 보충하여 안으로 모이게 하는 기운의 방향성을 주는 것이다.

陽煖之氣가 과하고 陰淸之氣가 부족한 少陽人은 항상 陰淸之氣를 보충하여 기운을 하강시켜야 한다. 陰淸之氣가 과하고 陽煖之氣가 부족한 少陰人은 항상 陽煖之氣를 보충하여 기운을 상승시켜야 한다. 즉 溫裏는 陽煖之氣를 보충하여 속을 따뜻하게 하여 기운을 올려주는 것을 의미하고, 淸腸은 陰淸之氣를 보충하여 속을 맑혀 기운을 내려주는 것을 의미한다. 즉 따뜻한 것은 상승하고, 차가운 것은 하강하는 이치를 이야기하는 것이다.

표 35. 체질별 방제 원칙

	病態	保命之主	草本卷	辛丑本
太陰人	濕	呼散之氣	通外	緩
太陽人	燥	吸聚之氣	固中	束
少陰人	寒	陽煖之氣	溫裏	升
少陽人	熱	陰淸之氣	淸腸	降

322) 手抄本과 朝醫學에는 '而'가 없으나, 문맥상 있어야 한다.

*辛 8-24에서 침을 놓는 혈자리에서 太少陰陽四象人에 따라 응용되는 혈이 있으며 반드시 升降緩束의 이치가 있을 것이라고 하였다.[323] 草本卷의 관점이 辛丑本까지 이어진 것이다. 즉, 少陰人과 少陽人은 上下升降을 치료의 원칙으로 삼았고, 太陰人과 太陽人은 內外緩束을 치료의 원칙으로 삼았다. 上下는 寒熱과 내외는 燥濕과 연결된다. 少陽人과 少陰人의 경우 病態에 있어 寒熱으로 나타나고, 太陽人과 太陰人은 燥濕으로 나타난다. 太陰人은 주로 습이 정체되기 때문에 呼散之氣를 통해 밖으로 발산시켜 제거하고, 太陽人은 건조하기 때문에 吸聚之氣를 통해 안을 촉촉하게 해준다. 少陰人은 냉하기 때문에 속을 따뜻하게 하여 기운을 올려주고, 少陽人은 열하기 때문에 리열을 맑혀서 기운을 내려준다.

11-12 平淡之藥 可以久服 偏僻之藥 不可以久服
有病之人 可以服藥 無病之人 不可以服藥

평탄하고 담백한 약은 오래 복용할 수 있지만, 한쪽으로 치우친 약은 오래 복용할 수 없다.
병이 있는 사람은 약을 먹는 것은 가능하지만, 병이 없는 사람은 약을 먹는 것은 불가하다.

*草 10-42에서 少陽人 少陰人이 평소 차거나 따뜻한 약을 복용하여 부족한 것을 예방하는 것에 대한 질문에 답을 하였다. 이때 淡平한 약을 때때로 복용하라고 하였다. 즉 담백하고 맑고 성질이 평탄한 약은 때때로 장기간 먹을 수 있지만, 성질이 강하고 한쪽으로 치우친 약은 오래 복용해서는 안 된다. 辛 8-10[324]에서 병이 있으면 그 증상을 밝게 알아 약을 복용하라고 하였고, 병이 없다면 비록 그 증상을 밝게 알더라도 약을 복용하지 말라고 하였다. 즉 병으로 정의할 정도의 증상이 있을 경우에만 약을 써야 한다. 8-10[325]에서 命脈實數에 따라 약을 쓰는 원칙을 제시하였다. 외감이나 내상과 같은 輕病이나 重病에서는 웬만하면 약을 쓰지 않는 것이 좋고, 뇌옥에서는 반드시 약을 써야 한다. 위경

---

323) 辛 8-24
嘗見 少陰人 中氣病 舌卷不語 有醫 針合谷穴 而其效如神 其他諸病之藥 不能速效者 針能速效者 有之
蓋針穴 亦有太少陰陽四象人 應用之穴 而必有升降緩束之妙 繫是不可不察 敬俟後之謹厚而好活人者.

324) 辛 8-10
膏粱 雖則助味 常食則損味 羊裘 雖則禦寒 常着則攝寒
膏粱羊裘 猶不可以常食常着 況藥乎
若論常服藥之有害 則反爲百倍於全不服藥之無利也
蓋**有病者 明知其證 則必不可不服藥**
無病者 雖明知其證 必不可服藥
歷觀於世之服鴉片煙水銀 山參 鹿茸者 屢服 則無不促壽者 以此占之 則可知矣.

325) 草 8-10
外感之病 謂之輕病 輕病不須言藥
危傾之病 謂之凶病 凶病不當論藥
而內傷之病 謂之重病 重病勿藥有喜
牢獄之病 謂之危病 危病非藥不支
然病至於危豈容易哉 善調病者 何不重病時圖之乎

에서는 약보다도 調養이 우선이다. 동무는 약을 씀에 있어 환자의 명맥의 상태를 살펴서 쓸지 말지를 신중하게 결정하였다.

11-13 芍藥 當歸 少陰之藥 炒用得當
黃栢 知母 少陽之藥 生用得當
人蔘 地黃 補中之藥 晝服得當
麻黃 蘇葉 發表之藥 夜服得當
雖然病勢迫則 不必拘時
中風 關格 咽喉 癰疽 諸般急病 時刻易失 速鍼藥之 猛捷者必中之
傷寒瘧疾 黃疸 痘疹 諸般列病 時日有限 徐觀[326]病症之順逆而察備之

작약 당귀는 少陰人 약으로 볶아서 사용해야 마땅함을 얻는다.
황백 지모는 少陽人 약으로 생으로 사용해야 마땅함을 얻는다.
인삼 지황은 補中하는 약으로 낮에 복용해야 마땅함을 얻는다.
마황 소엽은 發表하는 약으로 밤에 복용해야 마땅함을 얻는다.
비록 그러하더라도 병세가 급박하면 시간에 구애받을 필요는 없다.
중풍 관격 인후 옹저와 같은 급병은 시각을 놓치기가 쉬워 침과 약을 신속히 써 맹렬하고 빠른 것은 반드시 적중시켜야 한다.
상한학질 황달 두진과 같은 여러 병은 시일이 한정되어 있으므로 병증의 순역을 천천히 보고 살펴 대비한다.

*11-9에서도 당귀 작약은 炒해서 쓰라고 하였다. 黃栢 知母의 淸腸이 목표이기 때문에 생으로 쓴다. 보충해주는 약은 낮에 복용하고, 발표해주는 약은 밤에 복용하라고 하였다. 하지만 병이 급하여 시간에 상관없이 빨리 써야 한다. 중풍(stroke), 관격(갑자기 토하면서 대소변이 나오지 않는 것), 인후(인후부에 염증이 생기면서 호흡곤란), 옹저(악성 종기, 세균성 피부감염)와 같은 병은 병세가 급격히 악화되기 때문에 약이나 침을 빨리 써서 맹렬한 증세를 안정시켜야 한다. 학질(말라리아), 황달, 천연두의 경우에는 병이 일정하게 발현되는 시간적 패턴이 있고 급속하게 진행되는 경우가 적어 병세의 순역을 자세히 살펴가며 치료해야 한다.

326) 觀: 朝醫學에는 '視'로 되어 있다.

11-14 臟氣主也 藥氣客也
臟氣三倍而藥氣一倍則 其病卽遁也
臟氣二倍而藥氣一倍則 藥力易達也
臟氣與藥氣相敵則 勝負之數未可知也
臟氣與藥氣對敵則 倒戈之變可立待也
所以少陽之水銀不可以輕用
少陰之蔘[327]附不可以屢用

臟氣는 주인이고, 藥氣는 손님이다.
臟氣가 3배이고 藥氣가 1배이면 그 병은 즉시 달아난다.
臟氣가 2배이고 藥氣가 1배이면 藥力이 쉽게 도달한다.
臟氣와 藥氣가 서로 비슷하면 승부의 수를 알 수 없다.
臟氣와 藥氣가 대적하면 창을 거꾸로 하는 변화를 서서 기다리는 것이다.
이런 까닭에 少陽人의 수은은 가볍게 쓸 수 없고 少陰人의 인삼 부자는 누차 쓸 수 없다.

*약의 기운이 장의 기운보다 강해서는 병을 치료하기가 어렵다. 약을 쓰는 원칙은 장의 기운을 손상시키지 않을 정도의 약을 적절히 사용하는 것이다. 장의 기운과 대적할 정도의 약을 쓰면 오히려 약이 마치 창을 거꾸로 들고 반란을 일으켜 자신을 공격하는 것과 같다. 11-26에서 少陽人 수은과 少陰人 인삼의 사용에 대해 자세히 설명하였다. 즉, 약성이 강한 약은 함부로 쓸 수 없고, 오래 쓸 수도 없다.

11-15 塗[328]壁之客土與主土 不成完合則 數三月後 客土與主土俱落
補臟之藥氣與臟氣 不成完合則 一半年後 藥氣與臟氣俱[329]渴
故峻補輕粉蔘茸等藥 不可屢用 用之者 一二年間尤極攝身 期于藥氣與臟氣完合 然後保無虞[330] 禍生于所易 病加于少愈者 非此之謂乎
孟子曰 君未[331]嚮道志仁而求爲之强戰益地 是補桀[332]富桀也
孟子敎以譬諭之曰 病人未清淨思慮嚴禁酒色 而求爲常法補藥益氣 是補病富病也

327) 手抄本에는 '蔘'으로 되어 있고, 朝醫學에는 '芪'로 되어 있다.
328) 朝醫學에는 '涂'로 되어 있다.
329) 手抄本과 朝醫學에는 '具'로 되어 있으나, '俱'가 옳다.
330) 朝醫學에는 '虜'로 되어 있다.
331) 朝醫學에는 '末'로 되어 있다.
332) 朝醫學에는 '杰'로 되어 있다. 杰은 傑의 俗字.

진흙 벽의 客土와 主土가 완전히 합쳐지지 않으면 수 3월 후 客土과 主土가 모두 떨어진다. 臟을 보하는 藥氣와 臟氣가 완전히 합쳐지지 않으면 반년 후 藥氣와 臟氣가 모두 고갈된다. 그러므로 峻補하는 경분, 인삼, 녹용 등의 약은 여러 번 써서는 안 된다. 쓴 사람은 1~2년간 더욱 지극히 攝身하고 藥氣와 臟氣가 완전히 합쳐지기를 기약한 연후에 근심이 없게 된다. 禍는 변하는 곳에서 생기고 병이 약간 낫는 듯하다가 심해진다는 것이 이것을 말하는 것이 아니겠는가?

맹자가 이르길 "임금이 道로 나아가지로 않고 仁에 뜻을 두지도 않고 억지로 전쟁을 해서 그를 위해 땅을 구하고자 하는 것은 桀 임금을 도와주는 것이고 桀 임금을 부유하게 하는 것이다." 라고 하였다.

맹자가 비유하는 말로서 가르침을 주니 환자가 깨끗하고 고요하게 사려하고 주색을 엄격히 금하지 않고 항상 보약으로 기를 더하려 하는 것은 병을 돕고 병을 부유하게 하는 것이다.

*객토는 약의 기운을 의미하고 주토는 장의 기운을 의미한다. 우리가 벽을 만들 때도 주가 되는 흙과 그것을 보완하는 흙을 적절한 비율로 잘 배합하고 서로 붙을 시간을 충분히 줘야 벽이 튼튼하고 오래 간다. 장의 기운도 약의 기운과 서로 완전히 합해지기 위해서는 적절한 비율과 시간이 필요하다. 경분, 인삼, 녹용과 같이 크게 보하는 약은 장기와 합쳐지는 데 더욱 더 시간이 필요하다. 장의 기운과 아직 합쳐지지도 않았는데 계속 녹용이나 인삼을 복용하면 결국 약의 기운이 장의 기운을 넘어서게 되어 오히려 해가 된다. 재앙은 변화에서 생긴다. 만약 장의 기운과 약의 기운이 합쳐지지도 않았는데 계속 변화를 일으키는 약을 쓴다면 결국 병이 나은 듯하다가 더 심해진다. 성군이 道와 仁에 뜻을 두고 백성들을 편안하게 다스려야 하는데 전쟁을 통해 본인의 땅을 넓히고 부를 추구하는 것은 환자로 대입하면 섭생을 하지도 않고 주색에 빠져 안정된 삶을 추구하지 않으면서 오로지 보약을 먹어서 병을 치료하고자 하는 것과 같다.

11-16 朝食晝化則 食其安矣 時飢時飽則 胃氣安矣 以陰陽之道也
晝夜之像 粱肉[333]常飽則 陽而無陰也 補藥常補則 晝而無夜也
是故 有病者可以服藥 無病者不可以服藥 五穀之性淡平 常飽則有害 況藥乎
譬如冬日溫飽益厚者 身體習慣溫飽益不耐寒 人之腸胃亦如此
單服之藥 可以大服 久服之藥 不可以大服
通腸之藥 不過一二次
發表之藥 不過一二次
化痰之藥 不過二一十貼
補虛之藥 不過四五十貼 間一二月或間三四月 觀病勢 又服之可

333) 手抄本과 朝醫學에는 '粱肉'으로 되어 있으나, 좋은 양식과 고기의 뜻으로 '粱肉'이 옳다.

아침에 먹고 낮에 소화되면 먹은 것이 편안해지고 때때로 배고프고 때때로 배부르면 胃氣가 편안해지니 이것이 음양의 도이다.
낮과 밤의 모습으로 보면 좋은 곡식과 고기를 항상 포식하면 陽만 있고 陰은 없는 것이고, 보약으로 항상 보하면 낮만 있고 밤은 없는 것과 같다.
따라서 병이 있는 자는 약을 복용할 수 있으나 병이 없는 자는 약을 복용해서는 안 된다. 오곡의 성질이 淡平한데도 항상 포식하면 해가 있는데 하물며 약은 어떻겠는가?
비유컨대 겨울에 따뜻하고 배부름을 더욱 두텁게 하고자 하는 자는 신체가 따뜻하고 배부른 것에 습관이 되어 더욱 추위를 참지 못하는 것처럼 사람의 腸胃 또한 이와 같다.
잠깐 먹는 약은 대량으로 복용할 수 있지만 오래 먹는 약은 대량으로 먹는 것은 불가하다.

通腸하는 약은 한두 차례를 넘어서는 안 된다.
發表하는 약은 한두 차례를 넘어서는 안 된다.
化痰하는 약은 10~20첩을 넘어서는 안 된다.
補虛하는 약은 40~50첩을 넘어서는 안 되고, 1~2개월 사이나 혹은 3~4개월 사이에 병세를 관찰하고 나서 다시 복용하는 것이 가능하다.

※辛 17-21[334]에서 사람은 하루 두 번 먹는 것이 좋고, 4~5번 먹는 것은 좋지 않다고 하였다. 또한 이미 먹고 나서 첨식하는 것도 좋지 않다고 하였다. 즉, 하루 두 번 먹고, 먹은 후 간식을 먹지 않으면 장수할 수 있다고 하였다. 아침을 먹고 낮에는 음식을 먹지 않고 소화시키고 위장을 편안하게 하고 위장이 비워진 뒤 저녁을 먹는 것이 가장 좋다. 그리고 배고픔을 느끼는 시간이 필요하다. 배고프다는 것은 위장이 비워진 시간이 생겼다는 것이다. 음식의 종류도 중요하다. 하루 2번을 먹더라도 매번 고량진미를 먹는다면 이것은 더함만 있고 부족함이 없는 것이다. 약보다 성질이 순한 음식도 과식 포식하면 胃氣를 손상시키는데 약을 과용해서 생기는 폐단은 더 크다.

잠깐은 병세를 급하게 잡기 위해 대량으로 쓸 수 있지만 오랫동안 약물치료가 필요한 경우에는 적절한 양을 써야지 대량으로 계속 써서는 안 된다. 설사시키는 약은 한두 번만 써서 장이 통하면 중단한다. 땀을 내는 약도 한두 번만 써서 땀이 나고 병이 풀리면 중단한다. 담음을 化解시키는 것은 시간이 필요하다. 따라서 10~20첩 정도는 써야 하고 화해되면 중단한다. 허한 것을 보충하는 목적으로 쓸 때는 최대 40~50첩 정도 쓰고, 중간에 휴약 기간을 갖고 장의 기운과 약이 기운이 합쳐지는 시간을 줘야 한다. 그 후에 병세를 관찰하여 다시 사용 여부를 결정해야 한다.

334) 辛 17-21
有一老人 曰 人可日再食 而不四五食也 又不可旣食後添食 如此 則必無不壽.

*동무의 임상 수준을 알 수 있다. 각각의 목적에 따라 복약하는 원칙이 분명함을 알 수 있다. 평소 의학을 통해 환자를 다루지 않았다면 서술하기 어려운 대목이다. 필자도 보충해주는 목적으로 약을 쓸 때는 2달 이상은 거의 치료하지 않는다. 2달 정도 치료한 뒤 최소 2달은 체질적 음식, 운동, 마음 관리를 하게 한 뒤 개선된 증상이 그 후에 재현되는 경우에만 다시 치료를 시작한다.

11-17 蔘苓杞菊等藥性淡平 有病可以久服常服 而亦有時間斷 以安臟本常之氣.

인삼, 복령, 구기자, 감국 등의 약은 성질이 담백하고 평탄하여 병이 있으면 늘 오래 먹을 수 있지만, 때때로는 중단하여 臟이 지닌 본래 평상의 기운을 편안하게 해야 한다.

*인삼은 녹용이나 수은과 마찬가지로 성질이 강해 누차 복용하는 것은 삼가라고 했는데 11-17에서는 담백하고 평탄한 약이라고 하였다. 이 부분은 오류가 있다고 본다. 복령, 구기자, 감국은 차로도 마시는 무난한 약이다. 하지만 무난한 약이더라도 중간에 휴약 기간을 가져 장이 가지고 있는 본래의 기운을 편안하게 약의 기운과 조화롭게 되는 시간을 주어야 한다. 계속 약의 기운만 보충해주는 것은 순한 약도 해가 될 수 있다.

11-18 有一種貪慾[335]痴妄利己害物 如秦始皇之爲心者 必多求補藥 以廣補其身 如此者補其身而何用之乎 況補藥常服有害無益者乎

어떤 종류의 탐욕과 어리석고 망령됨은 자기만 이롭게 하고 남을 해침이 있으니 마치 진시황의 마음됨이 반드시 보약을 많이 구하여 그 몸을 널리 보하고자 한 것과 같다. 이와 같으면 그 몸을 보하는 것이 어떤 소용이 있겠는가? 하물며 보약을 항상 복용하여 해만 있고 이득이 없는 사람에게 있어서야!

*보약을 추구하는 것에 대한 동무의 의견이 제시되었다. 요새는 각종 건강기능식품 홍수의 시대이다. TV를 켜면 각종 홈쇼핑 채널에서 종류를 헤아리기 힘들 정도의 여러 건기식이나 심지어 녹용, 홍삼과 같은 약으로 쓰는 것까지 홍보하고 있다. 동무가 보면 한탄할 일이다. 판매자와 소비자의 탐욕과 어리석음의 결정체가 아닐까 싶다.

335) 朝醫學에는 '欲'으로 되어 있다.

11-19 古人有常服黃精枸杞而延齡者 抑亦淸淡遺世赤松子之徒乎

옛날 사람 중에 황정 구기자를 항상 먹어서 수명을 연장한 사람이 있었던 것은 또한 맑고 담담하게 세속을 떠난 적송자의 무리인가?

*赤松子는 신농씨 시대에 활약한 雨師이다. 곤륜산에 입산하여 선인이 되었다고 한다. 황정이나 구기자 같은 보약을 먹어서 장수했다라고 보기보다는 복잡하고 심란한 세속을 떠나 항상 몸과 마음을 맑고 담담하게 유지하였기 때문이라고 본 것이다. 7-6에서도 공자와 맹자 같은 성인은 장수하지 못했는데 일반 사람이 장수하는 이유에 대해서 설명하였다. 공자, 맹자도 젊었을 때는 미혹되는 것을 명하지 못하였고 살고 있는 시대가 혼란하여 마음이 쉴 틈 없이 긴장되어 장수하기 어려웠다. 몰지각한 보통 사람이 우연히 주색을 멀리하고 몸이 편안함을 얻어 마음 역시 긴장되지 않고 쉼이 있다면 장수할 수 있다. 적송자의 무리가 이러한 경우에 속한다.

11-20 少陽人 一偏哀心 輕銳事務而忘却居處 故少陽人尤不可好色
太陰人 一偏樂心 輕銳居處而忘却事務 故太陰人尤不可好貨
太陽人 一偏怒心 輕銳交遇而忘却黨與 故太陽人尤不可好酒
少陰人 一偏喜心 輕銳黨與而忘却交遇 故少陰人尤不可好權

少陽人은 哀心으로 치우치면 事務는 가볍고 민첩하게 하지만 居處는 망각한다. 그러므로 少陽人은 더욱 色을 좋아해서는 안된다.
太陰人은 樂心으로 치우치면 居處는 가볍고 민첩하게 하지만 事務는 망각한다. 그러므로 太陰人은 더욱 재화를 좋아해서는 안 된다.
太陽人은 怒心으로 치우치면 交遇는 가볍고 민첩하게 하지만 黨與는 망각한다. 그러므로 太陽人은 더욱 술을 좋아해서는 안 된다.
少陰人은 喜心으로 치우치면 黨與는 가볍고 민첩하게 하지만 交遇는 망각한다. 그러므로 少陰人은 더욱 권세를 좋아해서는 안 된다.

辛 3-3
太陽之脾 能勇統於交遇 而太陽之肝 不能雅立於黨與
少陰之肝 能雅立於黨與 而少陰之脾 不能勇統於交遇
少陽之肺 能敏達於事務 而少陽之腎 不能恒定於居處
太陰之腎 能恒定於居處 而太陰之肺 不能敏達於事務.

辛 3-6
太陽之交遇 可以怒治之 而黨與 不可以怒治之也 若遷怒於黨與 則無益於黨與 而肝傷也.
少陰之黨與 可以喜治之 而交遇 不可以喜治之也 若遷喜於交遇 則無益於交遇 而脾傷也.
少陽之事務 可以哀治之 而居處 不可以哀治之也 若遷哀於居處 則無益於居處 而腎傷也.
太陰之居處 可以樂治之 而事務 不可以樂治之也 若遷樂於事務 則無益於事務 而肺傷也.

*동무가 생각하는 병의 근본원인을 제시하였다. 7-1[336]에서 체질별로 酒色財權에 빠지거나 안으로 상하거나 밖으로 감촉되면 결국은 편소한 장국의 기운이 깎여 命脈實數가 결정된다고 하였다. 11-20에서도 酒色財權에 빠지지 않아야 情氣가 한쪽으로 치우치지 않아야 함을 제시하였다. 辛丑本에서 체질별로 能不能에 대해 제시하였다(辛 3-3). 그리고 능한 人事에 대해서는 편급된 情의 마음으로 다스릴 수 있지만 불능한 人事는 다스릴 수 없고 결국 불능한 人事를 행하는 장국은 상하게 된다(3-6). 즉 자기가 잘하는 방식으로 억지로 못하는 부분까지도 적용하니 당연히 제대로 人事가 이루어질 수가 없다. 11-20에서도 만약 한쪽으로 치우치면 그 마음을 바탕으로 자기가 능한 것만 과하게 하려하고 불능한 부분은 망각해버리게 된다고 하였다. 불능한 부분을 망각해버리면 결국 자기의 편소한 장국의 기운이 깎여 命脈實數 또한 줄어들게 된다.

酒色財權은 인간이 본능적 욕구 추구에 있어 땔래야 땔 수 없는 부분이다. 6-4[337]에서 食侈權財의 추구는 허락가능한 요소로 보았지만, 酒色寵貨까지 추구하는 것은 불가하다고 하였다. 즉 동무도 인간의 본능적 욕구 추구에 대해서는 어쩔 수 없음을 인정했지만 그 선을 넘는 것을 경계할 것을 강조한 것이다.

표 36. 체질별 酒色貨權에 의한 병의 발생 과정

	酒色貨權	情偏	能	不能
少陽人	色	哀	事務	居處
太陽人	酒	怒	交遇	黨與
少陰人	權	喜	黨與	交遇
太陰人	貨	樂	居處	事務

336) 草 7-1
太陽人 財權酒色 凡百內傷外觸 皆損肝 故太陽人 以肝臟剩削 爲命脉長短
太陰人 財權酒色 凡百內傷外觸 皆損肺 故太陰人 以肺臟剩削 爲命脉長短
少陽人 財權酒色 凡百內傷外觸 皆損腎 故少陽人 以腎臟剩削 爲命脉長短
少陰人 財權酒色 凡百內傷外觸 皆損脾 故少陰人 以脾臟剩削 爲命脉長短

337) 草 6-4
侈尙可也 色不可耽也
食尙可也 酒不可嗜也
權尙可也 寵不可擅也
財尙可也 貨不可慾也

※동무의 병리관을 정리해보자. 우선 인간은 酒色財權을 추구하는 본능을 가지고 있다. 이것이 바로 心慾이다. 이게 과도해지면 체질에 따라 한쪽으로 마음이 치우치게 된다. 이것이 情이 促急해지는 것이다.[338] 촉급해진 情氣로 자신의 능한 것뿐만 아니라 불능한 것까지 하려고 한다. 하지만 맞지 않는 자물쇠에 열쇠를 넣고 돌리면 결국 자물쇠가 망가지듯이 편소한 장국의 기운이 손상된다. 그 결과 편대한 장국과 편소한 장국의 편차는 더욱 더 커지게 되고 인간은 병에 걸리게 되는 것이다. 동무가 辛丑本 체질별 병증론 뒤에 광제설을 서술한 이유도 결국 인간이 병에 걸리는 가장 큰 이유는 酒色財權에 빠지기 때문이라고 파악했기 때문이다. 체질을 알고 性情을 확충하는 것은 요순이나 공맹과 같은 성인도 하기 어렵지만 酒色財權은 보통 사람들도 굳은 의지만 있으면 적절하게 조절할 수 있는 부분이기 때문에 인간이 수세보원하기 위해서 할 수 있는 가장 쉬운 방법일 수도 있다. 결국 동무 병리관의 가장 주된 病因은 바로 酒色財權이다.

11-21 酒色財氣 自古所戒 人間陷穽
酒色無度者 少年促壽
財氣不返者 中年促壽
一身夭秩 酒色爲財氣尊丈 全局殃孽[339] 財氣爲酒色伯兄
從酒則遺落世事 惑色則居處窘迫 酒毒色敗 與酒患色憂
兩相均敵 此所以酒色之爲害最大

酒色財氣는 예로부터 경계해야 하는 것으로 인간에게 함정이다. 酒色이 절도가 없으면 少年에 목숨이 촉박하고, 財氣에 돌이킴이 없으면 中年에 목숨이 촉박하다. 一身의 요절시키는 순서로 보면 酒色이 財氣의 웃어른이 되고 모든 재앙은 財氣가 酒色의 큰 형님이 된다.
술에 빠지면 세상 일을 빠뜨려 잊어버리고, 색에 미혹되면 居處가 구차하고 군색해진다. 酒毒色敗(술로 인한 독과 색으로 썩는 것)과 酒患色憂(술로 인한 근심과 색으로 인한 우환)는 두 가지가 서로 비슷하게 적이 된다. 이러한 까닭에 주색의 해로움이 가장 크다.

※주색재기라는 표현을 사용하였다. 이 표현은 명심보감 성심편에 나온다. "酒色財氣 四堵墻 多少賢愚內在廂 若有世人 跳得出 便是神仙 不死方(술, 여색, 재물, 혈기 이 네 가

338) 草 1-11
太陽人 哀性闊散而怒情促急 哀性闊散則氣注肺而肺益壯
怒情促急則氣激肝而肝益削 太陽人肺實肝虛者 此之故也少陽人 怒性闊散而哀情促急 怒性闊散則氣注脾而脾益壯
哀情促急則氣激腎而腎益削 少陽人脾實腎虛者 此之故也太陰人 喜性闊散而樂情促急 喜性闊散則氣注肝而肝益壯
樂情促急則氣激肺而肺益削 太陰人肝實肺虛者 此之故也少陰人 樂性闊散而喜情促急 樂性闊散則氣注腎而腎益壯
喜情促急則氣激脾而脾益削 少陰人腎實脾虛者 此之故也
339) 朝醫學에는 '孼'로 되어 있다. 孼은 재앙을 뜻하고 음은 '얼'.

지로 쌓은 담 안에 수많은 어진 사람과 어리석은 사람이 안방과 행랑에 들어있는데 만약 세상 사람들이 이곳에서 뛰쳐나올 수 있다면 그것이 바로 신선과 마찬가지로 죽지 않는 방법이다)"이라고 하였다. 權 대신 氣라고 표현하였는데 이것은 권력을 좇는 혈기라고 보는 게 좋을 것 같다. 명심보감에서도 酒色財權이라는 담을 넘어야 신선같이 몸과 마음을 편안하게 하여 장수할 수 있다고 하였다. 동무의 의도와 같다고 볼 수 있다. 젊었을 때는 시기상 돈도 권력도 충분하지 않고 추구하기 쉬운 대상도 아니다. 술과 色慾은 쉽게 빠지기 쉬운 대상이다. 따라서 주색에 절도가 없으면 젊었을 때 요절할 수 있다. 중년이 되면 돈도 어느 정도 있고, 권력도 생기게 된다. 이때 돌이켜 반성하지 않고 계속 재물과 권력을 추구하면 결국 목숨을 단축할 수도 있다. 요절은 젊은 나이에 죽는 것을 의미하는데 원인은 당연히 재기보다는 주색이다. 재앙이라는 것은 뜻하지 않는 불행한 변고를 의미하는데 재기를 추구하다 보면 항상 사건사고가 끊이지 않게 되기 때문에 재앙의 원인은 주색보다는 재기이다.

동무는 수세보원이라고 책명을 정한 것처럼 인간이 장수하는 것을 가장 큰 복으로 여겼다. 수명에 직접적인 영향을 줄 수 있는 술과 색욕의 해로움을 가장 크게 보았다. 酒毒으로 인해 몸이 상하고, 색욕이 과하면 정이 손상되어 몸이 피폐해진다. 그리고 술에 빠지면 나태해져 해야만 하는 일을 하지 않고 잊어버리지만 그 결과 근심은 계속 쌓여만 가고, 색욕에 빠지면 자기가 꼭 편안하도록 잘 다스려야 하는 居處가 군색해져 우환이 끊임없다. 결국 주색은 몸을 직접적으로 손상시키기도 하지만 정신적으로도 피폐해지기 때문에 해로움이 가장 크다.

11-22 從酒而遺落世事　忘却憂患則　憂患永不來　臟氣似不傷損而爲大損傷者何耶
曰　人心至靈　雖欲自欺　終不欺得　故有憂患則變通之　然後臟氣安活也
若忘却憂患則　憂患益積如山　雖外面安置天然　强爲忘却而窘迫錯亂　實如刀割　此所以酒之爲害最大

술에 빠져 세상 일을 빠뜨려 잊어버리고, 우환을 망각하면 우환이 영원히 오지 않아서 장의 기운이 손상받지 않을 것 같은데 크게 손상받는 것은 어떤 까닭입니까?
이르길 "사람의 마음은 지극히 신령스러워 비록 스스로 속이고자 하나 끝내 속임을 얻지 못한다. 따라서 우환이 있으면 변통한 후에야 臟氣가 편안하게 한다. 만약 우환을 망각하면 우환은 더욱 산처럼 쌓이고 비록 겉으로 천연덕스럽게 편안한 듯하지만 억지로 망각하면 군핍하고 뒤섞여 어지러워지니 진실로 칼로 베는 것과 같다. 이러한 까닭에 술이 가장 해로운 바가 되는 것이다.

*술로 세상일을 잊고, 우환도 망각하려 하지만 사람 마음은 절대 스스로를 속일 수가 없다. 잊으면 잊으려 할수록 우환이 산처럼 쌓여 칼로 베는 것처럼 臟氣를 손상시킨다. 술로 우환을 해결하는 게 아니라 근면하게 세상일을 해야지만 진실로 우환을 변통할 수 있고, 그래야 마음도 편하고 臟氣도 편안해지고 활발해진다.

辛 16-20
懶怠者之心 極其麤猛 不欲積工之寸累[340] 每有虛大之甕算[341]
　蓋其心 甚憚勤幹故 欲逃其身於酒國 以姑避勤幹之計也.
凡懶怠者 無不縱酒 但見縱者 則必知其爲懶怠人心 麤猛也.

辛 16-21
酒色之殺人者 人皆曰 酒毒枯腸 色勞竭精云 此 知其一 未知其二也.
　縱酒者 厭勤其身 憂患如山 惑色者 深愛其女 憂患如刀 萬端心曲 與酒毒色勞幷力攻之而 殺人[342]也.

辛丑本의 내용을 보면, 나태한 사람은 술에 빠져 조금씩 工을 쌓기보다는 항상 헛되이 큰 꿈만 꾸고 성실하게 노력은 하지 않고 결국 술로 인생을 허비한다. 그 결과 심적으로는 지극히 사납고 맹렬하다. 주색은 사람을 죽이는데 단순히 腸을 마르게 하고 精을 고갈시켜서가 아니라 우환으로 인해 마음을 만 갈래로 찢어 사람을 죽게 하는 것이다. 草本卷의 설명과 통하는 부분이 있다.

11-23 **太陰人 釀甘桑菖蒲燒酒 少陰人 釀桂皮濁酒 勤簡之餘 有時遺與則 吉也**
太陽人 釀葡萄獼猴桃淸酒 少陽人 釀生地黃枸杞子藥酒 宴享[343]之時 與衆人同樂則 好也

太陰人은 감국, 뽕나무, 창포로 빚은 소주, 少陰人은 계지로 빚은 탁주를 부지런하고 간소한 가운에 때때로 남겨줌이 있으면 길하다.
太陽人은 포도 미후도로 빚은 청주를, 少陽人은 생지황 구기자로 빚은 약주를 잔치 때 다른 사람들과 더불어 같이 즐기면 좋다.

*체질별로 복용 가능한 술의 종류를 서술하였다. 우선 太陰人은 소주, 少陰人은 탁주, 太

340) 寸累: 잔돈 부스러기
341) 甕算:옹기 장사
342) 『東醫壽世保元』7판본에 '殺大'로 되어 있다.
343) 朝醫學에는 '宴亨'으로 되어 있으나, 국빈을 대접하는 잔치라는 의미로 '宴享'이 옳다.

陽人은 청주, 少陽人은 약주로 구분하였다. 전통주는 보통 고두밥에 누룩과 물을 섞어서 발효하여 만든다. 이때 술을 빚고 거르지 않은 상태에서 위로 맑게 고인 술이 청주이고, 처음부터 청주를 떠내지 않거나 청주를 떠내고 남은 것을 거른 술을 탁주라고 한다. 즉 빚은 술 위쪽 가볍고 맑은 부분이 청주, 아래쪽 탁하고 무거운 부분이 탁주이다. 소주는 빚은 술을 증류시켜 얻은 술이다. 약주는 약재 자체를 술에 넣어 완전히 우러나오도록 담근다. 술을 마시는 목적보다도 그 약재 성분을 최대한 알코올로 추출해서 먹기 위함이다.

太陰人은 국화, 오디, 창포 뿌리즙으로 빚은 소주를 소개하였다. 우선 소주는 도수가 높은 증류주를 의미한다. 증류주는 발산하는 성질이 강하여 呼散之氣가 부족하고 吸聚之氣가 과한 太陰人한테 적합하다. 少陰人은 계지로 빚은 탁주를 소개하였다. 탁주는 막걸리를 의미하는데 도수가 낮고 발효되는 과정에서 소화에 도움이 되는 효소들이 생성된다. 따라서 비기가 약한 少陰人에게 도움이 될 수 있다. 청주는 맑고 무거운 느낌의 술이다. 太陽人의 부족한 吸聚之氣를 보충하는 측면에서 도움이 될 수 있다. 포도나 다래로 술을 빚어 맑은 부분을 위주로 마신다. 약주는 다른 술처럼 체에 걸러서 먹기보다는 약재 자체를 술과 함께 넣어서 마신다. 약재 성분이 가장 온전하게 보존되어 있는 형태이고 무거운 느낌의 술이다. 少陽人의 陰淸之氣를 보충하는 측면에서 적합한 술의 형태로 보인다. 동무유고에서 체질에 따라 약재 선택에 있어 馨臭液味를 제시하였다.[344] 술의 종류 선택에 있어 이러한 관점도 반영된 것으로 보인다.

표 37. 체질별 술의 형태 및 재료

	술의 형태	재료	馨臭液味
太陽人	淸酒	葡萄 獼猴桃	液
少陽人	藥酒	生地黃 枸杞子	味
太陰人	燒酒	甘 桑 菖	馨
少陰人	濁酒	桂皮	臭

소주 형태의 술인 위스키, 보드카, 럼 등을 보면 향이 강렬하고 코끝을 찌르는 듯한 발산력을 느낄 수 있다. 탁주는 냄새가 은근히 퍼지며 어느새 공간을 그득하게 채운다. 청주는 냄새보다는 맑으면서 무거운 느낌이 든다. 약주는 맛이 뚜렷하고 무거운 느낌이 든다.

*陰人과 陽人의 음주원칙도 제시하였다. 陰人들은 부지런하고 간소한 삶을 사는 가운데 마시는 것은 괜찮다. 또한 때때로는 끝까지 마시지 않고 중간에 멈출 줄 알아야 한다. 陰人들은 술을 마시면 기쁨과 즐거운 마음이 과도해질 수 있다. 그 결과 술 자체에 과하게 탐닉할 수 있다. 따라서 평소 일하다가 가끔 기분 내기 위해 소량의 음주를 하는 것이 적절하다.

344) 『東武遺稿·總論』
四藥之於四臟也 馨歸於肺 臭歸於脾 液歸於肝 味歸於腎

陽人들은 잔치와 같이 여러 사람과 더불어서 같이 즐겁게 마시는 게 좋다고 하였다. 陽人들은 술을 마시면 분노나 슬픔이 과해질 수 있다. 따라서 좋은 날 좋은 사람들과 즐겁게 마셔야 그러한 감정에 빠지지 않을 수 있다.

11-24 少陰人 忌猪糆[345]不忌鷄
少陽人 忌鷄酒而不忌猪
太陰人 忌糆而不忌酒
太陽人 忌酒而不忌糆
然者此則 平常時所論也 若疾病則 太少陰陽人 皆不可近酒

少陰人은 돼지고기와 면을 꺼려야 하지만 닭고기는 꺼리지 않는다.
少陽人은 닭고기와 술은 꺼려야 하지만 돼지고기는 꺼리지 않는다.
太陰人은 면은 꺼리지만 술은 꺼리지 않는다.
太陽人은 술은 꺼리지만 면은 꺼리지 않는다.
그러나 이것은 평상시를 논한 것이다. 만약 질병이 있다면 태소음양인 모두 술을 가까이 하는 것은 불가하다.

*음식 섭취 시 주의할 점을 체질별로 제시하였다. 평소 술은 陽人들은 모두 꺼리라고 하였고, 太陰人은 꺼리지 않아도 된다고 하였지만 少陰人은 특별히 제한하지 않았다. 麵의 경우에는 음인들은 꺼려야 하고, 太陽人은 꺼리지 않아도 되지만 少陽人은 특별히 제한하지 않았다. 糆은 메밀을 의미한다. 대맥은 보리, 소맥은 밀이다. 메밀은 교맥이라고 하는데 太陽人 약으로 활용되었다.[346] 술은 양인이 꺼리는 것이 좋고, 메밀은 음인이 꺼리는 것이 좋다. 흔히 접할 수 있는 돼지고기와 닭고기의 경우에는 少陽人과 少陰人으로 나누어 설명하였다. 少陰人은 돼지고기를, 少陽人은 닭고기를 가리도록 하였다.

11-25 燒酒爲太陰好藥 間或飯時一盃[347]則 消滯通氣足也
若每日長醉十餘盃則 好藥反爲毒藥

소주는 太陰人에게 좋은 약이 된다. 간혹 식사 때 한 잔 마시면 막힌 것을 사그라트리고 기를

345) 手抄本에는 '糆', 朝醫學에는 '面'으로 되어 있다. 본문에서 太陽人은 '糆'을 꺼리지 않는다고 하였으므로, '메밀국수'의 의미로 보는 것이 좋을 것이다.
346) 草 15-1
乾柿湯
治太陽人表證
乾柿 五加皮 蕎麥 各三錢
347) 朝醫學에는 '杯'로 되어 있다. '盃'와 '杯'는 同字.

통하게 하는 데 충분하다. 만약 매일 10여 잔을 마시면 좋은 약도 도리어 독약이 된다.

*11-24에서 太陰人은 술을 꺼리지 않아도 된다고 하였다. 이때 술은 소주를 의미한다. 그 이유는 太陰人은 吸聚之氣가 강하여 滯證이 잘 생길 수 있는데 소주를 통해 消滯通氣하는 것은 도움이 되기 때문이다. 하지만 매일매일 과음하는 것은 太陰人도 불가하다.

11-26 少陽人水銀比諸少陰人之參茸則 藥力加倍 以其加倍之藥力 故療病雖捷爲害亦大 用之者 不可以尋常視之也
水銀有蟲之效 曾見少陰人頭瘡累年不愈者 有熏水銀而得效者 然少陰人完實者外 實不可輕[348]用
服輕粉熏水銀者 必祭祀齋戒[349] 極敬極愼 一二月間 不可任意冒風觸冷 洗手 易衣 梳頭 犯此忌者 必死
輕粉有大毒 命脉弱者不可 若不得已用之則 小嘗試之而可堪 然後見機而圖之可也

少陽人의 수은은 少陰人의 인삼 녹용과 비교하면 약력이 배는 더 있다. 배가 되는 약력 때문에 병을 치료하는 데는 비록 빠르지만 해로움 역시 크기 때문에 수은을 쓸 경우에는 결코 예사롭게 보아서는 안 된다.
수은은 벌레를 다스리는 효과가 있다. 일찍이 少陰人 두창이 여러 해가 지나도록 낫지 않던 사람에게 수은을 훈증하였더니 효과가 있는 것을 보았다. 그러나 少陰人으로 완전히 건실한 사람 외에는 실제로 가볍게 쓰는 것은 불가하다.
경분을 복용하고 수은을 훈증한 사람은 반드시 몸과 마음을 깨끗이 하고 부정한 일을 멀리하여 제사를 지내고 지극히 공경하고 지극히 삼가면서 1~2개월간 임의로 바람을 맞거나, 냉기에 감촉되거나, 손을 씻거나, 옷을 갈아입거나, 머리를 빗어서도 안 된다. 이러한 금기 사항을 위범하면 반드시 죽는다.
경분은 큰 독이 있어 명맥이 약한 사람은 쓸 수 없다. 만약 부득이하게 쓴다면 조금 맛보기로 시험해서 감당이 가능한지 확인 연후에 기회를 보고 도모하는 것이 옳다.

*수은을 활용하는 원칙을 설명하였다. 여기서도 녹용을 少陰人 약으로 보았다. 과거 수은은 세균이나 바이러스성 감염질환에 활용하였다. 복용하기도 하고 훈증하여 연기를 쏘이기도 하였다. 두창은 바이러스성 질환으로 발열, 수포, 농포성의 피부변화를 특징으로 하는 급성질환이다. 이러한 피부염 부위에 수은 연기를 쐬어 치료하고자 하였다. 건강한 少陰人의 경우에는 효과가 있는 것도 관찰하였다. 수은은 체질을 불문하고 강력한 항균 또는 항바이러스 효과가 발휘될 수 있다. 하지만 독성이 강하기 때문에 그나마 체질적으로

348) 朝醫學에는 '暫'으로 되어 있다.
349) 朝醫學에는 '齊戒戒'로 되어 있다.

적합한 少陽人에게는 쓸 수 있지만 다른 체질에 사용한 경우 위험한 상황에 놓이는 것을 동무가 관찰한 것으로 보인다.
만약 사용한 경우 최대한 새로운 감염이 발생하지 않도록 주의해야 한다. 몸과 마음을 정갈하게 하고, 씻거나 환복하거나 머리 빗는 것과 같은 일상생활에서도 풍한에 의한 감기나 상한에 주의해야 한다. 마치 항암치료 후에 면역력이 저하된 시기 동안 피부상처나 감기에 걸려 폐렴이나 패혈증이 오는 것을 최대한 조심해야 하는 것과 같다.

11-27 **三軍之行 無慮蕩蕩則敗[350] 有備正正則勝**
救病千萬 以兩言決之曰 莫如預防二字

三軍의 행군하는 데 사려함이 없이 크기만 하면 패하고, 대비하여 바르고 떳떳하면 이긴다. 병을 구제하는 방법이 천만 가지가 있더라도 두 마디로 결정하여 말하면 '예방' 두 글자 만한 것이 없다.

*결국 예방이 가장 중요하다. 전군이 행군을 해서 전쟁을 치르러 가더라도 아무 생각 없이 군세만 크다면 전쟁에서 이기기가 어렵다. 항상 미리 대비해서 흐트러짐 없이 싸움에 임해야 이길 수 있다. 병을 치료함에 있어서도 그냥 생각 없이 많이 쓰고 강하게 쓴다고 해서 고칠 수 있는 것이 아니라 병 자체에 걸리지 않도록 미리 예방하는 것이 최선의 방법이다.

11-28 **問 人之心術善惡 有關壽夭乎**
曰 一國之中心術善者持國則 一國心氣皆活發而人民多壽
心術惡者持國則 一國心氣皆窘促而人民多夭 一邦一鄕一家亦然

묻기를 "사람의 마음씨가 착하고 악한 것이 장수함과 요절함과 관련이 있습니까?"
답하길 "한 나라에서 마음씨가 착한 사람이 나라를 잡으면 한 나라의 心氣가 활발하고 인민 다수가 장수한다. 마음씨가 악한 사람이 나라를 잡으면 한 나라의 心氣가 모두 군색하고 촉급하여 인민 다수가 요절한다. 한 나라 한 지방 한 집안이 또한 그러하다."

*善惡과 수명의 관련성을 설명하였다. 선한 사람이 중심이 되어 나라나 지방 집안이 돌아가면 구성원들의 마음이 항상 편안하고 활발하기 때문에 性情이 안정되어 장수하는 사람이 많아진다. 악한 사람이 중심이 되어 나라나 지방 집안이 돌아가면 구성원들의 마음은 항상 군색하고 촉급하기 때문에 性情이 흔들려 요절하는 사람이 많아진다.

350) 手抄本과 朝醫學에는 '敗則'으로 되어 있으나, '則敗'가 옳다.

辛 16-5
善人之家 善人必聚 惡人之家 惡人必聚
善人多聚 則善人之臟氣 活動 惡人多聚 則惡人之心氣 强旺
酒色財權之家 惡人多聚 故其家孝男孝婦受病.

辛丑本에서 착한 사람들이 많이 모이면 장의 기운이 활발하게 움직이고, 악한 사람들이 많이 모이면 마음의 기운이 강하게 왕성해진다고 하였다. 酒色財權을 좋아하는 집안에는 악인들이 많이 모이는데 그 결과 선한 아들이나 선한 부인이 병을 얻게 된다. 결국 집안에 악인만 남게 되고 그 집안은 망하게 된다.

11-29 **一國之中 忠佞幷爭 則殺戮必至**
一家之中 善惡相凌則 喪忘[351]亦隨
是故 善憂國者 能看忠邦之漸而善避之
善憂家者 早辨善惡之兆而善處之

한 나라 안에 충신과 아첨꾼이 서로 다투면 살육에 반드시 이르게 된다.
한 집안 안에 선악이 서로 능멸하면 죽고 끝남이 또한 뒤따른다.
이와 같은 까닭에, 나라를 걱정하기를 잘하는 사람은 능히 나라에 충성하는 기미를 보고 잘 피한다.
집안 걱정하기를 잘하는 사람은 선악의 징조를 일찍 판별하여 잘 대처한다.

*나라나 집안에 악한 사람들이 있어 선한 사람들과 다투면 결국 사람이 죽고 망하게 된다. 미리 악함을 인지해서 그에 따른 대처를 해야만 한다.

*辛 16-7
人家 凡事不成 疾病連綿 善惡相持 其家將敗之地 惟明哲之慈父孝子 處之有術也.

辛丑本에서 어느 집안에 일이 계속 이루어지지 않고, 질병이 연이어 나타나고 선한 사람과 악한 사람이 서로 맞서면 그 집안이 장차 망하는 지경이라고 하였다. 이때 명철하고 자애로운 아버지나 효자만이 처리할 재주가 있다고 했다. 善憂國者와 善憂家者가 바로 明哲之慈父孝子이다. 즉, 나라나 집안이 무탈하게 돌아가기 위해서는 항상 명철하게 선악을 판단할 수 있어야 한다. 그리고 너무 명철하기만 하면 엄해질 수 있기 때문에 자애로움과 효성스러움 즉, 사랑이 함께 해야 한다.

351) 手抄本과 朝醫學에는 '喪忘'으로 되어 있으나, '喪亡'이 옳다.

11-30 凡病人在痼病久病 後悔多 善心發以療病爲第一事件 其他千萬事爲第二事件 如此者命脉雖甚弱 庶有回生應之也
病人在痼病久病 慾心多後悔少 喜人承奉以療爲第二事件 以許多豪侈[352]外慾爲第一件事
如此者命脉雖不甚[353]弱 心[354]無回生之望也

무릇 환자가 고질병이나 오래된 병에 이르러 후회를 많이 하고 선한 마음을 발하여 병을 치료하는 것을 첫째 일로 하고, 기타 천만 가지는 둘째 일로 한다. 이와 같은 자는 명맥이 비록 심히 약하나 거의 회생에 응함이 있다.
환자가 고질병이나 오래된 병에 이르러 욕심은 많고 후회는 적고 다른 사람의 조언을 받들어 지켜 치료하는 것을 기뻐하는 것을 둘째 일로 하고, 수많은 호사스러움과 밖을 향한 욕심을 첫째 일로 한다. 이와 같은 자는 명맥이 비록 심히 약하지 않더라도 마음에 회생할 가망이 없다.

※病變할 수 있는 핵심을 이야기하였다. 후회를 한다는 것은 자신의 과오를 반성한다는 것이다. 그래야만 선한 마음을 발현할 수 있다. 그러한 마음을 바탕으로 병을 치료하는 것을 제1조건으로 삼아야 한다. 다른 방법들은 모두 차선책일 뿐이다. 후회하고 선한 마음으로 병을 치료하다 보면 명맥이 매우 약하더라도 病變하여 命脈實數가 거의 회생된다. 반대로 욕심은 많고 후회는 하지 않으며 남의 조언은 귀담아듣지 않고, 오직 호사스럽게 자신을 꾸미고 겉으로 욕심 부리는 것을 우선시하면 명맥이 약하지 않더라도 회생될 가능성이 없다.

※辛 16-23
天下之惡 莫多於妬賢嫉能
天下之善 莫大於好賢樂善
不妬賢嫉能而爲惡 則惡必不多也
不好賢樂善而爲善 則善必不大也
歷稽往牒[355] 天下之受病 都出於妬賢嫉能
天下之救病 都出於好賢樂善
故曰 妬賢嫉能 天下之多病也
好賢樂善 天下之大藥也.

辛丑本 광제설의 결론이자 수세보원의 결론이라고 볼 수 있는 부분이다. 善心發以療

352) 手抄本에는 '像侈', 朝醫學에는 '豪侈'로 되어 있다. 문맥상 '豪侈'가 옳다.
353) 手抄本과 朝醫學에는 '堪'으로 되어 있으나, 문맥상 '甚'이 옳다.
354) 手抄本에는 '心'이 있으나, 朝醫學에는 '心'이 없다. '心'없이 해석하는 것이 편하다.
355) 歷稽: 차례차례로 상고함 往牒: 지나간 기록

病爲第一事件이 바로 好賢樂善이다. 이거보다 위대한 약은 없다. 許多豪侈外慾爲第一件事이 바로 妬賢嫉能이다. 이것이 바로 만병의 근원이다.

右病變之第六統
東醫四象草本卷之二[356]終

356) 手抄本에서는 '卷之二'를 '卷之三'으로 잘못 표현하고 있다.

☆病變 6통 요약

病變 6통은 藥方으로 들어가기 전 동무의 用藥觀이 담겨 있다. 장중경의 육경병증을 체질에 따라 분류하였다. 그리고 고방에 대해서 자신의 체질적 특성을 고려하여 변경한 신방이 더 낫다고 하였다. 병세의 완급, 환자의 상태에 따른 용약법도 제시하였으며, 법제에 대해서도 서술하였다. 특히 체질적 방제의 원칙을 太陰人은 通外, 太陽人은 固中, 少陽人은 淸腸, 少陰人은 溫裏로 요약하였다. 臟氣와 藥氣의 조화를 강조하였으며, 약을 쓰는 목적에 따른 투약기간도 제시하였다. 병의 가장 근본적인 원인이 '酒色財權'임을 또다시 제시하였고, 특히 酒色이 병이 되는 원인을 상세히 설명하였다. 부가적으로 체질별 음주원칙, 음식섭생을 제시하였다. 끝으로 선한 마음으로 병을 다스리는 것을 病變의 핵심이라고 제시하며 券之二를 마무리하였다.

卷之三 藥方

草本卷 藥方에는 甲午本, 辛丑本보다 제시되는 처방의 종류와 본초의 종류가 훨씬 많다. 동무가 창방하는 과정에서 여러 본초를 체질별로 나누어 적합하게 활용하기 위해 노력했다는 것을 약방을 통해 확인할 수 있다.
소양인 약방을 통해 동무가 패독산과 육미지황탕을 중심으로 소양인병을 다루고자 했음을 알 수 있다.
소음인 약방을 통해 곽향정기산 사군자탕 사물탕 보중익기탕을 중심으로 소음인병을 다루고자 했음을 알 수 있다.
태음인 약방을 통해 소음인 소양인과 달리 寒熱病證에 대한 구별이 草本卷에서 부족하였고, 주로 땀이나 대변을 통해 通外에 집중했음을 알 수 있다.
태양인 약방을 통해서는 과일이나 채소를 활용해서 固中하여 태양인병을 다루고자 했음을 알 수 있다.

12-1 敗毒散

少陽外感
本方 加 石膏 二錢 名曰 石膏敗毒散 治運氣瘧疾 熱多寒少之證
加 柴胡 一錢 名曰 柴胡敗毒散 治上同
加 猪苓 一錢 益加 木通 一錢 名曰 木通敗毒散 治浮腫
加 玄參 一錢 名曰 玄參敗毒散 治咽喉
合因三貼藥 置釜中鼎中 用水三大碗 煮成一大碗 分三次服 或一次頓服 分三次服者 予煎藥 惡寒欲發未[357]發之時 一次服 間一食頃惡寒大發時又一次服 又間食頃又一次服 若煮藥未及 而惡寒已發頃 大發時一次恒服
天行時氣之病 張仲景盡稱[358]傷寒病 今俗稱[219]運氣 從俗無妨 故病名異稱[219]
羌活 獨活 柴胡 前胡 木通 車前子 生地 赤茯苓 防風 各二錢 荊芥 五分 甘草 三分

패독산
少陽人의 외감
본방에 석고 2돈을 더하면 石膏敗毒散이라 명명한다. 運氣病과 瘧疾의 熱多寒少證을 치료한다.
본방에 시호 1돈을 더하면 柴胡敗毒散이라 명명한다. 위와 같은 증상을 치료한다.
본방에 저령 1돈을 더하고 목통 1돈을 더욱 더하면 木通敗毒散이라 명명한다. 浮腫을 치료한다.
본방에 현삼 1돈을 더하면 玄參敗毒散이라고 명명한다. 咽喉病을 치료한다.

세 첩의 약을 합쳐 부엌 가마솥 안에 넣고 물을 큰 그릇으로 세 사발 붓고 한 사발이 되도록 끓인 다음 세 번에 나누어 복용하거나 혹은 한 번에 다 먹는다. 세 번에 나누어 먹는 사람은 오한이 나타나려고 하지만 나타나기 전에 한 번 복용하고 한 끼의 밥을 먹을 정도의 시간을 두고 오한이 크게 나타날 때 또 한 번 복용하고, 또 한 끼의 밥을 먹을 정도의 시간을 두고 또 한 번 복용한다. 만약 약의 달임이 아직 미치지 못했는데 오한이 이미 나타났을 무렵이면 오한이 크게 나타날 때 한 번에 먹는다.

天行時氣의 병을 장중경은 모두 傷寒病이라 불렀고, 지금 통속적으로 運氣라 부르는데 통속적인 것을 따라도 무방하다. 따라서 병의 명칭이 다르게 불린다.

강활, 독활, 시호, 전호, 목통, 차전자, 생지황, 적복령, 방풍 각 2돈, 형개 5푼, 감초 3푼

357) 朝醫學에는 '末'로 되어 있다.
358) 朝醫學에는 '補'로 되어 있다.

*辛丑本에서 동무는 공신의 형방패독산을 三神山의 不死藥이라고 극찬하였다. 그리고 새로 고쳐서 사용할 때 감초를 제거했는데[359] 草本卷에서는 감초를 빼지 않고 사용하였다. 약재를 추가해서 여러 상황에 대처하고자 하였다. 운기병이나 학질 같이 발열 양상이 심한 경우에는 석고를 2돈 사용하였다.

시호도 발열이 뚜렷한 경우 1돈을 더 증량해서 사용하였다. 부종이 뚜렷한 경우에는 저령을 추가하고 목통을 증량해서 활용하였다. 인후쪽에 증상이 있을 경우에는 현삼을 추가하여 활용하였다. 이러한 약재 활용은 사상처방의 활용을 더욱 더 풍부하게 해줄 수 있는 소중한 자료이다.

복약법 또한 아주 상세하게 기술하였다. 하루 세 첩을 하루에 썼는데 이 경우는 환자의 상태가 독감과 같은 급성 감염성 질환으로 생각된다. 1번 복용량이 1첩이기 때문에 현재 보통 하루 2첩을 2번 또는 3번에 나눠 복용하는 것과 비교하면 용량이 많다. 쓰는 기준은 약이 미리 준비되었으면 오한이 나타나기 전 미리 한 번 먹고 지켜본 뒤 오한이 크게 나타나면 한 번 복용하고 그 후 추가로 한 번 더 복용한다. 만약 약이 준비되기 전에 오한이 나타나면 오한이 심한 시점에 한 번에 다 복용한다. 동무가 어떤 식으로 환자를 관리했는지 알 수 있는 대목이다.

장중경의 상한병을 동무는 유행성 질환으로 보았다. 동무시대에는 상한병보다는 운기병이라고 부르는 경우가 더 많았다. 독감으로 인해 조선시대 많은 사람들이 죽었는데 이러한 상황을 해결하기 위해 동무도 의학을 통해 궁리하였다.

표 38. 패독산 가감

症	加	名
運氣瘧疾 熱多寒少之證	石膏 柴胡	石膏敗毒散 柴胡敗毒散
浮腫	猪苓 木通	木通敗毒散
咽喉	玄參	玄參敗毒散

359) 荊防敗毒散
羌活 獨活 柴胡 前胡 赤茯苓 荊芥穗 防風 枳殼 桔梗 川芎 人蔘 甘草 各一錢 薄荷 少許
○ 治傷寒時氣 發熱 頭痛 項强 肢體煩疼
○ 今考更定 此方 當去 枳殼 桔梗 川芎 人蔘 甘草

12-2 六味地黃湯

治內傷虛勞虛損
本方 加 地骨皮 貝母 各一錢 名曰 地骨皮地黃湯 治盜汗咳嗽
加 黃柏 知母 各二錢 名曰 知柏地黃湯 治陰虛便血
加 牛膝 車前子 各一錢 治水腫
加 竹瀝 生地黃 治吐血
虛損者 十五日三十貼服之 虛勞者 百五十日[360] 三百貼服之 用水三瓢 煮成一瓢[361] 炭火濃煎 半空心日再服
熟地黃 四錢 山茱萸 枸杞子 各三錢 白茯苓[362] 澤瀉 各二錢 牧丹皮[363] 一錢

육미지황탕
내상의 허로 허손을 치료한다.
본방에 지골피, 패모 1돈을 더하면 地骨皮地黃湯으로 명명한다. 盜汗咳嗽를 치료한다.
본방에 황백, 지모 2돈을 더하면 知柏地黃湯으로 명명한다. 陰虛便血을 치료한다.
본방에 우슬, 차전자 1돈을 더하면 水腫을 치료한다.
본방에 죽력, 생지황을 더하면 吐血을 치료한다.

허손한 자는 15일간 30첩을 복약하고, 허로한 사람은 150일간 300첩을 복용한다. 표주박 세 개의 물을 넣고 표주박 한 개 정도 되도록 끓이는데 숯불로 진하게 끓인다. 속이 반쯤 비었을 때 하루 2번 먹는다.

숙지황 4돈, 산수유, 구기자 3돈, 백복령, 택사 2돈, 목단피 1돈

*육미지황탕은 동무가 少陽人 망음병 복통으로 고통스러울 때 활용하였다.[364] 그리고 傷寒譫語證에도 의학경험이 부족할 때 우선 쓰기도 하였다.[365] 辛丑本에서는 주로 형방지황탕, 독활지황탕으로 새로 만들어 사용하였다. 草本卷에서 육미지황탕에 약재를 추가하여 다양한 증상에 대처하려고 하였다. 도한이나 기침을 할 때는 지골피, 패모를 추가하였다. 음허증상이 뚜렷하거나 혈변을 볼 때는 황백과 지모를 추가하였다. 부종이 뚜렷할

360) 朝醫學에는 '百五十三日'로 되어 있다.
361) 手抄本에는 '煮成一瓢'가 중복되어 있다.
362) 朝醫學에는 '白朮, 茯苓'으로 되어 있다.
363) 朝醫學에는 '牧丹及'으로 되어 있다.
364) 辛 9-30
嘗見 少陽人 恒有腹痛患苦者 用六味地黃湯 六十貼 而病愈
365) 辛 9-41
少陽人 一人 得傷寒 寒多熱少之病 四五日後 午未辰刻 喘促短氣
伊時 經驗未熟 但知少陽人應用藥 六味湯 最好之理故 不敢用他藥
而秪用六味湯一貼 病人喘促 卽時頓定

때는 우슬, 차전자를 추가하였다. 토혈을 할 때는 죽력, 생지황을 추가하였다.

주로 허손하거나 허로할 때 썼는데 少陽人의 陰淸之氣를 보충하는 목적이 뚜렷한 약이다. 어느 정도 음허한 증상이 있는 사람은 하루 2첩씩 15일을 먹고, 더 심각하게 음기가 부족할 경우에는 하루 2첩씩 150일을 복용하라고 하였다. 조제법 역시 숯불이라는 화력이 센 불로 1/3로 줄 때까지 진하게 달여서 복용하도록 했다. 그리고 식후 일정시간이 지나 중간 정도의 공복감이 들 때 복용하도록 하였다. 육미지황탕의 조제, 복약시간, 복약기간에 대해 충분한 경험과 원칙이 있다.

표 39. 육미지황탕 가감

症	加	名
盜汗咳嗽	地骨皮 貝母	地骨皮地黃湯
陰虛便血	黃柏 知母	知柏地黃湯
水腫	牛膝 車前子	
吐血	竹瀝 生地黃	

12-3 消毒散火湯

治小兒痘疹 癮疹
本方 加 石膏 生地黃 淸火之力 尤大
治小兒異於大人 用藥不可太峻 服藥時 可以誘導 不可却抑
玄參 地骨皮 連翹 黃連 山梔子 防風 荊芥 牛蒡子 各一錢

소독산화탕
소아의 두진, 은진을 치료한다.
본방에 석고, 생지황을 가하면 화를 맑히는 힘이 더욱 커진다.
소아는 대인과 치료하는 것이 달라, 약을 쓸 때 너무 강하게 쓰지 말고, 약을 먹을 때 유도하는 것이 좋지 억지로 먹이는 것은 불가하다.

현삼, 지골피, 연교, 황련, 산치자, 방풍, 형개, 우방자 각 1돈

*辛丑本에서 양격산화탕[366]을 纏喉風, 脣腫, 上消, 盜汗 등에 활용하였다. 草本卷의 소독산화탕과 가깝다. 동무는 火 즉, 열증이 뚜렷할 때는 앞에서 석고를 패독산에 추가하여

366) 凉膈散火湯
生地黃 忍冬藤 連翹 各二錢 山梔子 薄荷 知母 石膏 防風 荊芥 各一錢
右方 治上消者 宜用

활용하였다. 소독산화탕에서는 열증을 적극적으로 치료할 때는 생지황과 석고를 추가하도록 하였다. 그리고 소아와 성인은 약을 쓰는 방식에 있어서 차이가 있어야 함을 분명히 하였다. 억지로 먹이지 말고 잘 달래서 먹여야 하고, 약도 과하게 쓰지 않고 순하게 써야 한다.

12-4 三黃石膏湯

治三焦積熱 紅系丹毒[367]走脛肢體 或以痘疹毒遍滿胸壁[368] 二症俱是重症 不可不急治 此主之
本方 加 羌活 防風 荊芥 牛蒡子 解毒尤大
石膏 生地黃 山梔子[369] 黃連 黃柏 各二錢

삼황석고탕
삼초에 열이 쌓여 붉은 띠의 단독이 다리와 팔에 퍼져 있거나, 혹 두진이 온 가슴 벽에 만연한 것을 치료한다. 이 두 가지 증상은 모두 중증이고 급히 치료하지 않으면 안 된다. 이 약으로 치료한다.
본방에 강활, 방풍, 형개, 우방자를 가하면 해독력이 더욱 크다.

석고, 생지황, 치자, 황련, 황백 각 2돈

*소독산화탕보다 더 강력하게 열을 제거해주는 처방이다. 석고, 생지황이 2돈이 들어 있다. 강활, 방풍, 형개, 우방자를 추가하는 것은 표부위의 열증을 치료하기 위함으로 보인다. 심한 화농성 피부염에 활용할 수 있다.

12-5 澤瀉湯

治大人中風 小兒急驚風
玄參 山梔子 黃連 草龍膽[370] 羌活 防風 各一錢

택사탕
성인의 중풍과 소아의 급경풍을 치료한다.

---

367) 備忘錄에는 '紅絲丹毒'으로 되어 있다.
368) 備忘錄에는 '遍滿壁'으로 되어 있다.
369) 朝醫學에는 '小梔子'로 되어 있다.
370) 朝醫學에는 '黃連草, 龍膽'으로 되어 있다.

현삼, 산치자, 황련, 초용담, 강활, 방풍 각 1돈

*택사탕인데 택사가 없다. 11-6에서 丁香 木香 藿香 朱砂 黃連 龍膽草 牛黃 遠志 麥門冬 功力略相同也라고 하였다. 황련 용담초를 통해 安神하여 중풍과 급경풍 치료에 활용한 것으로 보인다.

12-6 少陽利水湯

治水腫
本方 加 黑丑 下水之力尤大
風寒外襲者爲重則 羌活爲主藥 水半因結者爲重[371]則 黑丑爲主藥
羌活 防風 猪苓 澤瀉 赤茯苓 木通 黃柏 各三錢

소양리수탕
수종을 치료한다.
본방에 흑축을 가하면 물을 빼내는 힘이 더욱 커진다.
겉에서 풍한에 침습당한 것이 중하면 강활이 主藥이 되고, 물이 절반쯤 원인이 되어 맺힌 것이 중해지면 흑축이 主藥이 된다.

강활, 방풍, 저령, 택사, 적복령, 목통, 황백 3돈

*11-7에서 강활은 重證에 解表藥으로 사용하고, 흑축은 重證에 通膈하는 약으로 사용한다고 하였다. 부종을 치료함에 있어 해표하는 방법으로 치료할 수도 있고, 설사시켜 치료하는 방법을 선택할 수도 있다.

12-7 五苓散

治運氣 熱結膀胱 夏月腹痛泄瀉
澤瀉 三錢 赤茯苓 猪苓 各二錢 滑石 柴胡 各一錢

오령산
運氣로 인한 熱結膀胱이나 여름철 복통설사를 치료한다.

택사 3돈, 적복령, 저령 2돈, 활석, 시호 1돈

371) 朝醫學에는 '水半固結爲者重'로 되어 있다.

※동무는 결흉증 치료에 대해 상한론에서 오령산을 인용하였다.[372] 기존 오령산[373]에서 백출 육계는 빠지고, 활석 시호가 들어갔다. 辛丑本 9-21에서 柴苓湯으로 身熱泄瀉를 치료한 기존 의가의 견해를 제시하였다.[374] 시령탕은 소시호탕에 오령산을 합한 처방이다. 동무는 상한론의 오령산을 변형하여 少陽人의 結胸과 身熱頭痛泄瀉를 치료하고자 한 것으로 보인다.

12-8 益元散

治暑[375]氣腹痛
滑石末 二錢半 甘草末 五分 朱砂末 一分

익원산
여름철 더위로 인한 복통을 치료한다.

활석가루 2돈 반, 감초가루 5푼, 주사가루 1푼

※오령산과 마찬가지로 활석을 활용하였다. 활석은 少陽人의 열성 복통을 치료함에 주약으로 본 것이다. 辛丑本에서 활석고삼탕[376]을 복통에 활용하였다. 주사익원산[377]은 草本卷 익원산과 유사한데 이때 여름철 더위를 씻을 때 쓰라고 하였다. 草本卷을 통해 夏月滌暑의 의미를 생각해보면 여름철 나타나는 복통설사를 치료하는 것으로 보인다.

12-9 導赤散

治外感內熱 其證[378] 目赤 頭痛 小便赤澀
生地黃 三錢 木通 二錢

372) 辛 9-14
渴欲飮水 水入卽吐 名曰水逆 五苓散主之.
373) 五苓散
澤瀉 二錢 五分 赤茯苓 猪苓 白朮 各一錢 五分 肉桂 五分
374) 辛 9-21
朱震亨曰 傷寒陽證 身熱脈數 煩渴引飮 大便自利 宜柴苓湯.
375) 朝醫學에는 '署'로 되어 있다.
376) 滑石苦參湯
茯苓 澤瀉 滑石 苦參 各二錢 川黃連 黃柏 羌活 獨活 荊芥 防風 各一錢
右方 治腹痛 無泄瀉者 宜用
377) 朱砂益元散
滑石 二錢 澤瀉 一錢 甘遂 五分 朱砂 一分 右爲末 溫水 或井華水 調服. 夏月滌暑 宜用.
378) 朝醫學에는 '俱症'으로 되어 있다.

도적산
외감으로 인한 속열로 눈이 충혈되고 머리가 아프고 소변이 붉고 잘 나오지 않는 증상을 치료한다.

생지황 3돈, 목통 2돈

*辛丑本에서는 형방도적산[379]을 제시하였다. 결흉증에 형방도적산을 사용하였는데, 두통과 흉격의 煩熱을 치료한다. 草本卷에서 內熱은 胸膈煩熱을 의미한다고 볼 수 있다. 형방도적산을 쓸 경우 환자가 속열로 인한 눈 충혈, 소변이 진하고 시원하지 않는 증상도 나타날 수 있음을 유추할 수 있다.

12-10 白虎湯

治運氣 熱煩 發狂
熱煩過時則發狂 發狂過時則危 先用敗毒散 後用此方 少陰人發狂[380] 承氣湯主之 少陽人發狂[381] 此方主之 熱煩 二三貼連服 發狂 六七貼連服
石膏 四錢 知母 二錢 粳米少許

백호탕
運氣로 인한 발열과 번만함 發狂을 치료한다.
열이 나면서 번거로운 증상은 시일이 지나면 發狂하게 되고, 發狂이 시일이 지나면 위험하게 된다. 먼저 패독산을 쓴 후 이 처방을 쓴다. 少陰人 발광에는 승기탕을 주로 쓰고, 少陽人 발광에는 이 처방을 쓴다. 열나고 번거로워할 때는 2~3첩을 연속해서 복용하고, 발광에는 6~7첩을 연속으로 복용한다.

석고 4돈, 지모 2돈, 갱미 약간

*유행성 열성 질환에 대해 백호탕을 어떻게 활용할지를 제시하였다. 우선 고열이 나면서 환자가 굉장히 답답하고 괴로워하다가 발광하는 증상이 나타나면 더 심해진 것이다. 따라서 우선 패독산으로 表를 풀어준 뒤 속열을 백호탕으로 적극적으로 해결해줘야 한다. 辛丑本에서는 지황백호탕[382]을 활용하였다. 草本卷보다 석고양이 많고, 생지황을 추가

379) 荊防導赤散
生地黃 三錢 木通 二錢 玄蔘 瓜蔞仁 各一錢五分 前胡 羌活 獨活 荊芥 防風 各一錢
右方 治頭痛 胸膈煩熱者 宜用
380) 手抄本에는 '少陰發狂'으로 되어 있고, 朝醫學에는 '少陰人發狂'으로 되어 있다.
381) 手抄本에는 '少陽發狂'으로 되어 있고, 朝醫學에는 '少陽人發狂'으로 되어 있다.
382) 地黃白虎湯

하였으며, 解表의 목적으로 방풍 강활도 추가하였다. 리열을 더 적극적으로 치료하고, 이때 해표도 동시에 하고자하는 의도가 보인다.

草本卷에서 갱미를 빼지 않은 것은 석고의 자극성을 줄여주기 위함으로 보인다. 辛丑本에서는 갱미를 쓰지 않았다. 만약 백호탕의 자극성이 걱정이 되면 식후 바로 약을 복용하는 것이 좋다.

12-11 陷胸湯

治運氣 結胸 水逆
結胸過時 則水逆 水逆過時 則危 先用五苓散 後用此方 煮湯三分之一先服 二時刻無應 然後再服三分之二 泄下一二次爲適中 三四次爲過度
黃連 三錢 芒硝 二錢 甘遂 一錢

함흉탕
運氣로 인한 結胸 水逆을 치료한다.
결흉이 시일이 지나면 수역이 되고, 수역이 시일이 지나면 위험해진다. 먼저 오령산을 사용하고 후에 이 처방을 사용한다. 달인 약의 3분의 1을 먼저 복용하고, 두 시각 동안 반응이 없으면 다시 3분의 2를 먹는다. 설사를 1~2번 하면 적중한 것이고 3~4번 하면 과도한 것이다.

황련 3돈, 망초 2돈, 감수 1돈

*상한론에서 水逆에 오령산을 사용하였다. 동무는 결흉과 수역에 대한 구분이 있었다. 결흉이 오래되면 수역이 되는 것으로 보았다. 오령산으로 흉격의 열을 화해시킨 뒤 함흉탕의 감수, 망초로 설사를 통해 맺힌 담음을 제거하는 방법을 선택하였다. 辛丑本에서는 형방도적산, 감수, 지황백호탕을 활용하여 치료하였다.[383)]

石膏 五錢 或 一兩 生地黃 四錢 知母 二錢 防風 獨活 各一錢

383) 辛 9-17
凡結胸病 皆藥湯入口 輒還吐 惟甘遂末入口 口涎含下 因以溫水 嗽口而下 則藥不還吐.
嘗治結胸 用甘遂散 溫水調下 五次輒還吐 至六次 不還吐 而下利一度
其翌日 又水還吐 又用甘遂 一次快通利 而病愈.
凡結胸 無非險證 當先用甘遂 仍煎荊防導赤散 以壓之
乾嘔短氣 而藥不還吐者 不用甘遂 但用荊防導赤散 加茯苓 澤瀉 各一錢 二三服 又連日服 而亦病愈.
燥渴譫語者 尤極險證也 急用甘遂 仍煎地黃白虎湯 三四貼 以壓之 又連日服地黃白虎湯.

12-12 朱砂安神湯

治驚悸 健忘
黃連 朱砂 枸杞子 白茯苓 各等分作丸

주사안신탕
驚悸, 健忘을 **치료한다.**

황련, 주사, 구기자, 백복령을 각각 같은 양으로 해서 환을 만든다.

※황련을 安神하는 목적으로 활용한 것을 확인할 수 있다. 少陽人의 건망증은 위험한 증상이다.[384] 필자는 少陽人의 정신과적 증상에 황련을 필수적으로 사용한다.

12-13 單黃連湯

治痢病
黃連 一兩 水煎服

단황련탕
이질을 치료한다.

황련 1냥을 물로 달여서 복용한다.

※황련은 장염에도 활용할 수 있다. 辛丑本에서 少陽人 이질에 황련청장탕[385]을 사용하였다. 군약은 생지황인데, 1돈밖에 사용하지 않은 황련을 처방명에 쓴 것으로 보아, 황련이 이질에는 확실한 효과가 있다는 것을 동무는 草本卷 저술 당시부터 체득한 것으로 보인다.

384) 少陽人 恒有懼心 懼心寧靜 則居之安 資之深 而造於道也
懼心益多 則放心桎梏 而物化之也
若懼心 至於恐心 則大病 作而健忘也 健忘者 少陽人病之險證也.

385) 黃連淸腸湯
生地黃 四錢 木通 茯苓 澤瀉 各二錢 猪苓 車前子 川黃連 羌活 防風 各一錢
右方 治痢疾者 宜用

12-14 肥兒丸

治小兒疳病
川黃連 一兩 胡黃連 使君子 麥芽 白茯苓 各五錢 蘆薈煆 二錢半

비아환
소아 감병을 치료한다.

천황련 1냥, 호황련, 사군자, 맥아, 백복령 각 5돈, 노회하 2돈 반

*천황련과 호황련이 모두 사용되었다. 천황련은 중국 사천지방의 황련이라는 의미이다. 호황련은 황련과 전혀 다른 식물이다. 현삼과 호황련 뿌리 줄기를 의미한다. 천황련은 미나리아재비과이다. 사군자는 太陰人 약이다. 辛丑本에서도 少陽人 편을 개초할 때 약성을 확실히 결정하지 못했다는 것이 서술되었다.[386] 辛丑本에서 노회비아환과 인동등지골피탕을 소아 감병에 활용하였다.[387]

12-15 芫花鱉甲散

治小兒瘧疾[388]
大人依方服 小兒減半服
芫花 鱉甲 等分

원화별갑산
소아학질을 치료한다.
성인은 처방대로 복용하고, 소아는 반으로 줄여서 복용한다.

원화 별갑을 같은 양으로 한다.

*通膈하는 원화를 학질에 활용하였다. 辛丑本에서 少陽人 勞瘧에 대해 제시하였으며 독

386) 肥兒丸
胡黃連 五錢 使君子肉 四錢 五分 人蔘 黃連 神麴 麥芽 山査肉 各三錢 五分 白茯苓 白朮
甘草灸 各三錢 蘆薈煆 二錢 五分
右爲末 黃米糊和丸 菉豆大 米飮下 二三十
○ 治小兒疳積
○ 今考更定 此方 當去 人蔘 白朮 山査肉 甘草而 <u>使君子一味 未能經驗的知藥性故 不敢輕論</u>
387) 辛 11-15
少陽人 小兒 食多飢瘦 宜用蘆會肥兒丸 忍冬藤地骨皮湯.
388) 朝醫學에는 '治小兒症疾'으로 되어 있다.

활지황탕과 형방패독산을 활용하였다.[389)]

[12-16] 甘遂天一丸

治上焦咽喉 中焦暑證 下焦痢疾 小兒驚風 大人胸痞
凡大便不快者 皆可用之
搗碎[390)]溫水或冷水調服 先用一丸 頃二時刻無應 然後再用二丸 泄下三四次爲適中
一二次爲不及 五六次過度
甘遂 一錢 朱砂 輕粉 各一分 分作八丸

감수천일환
상초의 인후병, 중초의 더위 먹은 병, 하초의 이질, 소아경풍, 성인의 胸痞를 치료한다.
무릇 대변이 불쾌한 사람은 모두 사용 가능하다.
부숴서 온수나 냉수에 타서 먹는다. 먼저 1환을 사용하여 두 시각경 반응이 없으면 다시 2환을 사용한다. 설사를 3~4차례 하면 적중한 것이고 1~2차례 하면 미치지 못한 것이고, 5~6차례 하면 지나친 것이다.

감수 1돈, 주사, 경분 각 1푼으로 8환이 되게 만든다.

*감수와 수은을 활용하여 상초, 중초, 하초를 모두 치료하였다. 辛丑本에서 결흉으로 물을 마시면 다시 토하는 수역증을 치료하기 위해서 사용하였다.[391)] 경분은 염화제일수은

389) 辛 11-13
少陽人 瘧疾 有間兩日發者 卽勞瘧也 可以緩治 不可急治
此證 瘧不發日 用獨活地黃湯 二貼 朝暮服
瘧發日 預煎荊防敗毒散 二貼 待惡寒發作時 二貼連服
一月之內 以獨活地黃湯 四十貼 荊防敗毒散 二十貼 爲準的 則其瘧 必無不退之理.

390) 手抄本의 글씨는 알아보기 어렵고, 朝醫學에서는 '攝磁'로 되어 있어 정확한 뜻을 알 수는 없으나, 전체 문맥에 비추어 '搗碎'로 하였다.

391) 甘遂天一丸
甘遂末 一錢 輕粉末 一分 和勻糊丸 分作 十丸 朱砂爲衣
作丸乾久 則堅硬難和 每用時 以紙二三疊包裹 以 杵搗碎 作麤末
三四五片 口含末 因飮井華水和下 候三四辰刻內 不下利 則再用二丸
下利三度 爲適中 六度 爲快過 預煎米飮 下利二三度 因進米飮
否 則氣陷 而難堪耐
治結胸 水入還吐
甘遂一錢 輕粉五分 分作十丸則 名曰 輕粉甘遂龍虎丹
輕粉 甘遂 各等分 作十丸則 名曰 輕粉甘遂雌雄丹
輕粉一錢 乳香 沒藥 甘遂 各五分 分作三十丸則 名曰 乳香沒藥輕粉丸
輕粉藥力 一分 則快足 五厘 則無不及
甘遂藥力 一分五厘 則快足 七八厘 則無不及
輕粉 甘遂 自是毒藥 俱不可輕易過一分用之 斟酌輕重
病欲頭腦滌火 則輕粉爲君

(Hg_2Cl_2)이고 주사는 황화수은(HgS)이다. 경분과 감수 모두 독성이 있어 가볍게 쓰면 안 되고 반드시 경중을 살펴야 한다.

경분은 발한하는 작용을 하고 감수는 물을 빼내는 작용을 한다. 따라서 경분은 두뇌의 火氣를 씻고자 할 때 군약으로 쓰고, 흉격의 水氣를 내릴 때는 감수를 군약으로 쓴다고 하였다. 상초의 인후병이나 중초의 暑證은 경분과 주사가 작용을 하고, 하초의 이질은 감수가 작용한다고 볼 수 있다. 결국 감수, 경분, 주사 모두 상하가 痰火로 인해 막혀 있을 때 통하게 해주는 약으로 볼 수 있다.

12-17 輕粉丸

治痺病

足不遂則堪用 手不仁者不堪用 恐有倒戈[392]之患 咽喉腫痛 眼病 鼻塞 胸腹痞悶 痰火走注之症 皆可用之 或熏[393]之 或服[394]之

然用之者 一二月間 極[395]愼調攝 禁忌不可任意 冒風觸冷 易衣梳頭 恣[396]食 鷄 狗 酒 麵 生冷物[397] 犯忌必死

命脈虛弱者不堪用 若不得已用之 小嘗試[398]之 以占其堪用 服輕粉水銀熏者 鷄鳴用藥 日中進食 若藥氣與食[399] 其相爭則發吐

乳香 沒藥 各三錢[400] 寒水石 石雄黃 各二錢 輕粉 一錢 甘遂 五分或一錢 用作丸 一方[401]肥兒丸材輕粉一錢 同作丸

경분환

痺病을 치료한다.

발을 쓰지 못하는 병에는 사용해 볼 수 있지만 손을 쓰지 못하는 병에는 사용할 수 없다. 창을 거꾸로 드는 근심이 있음을 두려워하기 때문이다. 인후가 붓고 아픈 것, 눈병, 코 막힘, 가슴과 배가 막히고 답답한 것, 痰과 火가 돌아다니는 것과 같은 증상에 모두 사용할 수 있는데, 혹 훈증하기도 하고, 혹은 복용하기도 한다.

<u>病欲胸膈下水 則甘遂爲君</u>

392) 朝醫學에는 '到戈'로 되어 있다.
393) 朝醫學에는 '重'으로 되어 있다.
394) 手抄本과 朝醫學에는 '吸'으로 되어 있으나, 문맥을 고려하여 '服'으로 바꾸었다.
395) 朝醫學에는 '報'로 되어 있다.
396) 朝醫學에는 '恐'으로 되어 있다.
397) 手抄本에는 '生物冷'으로 되어 있다.
398) 手抄本과 朝醫學에는 '誠'으로 되어 있으나, '조금 맛보기로 시험해 본다'는 의미로는 '試'가 맞다.
399) 朝醫學에는 '含'으로 되어 있다.
400) 朝醫學에는 '各二錢'으로 되어 있다.
401) 手抄本에서는 '一方'으로 되어 있고, 朝醫學에는 '古方'으로 되어 있다.

그러나 그것을 사용한 자는 1~2개월 동안 지극히 삼가 조양하고 섭생해야 한다. 금기할 것은 함부로 바람을 쐬거나 찬 것을 접촉하면 안 되고, 옷을 갈아 입거나 머리를 빗어도 안 되고, 닭고기, 개고기, 술, 면, 생냉한 음식을 먹어서도 안 된다. 금기를 어기면 반드시 죽는다.
명맥이 허약한 사람은 쓸 수 없고, 만약 부득이하게 쓴다면 조금 맛보기로 시험해 보아서 쓸 수 있을지를 점쳐 본다. 경분을 복용하고 수은을 훈증한 사람은 닭이 우는 새벽에 약을 쓰고 한낮에 음식을 먹어야 한다. 만약 약의 기운과 음식이 서로 다투면 토한다.

몰약, 유향 각 3돈, 한수석, 석웅황 각 2돈, 경분 1돈, 감수 5푼 또는 1돈으로 환을 만든다. 한편으로 비아환의 약재에 경분 1돈을 함께 넣어 환으로 만든다.

*辛丑本에서 경분을 痺風證에 사용하였다.[402] 한쪽 팔이 마비되는 병에 경분을 쓰니 병이 심해졌고, 한쪽 다리가 약간 마비되고 저린 병에는 효과가 있었다고 하였다. 노인이 대변을 보지 못하면서 양다리와 무릎이 시리고 힘이 없는 증상에 경분감수용호단을 쓰자 대변이 즉시 통하고 막힐 때마다 써서 하루에 1번씩 보게 하니 80세까지 장수하였다.[403] 수은훈비방에 대한 설명에서 수은의 약성과 활용법 금기를 제시하였다.[404] 수은은 쌓인 열

---

402) 辛 11-19
嘗治 少陽人 六十老人 中風一臂不遂病 用輕粉五厘 其病輒加
少陽人 二十歲 少年 一脚微不仁痺風 用輕粉甘遂龍虎丹 二三次 用之 得效.

403) 辛 11-21
嘗治 少陽人 七十老人 大便四五日不通 或六七日不通 飮食如常 兩脚膝寒無力
用輕粉甘遂龍虎丹 大便卽通
後數日 大便又秘 則又用 屢次用之 竟以大便 一日一度 爲準 而病愈 此老 竟得八十壽.

404) 水銀熏鼻方
黑鉛 水銀 各一錢 朱砂 乳香 沒藥 各五分 血竭 雄黃 沈香 各三分
右爲末 和勻 捲作紙燃七條 用香油點燈 放床上 令病人 放兩脚包住 上用單被 通身蓋之 口噤涼水 頻換則不損口 初日 用三條 後日 每用一條 熏鼻
○ 此方 出於朱震亨丹溪心法書中 治楊梅天疱瘡 甚奇
○ 論曰 水銀 破積熱 淸頭目 制陽回陰於下焦 爲少陽抑陽扶陰藥中 無敵之藥
而秖可用之於當日救急之用 不可用之於連日補陰之用者 以其拔山扛鼎之力 一擧
而直搗大敵之巢穴 再擧則 敵已解散 反有倒戈之患故也 纏喉風 必用之藥
○ 少陽人 一脚不遂兩脚不遂者 輕粉末 五厘 或一分 連三日服
無論病之差不差 必不過三日服 又不過日服 五厘 或一分 謹風冷 愼禁忌
一臂不遂 半身不遂 口眼喎斜 不可用 用之必危
○ 急病 可以急治 緩病 不可以急治 輕粉劫藥 不可銳意用之 以望速效
緩病 緩愈然後 可謂眞愈 緩病 速效則 終必更病 難治
有連三日用之者 有間一二三日連服 連三次用之者
○ 嘗見 少陽人 咽喉病 眼鼻病 脚痺病 用水銀 連三四日 或熏鼻 或內服 病愈者
病愈後 一月之內 必不可 內處冷 外觸風 尤不可 任意洗手洗面 更着新衣梳頭也
犯此禁者 必死 又不可冷室 冷室則 觸冷而猝死
又不可燠室 燠室則 煩熱開牖觸風 而亦猝死 此皆目擊者也
一人 病愈十餘日 更着新衣而猝死
一人 病愈二十日後 梳頭而猝死
一人 咽喉病 熏鼻 初日二條 翌日一條 當夜 燠室觸風而猝死.
時俗 服水銀者 忌鹽醬者 以醬中 有豆豉 能解水銀毒故也.
然 毒藥害毒 容或無妨則 不必苛忌塩醬.

을 깨고, 머리와 눈을 맑게 하고 陽을 억제하고 陰을 하초로 돌아오게 하여 少陽人에게 陽을 억제하고, 陰을 북돋는 약 중에 적수가 없다고 하였다. 그리고 한쪽 팔을 못 쓰거나 반신불수, 구안와사에는 쓸 수 없다고 하였다. 한쪽 다리를 쓰지 못하거나 양측 다리를 쓰지 못하는 상황에서 짧게 쓸 수 있다. 그 이유를 생각해보면 水銀은 結胸病으로 하지 쪽으로 소통이 되지 않아 한쪽 다리 또는 양쪽 다리가 소력감이나 마비감이 있을 때 사용할 수 있다. 강력히 下焦부위로 陰氣를 내려주는 약이기 때문에 환자가 水銀의 독성을 견딜 정도의 컨디션을 지니고 있는 順證인 結胸病에서 짧게 사용하는 약이다. 하지만 한쪽의 상지나 半身이 마비되는 中風이나 口眼喎斜는 亡陰病에 속한다. 이 경우에는 逆證으로써 偏小之臟까지도 熱氣에 의해 손상된 상황이므로 水銀을 쓰면 환자가 견디지 못하고 오히려 위험하다. 즉 水銀은 中上焦 부위의 熱氣를 강력하게 제거하여 下焦부위로 陰氣를 補充해주는 약이지만 毒性 견딜 수 있는 상태의 病證에서만 少量으로 단기간 활용하는 약이다. 따라서 順證인 結胸病과 胸膈熱證-消渴病에는 쓸 수 있지만 逆證인 亡陰病과 陰虛午熱病에서 쓰지 않는다.[405]

咽喉腫痛 眼病 鼻塞 胸腹痞悶 痰火走注之症에도 경분환을 썼는데 辛丑本에서도 咽喉腫痛이 나타나는 纏喉風에 반드시 쓰라고 하였고, 咽喉病 眼鼻病에 사용하라고 하였다. 草本卷과 활용에 있어 동일하다. 금기나 생활관리에 있어서도 草本卷과 유사하게 제시하였다. 특히 수은을 훈증하거나 복용한 후 外感病에 걸리지 않도록 주의하였다. 수은이라는 매우 강력한 찬 약을 썼기 때문에 少陽人이지만 냉기에 감촉되는 것을 주의하도록 한 것으로 보인다.

12-18 苦參治龜胸咳嗽 磁石治眼病 金銀花治癰疽 黃丹治泄瀉 瓜蔞仁治乳疽 竹瀝治痰燥 童便治瀉陰火 石花補虛勞 麥芽消食[406]滯 猪肝淸眼精 覆盆子滋陰元

고삼은 龜胸咳嗽를 치료한다. 자석은 눈병을 치료한다. 금은화는 옹저를 치료한다. 황단은 설사를 치료한다. 과루인은 乳疽를 치료한다. 죽력은 담이 말라붙는 것을 치료한다. 동변은 陰火를 내린다. 석화는 허로를 보한다. 맥아는 식체를 사그라트린다. 돼지 간은 눈의 정기를 맑게 한다. 복분자는 陰元을 자양한다.

※귀흉은 흉골이 과도하게 솟아나와 돌출된 새가슴(pigeon breast)을 의미한다. 선천적으로 변형을 가지고 태어나기도 하지만 백일해나 천식이 장기적으로 나타나면서 후천적으로 변형되는 경우도 많다. 귀흉해수는 동시에 나타나는 병태로 보는 게 합리적이다. 평소 만성적으로 기침을 하면서 점점 새가슴처럼 변형되어가는 환자에게 고삼으로 기침을 치

405) 장현수,『동의수세보원가이드』, 군자출판사, 2018, p 385-386.
406) 朝醫學에는 '腹'으로 되어 있다.

료하여 귀흉이 심해지는 것을 치료하는 것이다.

자석은 자철광으로 성질은 차다. 明目하는 효능이 있는데 少陽人에게 활용한 것으로 보인다. 금은화는 인동의 꽃으로 인동등과 함께 옹저에 활용할 수 있다. 황단(Pb3O4)은 납을 도가니에 넣고 녹인 다음 식혀서 굳어지게 한다. 그리고 난 뒤 아주 곱게 수비하여 도가니에 넣고 다시 녹였다가 식혀 가루 내서 만든다. 성질은 차다. 진정하는 작용이 있어 癲狂에 활용하였고, 이질에도 활용하였다. 동무는 이질로 인한 설사에 사용한 것으로 보인다.

瓜蔞牛蒡湯은 『醫宗金鑑』에 "成膿初期寒熱往來宜服瓜蔞牛蒡湯", "産後肝鬱胃熱者乳癰 乳汁蓄積乳房脹大 硬結疼痛拒按 皮色不變 或微紅腫 口渴寒熱往來尿黃便結舌紅黃苔 脈弦數", "癰疽初期腫塊堅硬隱隱痛 皮色不變 舌紅脈滑數"라고 수록된 처방이다. 乳癰에 과루인과 우방자를 군약으로 활용하였다. 동무도 이러한 활용법을 적용하여 少陽人 乳疽에 과루인을 사용한 것으로 보인다.

죽력은 육미지황탕에서 吐血을 치료할 때 추가했던 약재이다. 리열이 심해 가래가 말라 잘 떨어지지 않을 때 활용할 수 있다. 동변은 음허화동 증상이 있을 때 사용할 수 있다. 굴은 少陽人의 허로를 보할 수 있다. 굴은 대표적인 정력제이다. 맥아는 少陽人이 음식을 먹고 체했을 때 활용할 수 있다. 돼지 간은 동의보감에 "明目, 又治肝熱目赤磣痛. 猪肝一具薄切, 以五味醬醋食之[本草]" 라고 하였다. 이러한 효능을 少陽人에게 적용한 것으로 보인다. 복분자는 대표적인 보음약이다.

右藥方之第一統

13-1 腰將軍湯

治氣喘消痰
熟地黃 七錢 山茱萸[407] 白茯苓 澤瀉 玄參 瓜蔞仁 各二錢 牧丹皮[408] 防風 獨活 知母 貝母 前胡 車前子 羌活 荊芥 苦參 各一錢

요장군탕
氣喘을 치료하고 담음을 없앤다.

숙지황 7돈, 산수유, 백복령, 택사, 현삼, 과루인 2돈, 목단피, 방풍, 독활, 지모, 패모, 전호, 차전자, 강활, 형개, 고삼 1돈

*숙지황이 무려 7돈이나 들어가는 처방이다. 전체적인 구성은 육미지황탕에서 변형된 것으로 보인다. 氣喘은 기질적인 이상이 없는데도 불구하고 환자 자신은 항상 목에 무엇인가 붙어 있는 것을 느끼는 증상이다. 少陽人에게 이러한 증상이 나타나는 이유를 음기가 부족한 상태에서 痰火가 흉격에 맺혀 있는 것으로 본 것 같다. 따라서 숙지황으로 강력히 음기를 보충하면서 과루인, 패모, 전호를 사용해 痰火를 제거한 것으로 보인다. 腰將軍이라는 이름을 붙인 것으로 보아 少陽人 신허요통에도 활용할 수 있을 것으로 보인다.

13-2 參瓜湯

治口渴用
熟地黃 四錢 山茱萸 玄參 瓜蔞仁 赤茯苓[409] 澤瀉 各二[410]錢 車前子 羌活 獨活 荊芥 防風 地骨皮[411] 石膏 各一錢

삼과탕
구갈을 치료하는데 쓴다.

407) 朝醫學에는 '山藥'으로 되어 있다.
408) 朝醫學에는 '丹皮'로 되어 있다.
409) 朝醫學에는 '茯苓'로 되어 있다.
410) 朝醫學에는 '各一錢'로 되어 있다.
411) 朝醫學에는 '地骨及'으로 되어 있고, 手抄本에는 '地骨'로 되어 있다.

숙지황 4돈, 산수유, 현삼, 과루인, 적복령, 택사 2돈, 차전자, 강활, 독활, 형개, 방풍, 지골피, 석고 1돈

*전체적인 구성은 육미지황탕에서 변형된 것으로 보인다. 석고를 활용한 것으로 보아 열증 증대되면서 나타나는 구갈에 사용한 것으로 보인다.

13-3 加味旣濟湯

生地黃 四錢 忍冬藤 三錢 柴胡 玄參 各二錢 前胡 瓜蔞仁 金銀花 牛蒡子 知母 黃柏 羌活 荊芥 防風 各一錢
加 石膏 五錢 滑石 二錢 尤妙

가미기제탕
생지황 4돈, 인동등 3돈, 시호, 현삼 2돈, 전호, 과루인, 금은화, 우방자, 지모, 황백, 강활, 형개, 방풍 1돈

석고 5돈, 활석 2돈을 더하면 더욱 묘하다.

*旣濟라는 것은 水火旣濟를 의미한다. 心火는 하강하고 腎水가 상승하여 서로 통하는 것을 의미하는데 기제탕이라고 명명한 것은 이러한 의도를 담을 것으로 보인다. 석고와 활석을 추가하는 것은 火氣를 더 적극적으로 내리기 위함이고, 생지황 4돈으로 신수를 보충하고자 한 것으로 보인다.

13-4 淸腸散火湯

忍冬藤 赤茯苓 澤瀉 山茱萸 生地黃 瓜蔞仁 各二錢 知母 覆盆子 車前子 羌活 獨活 防風 荊芥 各一錢

청장산화탕
인동등, 적복령, 택사, 산수유, 생지황, 과루인 2돈, 지모, 복분자, 차전자, 강활, 독활, 방풍, 형개 1돈

*장을 맑게 하고 火을 흩어트리는 처방이다. 辛丑本에 황련청장탕을 제시하였는데 청장산화탕에는 황련이 없다.

13-5 苦參敗毒散

苦參 赤茯苓 各二錢 猪苓 澤瀉 羌活 獨活 前胡 柴胡 防風 車前子 各一錢半 荊芥一錢
此方 金慶五[412]胸腹痛藥也 此疾幾數十年 間間昏死云 痛時用三貼 又再痛時 又用三貼
三痛時 又用四貼 則快愈

고삼패독산
고삼, 적복령 2돈, 저령, 택사, 강활, 독활, 전호, 시호, 방풍, 차전자 1돈 반, 형개 1돈

이 처방은 김경오의 흉복통약이다. 이 질환을 거의 수십 년 앓으면서 때로는 혼절하여 죽은 듯 하다고 말하였다. 통증이 있을 때 3첩을 사용하고, 또 다시 통증이 있을 때 3첩을 사용하고, 세 번째 통증에 4첩을 사용하였더니 쾌유하였다.

*고삼을 활용하여 만성적인 흉복통을 치료하였다. 생지황이나 숙지황은 들어가지 않았다. 辛丑本 활석고삼탕[413]과 유사성을 보인다. 활석고삼탕도 생지황이나 숙지황은 들어가지 않으며 복령과 고삼은 2돈을 사용하였다.

*辛 9-30
又見 少陽人 十餘年 腹痛患苦 一次起痛 則或五六個月 或三四個月 一二個月 叫苦者
每起痛臨時 急用滑石苦參湯 十餘貼 不痛時 平心靜慮 恒戒哀心怒心 如此延拖 一周年而病愈

김경오와 유사한 치험례가 辛丑本에 서술되었다. 10여 년간 배가 아파 고생하였는데 한 번 발생하면 수개월은 고생하였다. 고통이 심해 비명을 지를 정도였다. 통증이 발생할 때마다 활석고삼탕 10여 첩을 썼다. 통증이 없을 때는 마음을 편안하게 하고 생각을 안정시키고 性情을 다스렸다. 김경오도 통증이 발생하면 한번에 끝나지 않고 여러 번 발생하였으며 보통 10첩(3+3+4)을 썼다. 김경오의 임상례 및 처방전을 보고 활석고삼탕을 창방했을 가능성이 있다.

412) 手抄本에서는 '金慶五'으로 되어 있고, 備忘錄에는 '金慶伍'로 되어 있으며, 朝醫學에는 '金匱五'로 되어 있다.

413) 滑石苦參湯
茯苓 澤瀉 滑石 苦參 各二錢 川黃連 黃柏 羌活 獨活 荊芥 防風 各一錢
右方 治腹痛 無泄瀉者 宜用

13-6 瓜蔞仁地黃湯

熟地黃[414] 四錢 山茱萸 赤茯苓 各二錢 澤瀉 瓜蔞仁[415] 各一錢半 牡丹皮 玄參 獨活 各一錢
金鳳夏 自幼時至五六十歲時 癎疾藥也 用藥千餘貼得效

과루인지황탕
숙지황 4돈, 산수유, 적복령 2돈, 택사, 과루인 1돈반, 목단피, 현삼, 독활 1돈
김봉하가 어릴 때부터 50~60세까지 사용했던 간질약이다. 1,000여 첩을 썼더니 효과가 있었다.

*육미지황탕을 변형한 처방이다. 1,000여 첩이라는 것은 정말 어마어마한 기간 동안 썼다는 것이다. 少陽人 간질의 원인을 痰火로 본 것 같다. 그래서 과루인지황탕이라고 명명하였다. 과루인으로 담화를 제거하여 간질발작을 예방 및 치료하고자 한 것으로 보인다. 동무는 임상경험이 부족했던 시기에는 육미지황탕으로 주로 치료하고자 하였다. 이 치험례는 1875년 甲午本도 저술하기 전에 경험한 치험례이다.

辛 9-41
嘗治 少陽人 傷寒發狂譫語證 時則乙亥年 清明節候也.
少陽人 一人 得傷寒 寒多熱少之病 四五日後 午未辰刻 喘促短氣
伊時 經驗未熟 但知少陽人應用藥 六味湯 最好之理故 不敢用他藥
而秪用六味湯一貼 病人喘促 卽時頓定
又數日後 病人 發狂譫語 喘促 又發
又用六味湯一貼 則喘促 雖少定 而不如前日之頓定矣
~중략~
愈後 有眼病 用石膏 黃柏末 各一錢 日再服 七八日後 眼病 亦愈.
伊時 未知大便驗法故 不察大便之秘閉幾日
然 想必此病人 先自表寒病 得病後 有大便秘閉 而發此證矣.

상한에 걸려 발광하고 헛소리를 하면서 숨쉬기를 힘들어 할 때 동무는 우선 육미지황탕을 적용하였다. 草本卷은 대략 1882년에서 1893년 사이에 저술한 것으로 보고 있는데 그전에 경험한 치험례이다. 1875년이면 육미지황탕을 다양하게 변형해서 少陽人병을 치료하고자 했을 것으로 보인다. 그러다 임상경험이 쌓이면서 백호탕을 활용해서 대변을 통해 병을 치료하기도 하고, 망음병에 대해서 백호탕이 아닌 형방지황탕을 활용하는 것에 대해서도 깨닫게 되었다. 동무가 의학적인 완성도를 높이기 위해 여러 처방사례를 수

414) 朝醫學에는 '熟地'로 되어 있다.
415) 手抄本에는 '瓜仁'으로 되어 있다.

집한 것을 알 수 있고, 자기 생각만 고집하지 않고 끊임없이 발전시키기 위해 노력했다는 것을 알 수 있다.

13-7 黃柏地黃湯

熟地黃 四錢 山茱[416]萸 赤茯苓 澤瀉 各二錢 黃柏 玄參 各一錢半 車前子 瓜蔞仁 羌活 防風 荊芥 前胡 獨活 各一錢
此方虛弱時 每服三十貼 忌哀心怒心鷄雉及醋蒜辛物等

황백지황탕
숙지황 4돈, 산수유, 적복령, 택사 2돈, 황백, 현삼 1돈 반, 차전자, 과루인, 강활, 방풍, 형개, 전호, 독활 1돈

이 처방은 허약할 때 매번 30첩을 복용하고 哀心, 怒心, 닭고기, 꿩고기, 식초, 마늘, 매운 음식 등을 꺼린다.

*육미지황탕을 변형한 처방이다. 특히 少陽人이 性情을 조절할 것을 강조하였다. 辛丑本에서도 이러한 마음관리법이 제시되었다.

辛 9-30
又見少陽人 少年兒 恒有滯證痞滿 間有腹痛腰痛 又有口眼喎斜 初證者
用獨活地黃湯 一百日內 二百貼服 使之平心靜慮 恒戒哀心怒心 一百日 而身健病愈.

이 少陽人 아이는 허약하다고 볼 수 있다. 少陽人인데 마치 少陰人처럼 소화기능이 약해 잘 체하고, 막힌 듯하고 그득한 증상이 있다. 또한, 간간이 배도 아프고 허리도 아프고 더욱이 안면신경마비까지도 있었다. 이때 독활지황탕을 100일간 복용하고, 마음을 편히 가지고 애심과 노심을 경계하기를 병행하여 몸이 건강해지고 병도 나았다.

草本卷 저술 당시부터도 少陽人의 마음관리법에 대한 티칭이 있었다는 것을 확인할 수 있다. 그리고 음식관리법으로 열성이 강한 닭고기, 꿩고기, 마늘을 피하도록 하였고, 자극성이 강한 식초, 매운 음식 또한 사람을 쉽게 흥분시키고 마음의 안정에 방해가 될 수 있기 때문에 금하도록 하였다. 필자도 少陽人 환자를 티칭할 때 항상 음식을 담백하게 먹고 삼계탕에 들어가는 재료(인삼, 홍삼, 닭고기, 마늘)나 너무 맵거나 자극적인 음식

416) 朝醫學에는 '茉'로 되어 있다.

은 제한시킨다.

13-8 防風通聖散

治發熱陽毒證
滑石 生地黃 各二錢 防風 石膏 各一錢 羌活 獨活 前胡 薄荷 荊芥 牛蒡子 梔子 各五分[417)]

방풍통성산
발열을 동반한 양독증을 치료한다.

활석, 생지황 2돈, 방풍, 석고 1돈, 강활, 독활, 전호, 박하, 형개, 우방자, 치자 5푼

*열이 나면서 몸에 발진, 구진, 팽진과 같은 증상이 생길 때 활용해 볼 수 있는 처방이다. 甲午本에서는 소아가 많이 먹어도 살이 빠지고 잇몸에 염증이 생겨 피가 나는 것을 胃熱로 보고 방풍통성산을 사용하였다.[418)] 甲午本 방풍통성산과 草本卷 방풍통성산은 약물 구성과 용량이 동일하다. 草本卷에서는 상한과 같은 외감병으로 인해 발열증이 생기면서 동반된 피부질환에 썼는데, 甲午本에서는 發熱惡寒 熱多病과 消渴病에 사용하였고, 잇몸병과 같은 잡병에도 방풍통성산을 사용하였다. 草本卷보다 더 넓은 활용을 보여준다.

13-9 千金導赤散

生地黃 四錢 木通 黃連 柴胡 山茱萸 覆盆子 各二錢

천금도적산
생지황 4돈, 목통, 황련, 시호, 산수유, 복분자 2돈

*12-9의 도적산을 변형한 것으로 보인다.[419)] 천금도적산은 甲午本과 草本卷의 약물 구성과 용량이 동일하다. 甲午本에서는 주로 결흉증을 치료함에 시호과루탕과 같이 활용하였다.

---

417) 朝醫學에는 '一錢半'으로 되어 있다.
418) 甲 11-13
少陽人小兒 食多肌瘦 當門二齒肉爛或有微血 此胃熱也
當用 淸凉散火湯 防風通聖散 日一貼 或二三四五十貼 以大滑便蕩胃熱爲度.
419) 導赤散
治外感內熱 其證 目赤 頭痛 小便赤澀
生地黃 三錢 木通 二錢

13-10 柴胡瓜蔞湯

生地黃 四錢 木通 瓜蔞仁 各二錢 山茱萸 覆盆子 黃連 苦參 柴胡 前胡 獨活 各一錢

시호과루탕

생지황 4돈, 목통, 과루인 2돈, 산수유, 복분자, 황련, 고삼, 시호, 전호, 독활 1돈

*천금도적산을 변형한 것으로 보인다. 특징적인 것은 과루인을 사용했다는 점이다. 과루인은 痰火를 제거하기 위해 동무가 草本卷에서 자주 사용하였다. 시호는 패독산에서 열다한소증을 치료할 때 증량했던 약재이다. 즉, 시호과루탕이란 처방명에 담긴 의미는 과루인을 통해 痰火를 제거하면서 시호로 해표시켜 熱을 해소하기 위함으로 보인다. 辛丑本으로 오면 천금도적산, 시호과루탕 대신 형방도적산과 도적강기탕을 활용한다. 辛丑本에서 특징은 시호의 활용이 형방패독산을 제외하고는 없다는 것이다. 草 11-7에서 "少陽解表之藥 輕則防風 重則羌活 柴胡"라고 하였다. 즉, 시호를 강력한 해표약으로 활용하였다. 하지만 결흉병 치법에 대해 "淸裏熱 而降表陰 則痰飮自散 而結胸之證 預防不成也 淸痰而燥痰 則無益於陰降痰散 延拖結胸 將成而或別生奇證也"이라는 개념이 명확해지면 시호를 사용하기보다는 생지황, 과루인으로 리열을 맑게 하고, 형개, 방풍, 강활 독활로 표음을 내리는 쪽으로 결론을 내린 것으로 보인다. 시호는 소시호탕에 대한 동무의 평가에서 알 수 있듯이 少陽人에게 도움이 되지 않는 약재로 도태되었다.[420] 辛丑本에서 시호와 과루인을 활용하여 淸痰하고 燥痰하는 것보다 형개, 방풍, 강활, 독활을 통해 降陰시켜 신국음기와 비국음기가 서로 소통하게 하여 그 과정에서 痰飮이 저절로 흩어지게 하는 것이 더 낫다는 병리관의 변화를 확인할 수 있다.[421]

---

420) 辛 9-8
古人之於此證 用汗吐下三法 則其病 輒生譫語壞證 病益危險故 仲景 變通之
<u>而用小柴胡湯 淸痰燥痰 溫冷相雜 平均和解 欲其病不轉變 而自愈</u>
此法 以汗吐下三法 論之則可謂近善而巧矣
<u>然 此小柴胡湯 亦非平均和解 病不轉變之藥 則從古斯今 得此病者 眞是寒心矣</u>.
耳聾胸滿 傷風之病 豈可以小柴胡湯 擬之乎.
噫 後來 龔信所製 荊防敗毒散 豈非少陽人 表寒病 三神山 不死藥乎.
<u>此證 淸裏熱 而降表陰 則痰飮自散 而結胸之證 預防不成也</u>
<u>淸痰而燥痰 則無益於陰降痰散 延拖結胸 將成而或別生奇證也</u>.

421) 辛 9-8
張仲景所論 少陽病 口苦咽乾 胸脇滿 或往來寒熱之證
卽 少陽人 腎局陰氣 爲熱邪所陷 而脾局陰氣 爲熱邪所壅 不能下降 連接於腎局 而凝聚膂間 膠痼囚滯之病也.

13-11 白虎湯

治譫語證[422)]
生地黃[423)] 石膏 各四錢 知母 二錢
加 山茱萸 覆盆子尤妙

백호탕
섬어증을 치료한다.

생지황, 석고 4돈, 지모 2돈
산수유, 복분자를 가하면 더욱 묘하다.

*12-10의 백호탕과는 구성이 다르다. 생지황 4돈이 추가되었고, 갱미가 없다. 甲午本에 있는 백호탕과 약물 구성 용량이 동일하다. 甲午本에서 산수유, 복분자를 추가한 것을 금상첨화백호탕이라고 하였다.[424)] 甲午本에서도 그대로 쓰인 것으로 보면 12-10보다 발전된 형태의 백호탕이라고 볼 수 있다. 辛丑本에서는 지황백호탕[425)]을 새롭게 창방하였다. 방풍, 독활을 추가하고 석고 양을 더 늘렸다. 방풍, 독활을 추가한 것은 降陰에 대한 동무의 생각이 확고해진 것으로 보인다. 형개, 방풍, 강활, 독활에 대해 동무만의 효능을 제시하였다.[426)] 기존 의서에서는 형개, 방풍, 강활, 독활을 저렇게 설명한 내용은 찾을 수가 없다. 결국 흉격을 열을 맑게 하고 해표시키는 것은 형개 방풍으로(淸裏熱), 방광 쪽으로 비국음기와 신국음기를 소통시켜 진정한 음기를 보충하는 것(降表陰)을 강활, 독활의 역할로 보았다. 그렇게 해야만 少陽人의 陰淸之氣를 보충할 수 있기 때문이다.

422) 朝醫學에는 '活譫語證'으로 되어 있다.
423) 朝醫學에는 '生地'로 되어 있다.
424) 白虎湯
石膏 生地黃 各四錢 知母 二錢.
加 山茱萸 覆盆子 各二錢 ○名曰 錦上添花白虎湯
治譫語.
425) 地黃白虎湯
石膏 五錢 或 一兩 生地黃 四錢 知母 二錢 防風 獨活 各一錢
426) 荊芥 防風 羌活 獨活 俱是補陰藥
荊防 大淸胸膈散風
羌獨 大補膀胱眞陰

13-12 渡海白虎湯

治譫語證
石膏 生地黃 知母 覆盆子 山茱萸 肉蓯蓉 各二錢 苦參 枸杞子 各一錢

도해백호탕
섬어증을 치료한다.

석고, 생지황, 지모, 복분자, 산수유, 육종용 2돈, 고삼, 구기자 1돈

*甲午本에 있는 도해백호탕과 약물 구성 용량이 동일하다. 복분자, 산수유, 육종용, 구기자를 통해 淸熱뿐만 아니라 補陰하는 효능을 높였다. 辛丑本에서는 형방지황탕에 석고를 추가하여 치료하는 방법을 선택하였다.

13-13 猪苓白虎湯

治大小便不通證
石膏 生地黃[257] 四錢 知母 二錢 黃柏 澤瀉 猪苓 赤茯苓 一錢

저령백호탕
석고, 생지황 4돈, 지모 2돈, 황백, 택사, 저령, 적복령 1돈

*甲午本에 있는 저령백호탕과 약물 구성 용량이 동일하다. 저령과 복령, 택사를 추가하여 利小便하는 효과를 높였다.

13-14 陽毒白虎湯

石膏 生地黃 各四錢 荊芥 牛蒡子 羌活 各一錢 獨活 玄參 柴胡 山梔子 忍冬藤 薄荷 各五分

양독백호탕
석고, 생지황 4돈, 형개, 우방자, 강활 1돈, 독활, 현삼, 시호, 산치자, 인동등, 박하 5푼

*甲午本에 있는 양독백호탕과 약물 구성 용량이 동일하다. 辛丑本의 양독백호탕[427]과는

427) 陽毒白虎湯

차이가 있다. 인동등, 시호, 현삼 등이 들어간 것으로 보아 辛丑本보다 양독발반에 더 적극적인 치료를 하고자 한 것으로 보인다.

13-15 七味苦參湯

生地黃 四錢 苦參 知母 山茱萸 覆盆子 各二錢 赤茯苓 澤瀉 各一錢
右方 加 木通 牧丹皮[428]則 名八味苦參湯 治吐血 嘔吐 腸病 痞滿證

칠미고삼탕
생지황 4돈, 고삼, 지모, 산수유, 복분자 2돈, 적복령, 택사 1돈

이 처방에 목통 목단피를 더하면 팔미고삼탕이라고 하고, 吐血, 嘔吐, 腸病, 痞滿**을 치료한다.**

*甲午本에서는 목단피를 더하여 팔미고삼탕[429]이라고 하였다. 草本卷에서는 목통이 추가되었는데 그러면 8개가 아니라 9개이다. 목통은 빠지는 것이 적절하다. 그리고 腸病 대신 腹痛을 치료한다고 하였다. 草本卷에서 甲午本을 거치면서 일부 수정된 것으로 보인다.

13-16 水火旣濟湯

治腹痛 嘔吐 痞滿
生地黃 熟地黃 知母 黃柏 山茱萸 覆盆子 苦參 柴胡 赤茯苓 澤瀉 肉蓯蓉 枸杞子 各一錢

수화기제탕
腹痛 嘔吐 痞滿**을 치료한다.**

생지황, 숙지황, 지모, 황백, 산수유, 복분자, 고삼, 시호, 적복령, 택사, 육종용, 구기자 1돈

*甲午本에 있는 수화기제탕과 약물 구성 용량이 동일하다. 甲午本에서는 주치에 대한 설명은 빠졌다. 생지황과 숙지황을 같이 사용한 것이 특징이다. 동무는 경험요약에 생숙지

石膏 五錢 或 一兩 生地黃 四錢 知母 二錢 荊芥 防風 牛蒡子 各一錢
右方 治陽毒發斑 便秘者 宜用

428) 朝醫學에는 '丹皮'로 되어 있다.
429) 七味苦蔘湯: 生地黃 四錢 苦蔘 地母 山茱萸 覆盆子 各二錢 赤茯苓 澤瀉 各一錢.
加 牡丹皮 一錢 名曰 ○八味苦蔘湯 治吐血嘔吐腹痛痞滿.

황환을 제시하였다.[430] 동의사상신편에서 생숙지황탕이라는 처방명이 기재되어 있다. 辛丑本 형방지황탕 가감에서 "頭痛煩熱 與血證者 用生地黃"라고 하였다. 생지황으로 火氣를 내려 頭痛煩熱을 치료하고 숙지황으로 음기를 보충하여 水氣를 올리는 목적을 둔 것으로 보인다.

13-17 七味猪苓湯

生地黃 四錢 山茱萸 覆盆子 澤瀉 赤茯苓 各二錢 猪苓 黃柏 各一錢
加 牧丹皮 最好

칠미저령탕
생지황 4돈, 산수유, 복분자, 택사, 적복령 2돈, 저령, 황백 1돈

목단피를 더하면 더욱 좋다.

*甲午本에 칠미저령탕과 약물 구성 용량이 동일하다. 甲午本에서는 주치증도 기술되었다.[431] 草本卷의 수화기제탕과 주치증이 동일하다. 칠미저령탕에 목단피를 추가하여 팔미저령탕이라고 하였다. 목단피는 칠미저령탕과 칠미고삼탕에 모두 추가하였는데 그 이유는 痞滿證을 적극적으로 치료하기 위함으로 보인다. 辛丑本 형방지황탕 가감에서 "食滯痞滿者 加牧丹皮"라고 하였다. 이러한 생각은 草本卷 저술 당시부터 있었던 것으로 보인다.

13-18 參苓湯

苦參 赤茯苓 各二錢 猪苓 澤瀉 車前子 瓜蔞仁 羌活 獨活 前胡 柴胡 荊芥 防風 各一錢
裏症 第一神效方

삼령탕
고삼, 적복령 2돈, 저령, 택사, 차전자, 과루인, 강활, 독활, 전호, 시호, 형개, 방풍 1돈
裏症에 제일 신효한 처방

430) 生熟地黃丸
生乾地黃 熟地黃 玄參 石膏 各一兩 糊丸 梧子大 空心 茶淸下 五七十丸
○ 此方 出於李梴醫學入門書中 治眼昏

431) 七味猪苓湯: 生地黃 四錢 山茱萸 覆盆子 澤瀉 赤茯苓 各二錢 猪苓 黃栢 各一錢.
加 牡丹皮 一錢 名曰 ○八味猪苓湯 治腹痛嘔吐痞滿.

※裏症은 소화기 증상을 포괄하는 표현이다. 고삼은 하초의 리증을, 과루인 전호는 중상초의 리증을 해결하기 위해 사용한 것으로 보인다. 辛丑本에서는 중상초의 리증은 형방도적산으로, 하초의 리증은 활석고삼탕으로 치료하였다. 삼령탕은 형방도적산과 활석고삼탕의 의미를 모두 담은 처방으로 보인다.

13-19 忍冬藤茯苓湯

忍冬藤 四錢 生地黃 赤茯苓 澤瀉 各二錢 車前子 羌活 獨活 荊芥 防風 各一錢
治[432] 人中近處小腫 脣腫

인동등복령탕
인동등 4돈, 생지황, 적복령, 택사 2돈, 차전자, 강활, 독활, 형개, 방풍 1돈

인중 근처 작은 종기나 입술 종기를 치료한다.

※甲午本에서 상기 증상에 양독백호탕과 수은훈비방을 사용하였다.[433] 辛丑本에서는 양격산화탕, 양독백호탕, 수은훈비방을 사용하였다.[434] 草本卷부터 甲午本, 辛丑本을 통해 동무가 종기를 치료하기 위해 지속적으로 처방을 궁리한 것을 알 수 있다.

432) 手抄本에는 '治'가 없고, 朝醫學에는 있다. '治'가 있는 것이 타당하다.
433) 辛 11-34
少陽人病 內發咽喉而外腫項頰者 謂之纏喉風 二三日內殺人最急
又上脣人中穴左右逼近處一指許發瘇 雖微如粟粒 亦危證也.
此二證 始發而輕者 當用 陽毒白虎湯 三四服以通大便
經日而重者 當用 水銀熏鼻方一炷熏鼻
倉卒無熏鼻藥則 當用輕粉末一分三厘 乳香沒藥末各五分 和匀糊丸一服盡.
434) 申 11-14
少陽人 內發咽喉 外腫項頰者 謂之纏喉風 二三日內 殺人最急
又上脣人中穴瘇 謂之脣瘇
凡人中左右逼近處一指許 發瘇 雖微如粟粒 亦危證也.
此二證 始發而輕者 當用凉膈散火湯 陽毒白虎湯
重者 當用水銀熏鼻方 一炷熏鼻 而項頰 汗出則愈.
若倉卒 無熏鼻藥 則輕粉末 一分五厘 乳香 沒藥 甘遂末 各五分 和匀糊丸 一服盡.

13-20 獨活防風湯

忍冬藤 熟地黃 各四錢 山茱萸 黃柏 獨活 各二錢 牛膝 車前子 羌活 荊芥 防風 各一錢
大便秘則換生地黃 不然則石膏尤妙 若五十後有喝 有脚氣症 左○[435]入膽用

독활방풍탕
인동등, 숙지황 4돈, 산수유, 황백, 독활 2돈, 우슬, 차전자, 강활, 형개, 방풍 1돈

변비면 숙지황을 생지황으로 바꾸는데, 그렇게 하지 않는다면 석고를 쓰면 더욱 묘하다.
만약 50세 이후 목이 쉬거나 각기증이 있으면 O을 사용하라.

*여기에도 열증이 심할 때는 생지황과 석고를 쓰는 것을 확인할 수 있다.

13-21 加味破瘀湯

產後血塊[436]腹痛用 每貼沒藥末一錢 加入爲好

가미파어탕
출산 후 血塊腹痛에 쓰는데 매 1첩에 몰약 가루 1돈을 더하여 사용한다.

*가미파어탕 처방 구성은 제시되지 않았다. 몰약은 경분과 같이 활용했던 약이다. 주요 작용은 항염증, 진통, 항혈전이다. 破瘀하는 작용이 뚜렷한 약재이다. 少陽人 여자가 출산 후 어혈로 인한 복통이 발생했을 때 활용해볼 수 있다.

435) 朝醫學에는 '五臟'으로 되어 있으나, 手抄本에는 앞의 글자는 '左'가 분명하나 뒤의 글자는 분명하지 않다.
436) 朝醫學에는 '快'로 되어 있다.

13-22 藿香正氣散

治外感通用
本方 減 蘇葉 大腹皮 名曰 不換金正氣散
更加 人蔘 草果 名曰 人蔘養胃湯 治大同小異
藿香 蘇葉 大腹皮 蒼朮 陳皮 厚朴 半夏 甘草 各一錢 入薑三棗二 同煎
以下少陰人藥方 皆可[437] 薑棗

곽향정기산
외감치료에 通用한다.

본방에 소엽, 대복피를 빼면 불환금정기산이라 명명한다.
다시 인삼, 초과를 가하면 인삼양위탕이라 부르고 치료는 대동소이하다.

곽향, 소엽, 대복피, 창출, 진피, 후박, 반하, 감초 1돈, 생강 3쪽, 대추 2개를 넣어서 같이 끓인다.
이하의 少陰人 약방에는 모두 생강, 대추를 쓸 수 있다.

※少陰人 외감병에 통용해서 쓸 수 있다. 龔信醫鑑에서는 상한을 치료한다고 하였다.[438] 곽향정기산은 처방 구성 및 용량은 달라졌지만 甲午本[439] 辛丑本[440]에서도 활용되었다. 辛丑本에는 草本卷 甲午本과 달리 건강이 사용된 것이 특징이다. 건강은 생강보다 열성이 더 강한 약재이다.

437) 手抄本에서는 '可'로 되어 있고, 朝醫學에는 '加'로 되어 있다. 手抄本의 원문을 존중하였다.
438) 藿香正氣散
藿香 一錢 五分 紫蘇葉 一錢 厚朴 大腹皮 白朮 陳皮 半夏 甘草 桔梗 白芷 白茯苓 各五分 薑 三片 棗 二枚
○ 此方 出於龔信醫鑑書中 治傷寒
○ 今考更定 此方 當去 桔梗 白芷 白茯苓 當用 桂皮 乾薑 益智仁
439) 藿香正氣散
藿香 一錢五分 紫蘇葉 一錢 白朮 半夏 厚朴 大腹皮 陳皮 桂皮 木香 益母草 炙甘草 各五分 生薑 三片 大棗 二枚.
440) 藿香正氣散
藿香 一錢五分 紫蘇葉 一錢 蒼朮 白朮 半夏 陳皮 青皮 大腹皮 桂皮 乾薑 益智仁 甘草灸 各五分 薑 三片 棗 二枚

13-23 香蘇散

治四時運氣
加 香薷 白扁豆 名曰[441] 二香散 治泄瀉霍亂
香附子 蘇葉 川芎 蒼朮 陳皮 甘草 各一錢

향소산
사계절 운기병을 치료한다.
향유, 백편두를 가하면 이향산이라 명명하고 설사, 곽란을 치료한다.

향부자, 소엽, 천궁, 창출, 진피, 감초 1돈

*유행성 호흡기질환과 소화기질환에 모두 활용 가능하다. 위역림의 득효방에서는 四時瘟疫을 치료한다고 하였다.[442] 즉 급성 열성 전염병을 치료할 때 사용하였다. 향소산은 처방 구성 및 용량은 달라졌지만 甲午本[443]과 辛丑本[444]에서 궁귀향소산으로 활용되었다.

13-24 四君子湯

治脾元虛弱
本方 加 當歸 桂皮 治[445]休瘧病
本方 加 訶子 肉豆蔻 炮附子 治氣虛泄痢
人蔘 白朮 炙甘草 白何烏[446] 各一錢

사군자탕
脾元이 허약한 것을 치료한다.
본방에 당귀, 계피를 가하면 학질의 휴지기를 치료한다.
본방에 가자, 육두구, 포부자를 가하면 기허로 인한 설사, 이질을 치료한다.

---

441) 手抄本에는 '曰'이 없고, 朝醫學에는 있다.
442) 香蘇散
香附子 三錢 紫蘇葉 二錢 五分 陳皮 一錢 五分 蒼朮 甘草 各 一錢 薑 三片 蔥白 二莖
○ 此方 出於危亦林得效方書中 治四時瘟疫
○ 局方曰 昔有一老人 授此方 與一人 令其合施 城中大疫 服此皆愈
443) 芎歸香蘇散
紫蘇葉 二錢 香附子 川芎 當歸 陳皮 蒼朮 灸甘草 各一錢 生薑 三片 葱白 三莖.
444) 芎歸香蘇散
香附子 二錢 紫蘇葉 川芎 當歸 蒼朮 陳皮 甘草灸 各一錢 葱白 五莖 薑 三片 棗 二枚
445) 手抄本과 朝醫學에는 모두 '治'가 없으나, '治'를 넣는 것이 타당하다.
446) 朝醫學에는 '白何首烏'로 되어 있다.

인삼, 백출, 자감초, 백하수오 1돈

*사군자탕은 화제국방이 기원이다. 인삼, 감초, 복령, 백출로 구성된 처방이다. 동무는 少陽人 약인 복령 대신 백하수오를 추가하였다. 少陰人의 脾氣가 약해서 발생하는 증상에 가장 기본적으로 사용하였다. 여기에 당귀와 계피를 넣어 학질로 오한이 없을 때 예방약으로 쓰기도 하였고, 육두구, 포부자, 가자를 추가하여 裏冷을 적극적으로 다스려 설사나 이질도 치료하고자 하였다.

13-25 四物湯

治脾元損傷
本方 加 蘇葉 陳皮 名曰[447] 安胎飮 治孕婦病
加 小茴香 川楝子 五靈脂[448] 治裏急疝氣
四君子 合 四物湯 名曰 八珍湯
加 桂皮 黃芪 名 十全大補湯 俱治少陰人虛勞
當歸 川芎 白芍藥 砂仁 各一錢

사물탕
脾元의 손상을 치료한다.
본방에 소엽, 진피를 가하면 안태음이라 명명하고 임신부의 병을 치료한다.
소회향, 천련자, 오령지를 가하면 裏急疝氣를 치료한다.
사군자탕과 사물탕을 합하면 팔진탕이라 명명하고 계피, 황기를 더하면 십전대보탕이라 명명하는데 모두 少陰人의 허로를 치료한다.

당귀, 천궁, 백작약, 사인 1돈

*사군자탕은 '허약'이라고 표현했는데 사물탕은 '손상'이라고 표현하였다. 둘의 차이는 선천적인 것이가 후천적인 것인가에 있다고 본다. 태어날 때부터 비기가 약해서 자주 소화기 증상이 있는 경우에는 사군자탕을 쓰고, 평소 소화상태는 괜찮았는데 후천적으로 음식이나 칠정 등에 손상되었을 경우에는 사물탕을 쓴다. 임신부가 유산의 징후를 보일 때는 사물탕에 소엽, 진피를 더해서 쓴다. 갑자기 아랫배가 당기면서 심한 복통을 호소할 때는 소회향, 천련자, 오령지를 더해서 적극적으로 裏冷을 치료한다.

447) 手抄本에는 '曰'이 없다.
448) 朝醫學에는 '五炙脂'로 되어 있다.

사군자탕과 사물탕을 합하여 팔진탕이라고 하였는데, 甲午本의 승양팔물탕[449], 辛丑本의 팔물군자탕[450]으로 계승되었다. 脾元의 허약, 허손을 모두 고려해서 치료하는 것이 더 낫다는 판단을 한 것으로 보인다.

13-26 錢氏異功散

治脾胃虛弱 飮食鮮少
挾滯 加 山楂 神麯 砂仁
挾瘧 加 半夏 草果 靑皮
虛痢 加 檳榔 吳茱萸 桂心
暑感 加 白扁豆 香薷 厚朴
白朮 白芍藥 人蔘 橘皮[451] 木香 炙甘草[452] 各一錢

전씨이공산
비위가 허약하여 음식을 잘 먹지 못하는 것을 치료한다.
체한 것이 겸했을 때는 산사 신곡 사인을 가한다.
학질을 겸했을 때는 반하, 초과, 청피를 가한다.
虛해서 생긴 이질에는 빈랑, 오수유, 계심을 가한다.
여름 감기에는 백편두, 향유, 후박을 가한다.

백출, 백작약, 인삼, 귤피, 목향, 자감초 1돈

*전씨이공산은 백출, 백복령, 인삼, 진피, 목향, 감초로 구성된 처방이다. 동무는 少陽人 약인 백복령을 빼고 백작약을 추가하였다. 비위가 약해서 음식 잘 먹지 못하는 것을 치료하였다. 비위가 약해서 동반되는 증상으로 음식량 감소뿐만 아니라 식체, 이질, 학질, 감모도 少陰人에게 나타날 수 있다. 따라서 식체가 있으면 산사, 신곡, 사인을 추가하고, 학질이 있으면 반하, 초과, 청피를 추가하였다. 이질이 나타나면 빈랑, 오수유, 계심을 추가하였고, 향소산에서 향유, 백편두를 사시운기병에 설사곽란이 나타날 때 추가한 것으로 보아 暑感은 여름철 복통, 설사를 동반한 발열성 전염병으로 보인다.

---

449) 升陽八物湯
人蔘 黃芪 各二錢 白芍藥 炙甘草 官桂 川芎 當歸 白朮 各一錢 生薑 三片 大棗 二枚.
450) 八物君子湯
人蔘 二錢 黃芪 白朮 白芍藥 當歸 川芎 陳皮 甘草炙 各一錢 薑 三片 棗 二枚
本方 以白何首烏 易人蔘 則 名曰 白何首烏君子湯
本方 用蔘芪 各一錢 加白何首烏 官桂 各一錢 則 名曰 十全大補湯
本方 用人蔘 一兩 黃芪 一錢 則 名曰 獨蔘八物湯
451) 朝醫學에는 '陳皮'로 되어 있다.
452) 朝醫學에는 '炙甘草'로 되어 있다.

13-27 補中益氣湯

治內傷頭痛 眩暈[453] 憎寒壯熱 不知食味 四體無力
黃芪蜜灸 三錢 人蔘 灸甘草 各一錢 白朮 當歸 各七分 陳皮 五分

보중익기탕
내상으로 인한 두통, 현훈, 추위를 몹시 싫어하면서 심한 발열, 음식 맛을 알지 못함, 사지가 무력함을 치료한다.

황기밀자 3돈, 인삼, 자감초 1돈, 백출, 당귀 7푼, 진피 5푼

*草本卷의 보중익기탕은 이동원의 보중익기탕[454]에서 승마, 시호를 제거하고 황기의 양을 증량하였다. 甲午本에서 更定에는 승마, 시호를 제거하고 곽향, 소엽을 추가하라고 했지만 新定 보중익기탕[455]에는 곽향, 소엽은 추가하지 않았다. 辛丑本의 新定 보중익기탕에는 곽향, 소엽이 추가되었다.

내상으로 인해 소화기 증상이 있으면서 두통, 현훈이 있고, 오한도 심한데 발열도 심하며, 식욕은 거의 없고, 무력감이 있을 때 사용하였다. 동무는 辛丑本에서 보중익기탕을 망양병에 활용하였는데 이때 자한이나 도한의 양상을 중시하였다. 草本卷 당시에는 울광이나 망양과 같은 개념이 명확하지 않았지만, 甲午本, 辛丑本을 저술하면서 뚜렷해진 것으로 보인다.

13-28 蘇合香元

治一切氣病疾
白朮 木香 丁香 沈香 訶子 蓽撥 香附子 蘇合油 安息香 各等分

소합향원
일체 氣病疾을 치료한다.

백출, 목향, 정향, 침향, 가자, 필발, 향부자, 소합유, 안식향 각 등분

453) 手抄本에는 '眩昏'으로 되어 있다.
454) 補中益氣湯: 黃芪 一錢五分 灸甘草 人蔘 白朮 各一錢 當歸 陳皮 各七分 升麻 柴胡 各三分 生薑三片 大棗二枚.
此方 出於李杲東垣書中. 治勞倦虛弱 身熱而煩 自汗倦怠.
○ 今考更定 此方 黃芪 當用三錢而 當去升麻柴胡 當用藿香蘇葉.
455) 補中益氣湯
黃芪 三錢 桂枝 人蔘 各二錢 白芍藥 灸甘草 當歸 白朮 川芎 陳皮 各一錢 薑 三片 棗 二枚.

※기가 울체되어 나타나는 모든 증상에 사용한 것으로 보인다. 구성 약물들이 다 방향성이 강한 약물이다. 울체된 기를 소통시키기 위해 방향성이 강한 약재를 선택한 것으로 보인다. 소합향원은 화제국방에 기원한 처방이다.[456] 中氣, 上氣, 氣逆, 氣鬱, 氣痛에 활용하였다. 주로 기허해서 발생한 질환보다는 기울로 인해 발생한 질환에 활용하였다. 동무는 소합향원 역시 장중경의 사심탕의 變劑로 보았다.[457]

13-29 枳朮丸

治噯氣呑酸
枳殼 白朮 作丸

지출환
애기 탄산을 치료한다.
지각, 백출로 환을 만든다.

※트림하고 신물이 넘어오는 증상을 지각과 백출을 활용해 치료하였다. 지실은 5~6월 탱자나무에서 저절로 떨어진 어린 과실을 건조한 것이고, 지각은 7~8월에 미성숙한 과실 열매를 건조한 것이다. 지실은 대승기탕, 소승기탕에 활용된 약재이다. 동무는 지각보다는 지실을 더 활용하였다. 甲午本 강출파적탕[458]에서 활용하였으며, 辛丑本에서 적백하오관중탕에서 氣脈을 통하게 하기 위한 공력을 높이기 위해 사용하였다.[459] 지실, 지각 모두 기가 막혀 있는 것을 뚫어 주기 위한 목적으로 쓰였다. 少陰人이 계속 속이 더부룩하고 신물이 올라오고 트림을 할 때 지실이나 지각을 모두 활용할 수 있다.

---

456) 蘇合香元
白朮 木香 沈香 麝香 丁香 安息香 白檀香 訶子皮 香附子 蓽撥 犀角 朱砂 各二兩 朱砂半爲衣蘇合油 入安息香膏內 乳香 龍腦 各一兩
右細末 用安息香膏竝煉蜜 搜和千搗 每一兩 分作四十丸 每取 二三丸 井華水 或溫水下
○ 此方 出於局方 治一切氣疾 中氣 上氣 氣逆 氣鬱 氣痛
○ 許叔微本事方 曰 凡人 暴喜傷陽 暴怒傷陰 憂愁怫意 氣多厥逆 當用此藥 若槩作中風治 多致殺人
○ 危亦林得效方 曰 中風 脈浮身溫 口多痰涎 中氣 脈沈身凉 口無痰涎
○ 今考更定 此方 當去 麝香 犀角 朱砂 龍腦 乳香 當用 藿香 茴香 桂皮 五靈脂 玄胡索

457) 辛 7-12 藿香正氣散 香砂六君子湯 寬中湯 蘇合元 皆張仲景瀉心湯之變劑也
此所謂靑於藍者 出於藍 噫 靑雖自靑 若非其藍 靑何得靑.

458) 薑朮破積湯: 蒼朮 白朮 良薑 乾薑 白何首烏 獨頭蒜 陳皮 靑皮 厚朴 枳實 木香 大腹皮 各一錢
白芍藥 炙甘草 各五分 大棗 二枚.

459) 赤白何烏寬中湯
白何首烏 赤何首烏 良薑 乾薑 靑皮 陳皮 香附子 益智仁 各一錢 棗 二枚
治四體倦怠 小便不快 陽道不興 將有浮腫之漸者 用之
本方 加 厚朴 枳實 木香 大腹皮 各五分 則又有通氣脈之功力
雖浮腫已成者 安心靜慮一百日 而日再服則 自無不效之理

13-30 川當湯[460]

治孕婦産前産後病
當歸三錢 川芎二錢

천당탕
임신부의 출산 전이나 출산 후의 병을 치료한다.

당귀 3돈, 천궁 2돈

*출산 전이나 출산 후에 쓰는 궁귀탕(불수산)을 동무도 활용하였다. 처방 용량은 궁귀탕(천궁 5돈, 당귀 5돈)보다는 적다.

13-31 導痰湯

治風痰
半夏 白朮 各二錢 陳皮 炙甘草 南星 枳殼 各一錢 入 生薑五片 大棗二枚

도담탕
풍담을 치료한다.

반하, 백출 각 2돈, 진피, 자감초, 천남성, 지각 각 1돈, 생강 5쪽과 대추 2개를 넣는다.

*少陰人 담음병에 대한 치료도 고민한 것으로 보인다. 거담약인 반하, 천남성을 활용하였다. 동의사상신편에서 계지반하생강탕에 지각, 청피, 오약, 남성 1돈을 추가하여 거풍산이라고 명명하였다. 風痰, 구안와사, 중풍 등에 활용하였다. 草本卷의 도담탕이 거풍산으로 이어진 것으로 보인다.

460) 備忘錄에는 '芎當湯'으로 되어 있다.

13-32 香丹白元子[461]

治大人風痰 小兒慢驚風
沈香 南星 半夏 白附子 作丸

향단백원자
성인의 풍담과 소아의 만경풍을 치료한다.

침향, 천남성, 반하, 백부자로 환을 만든다.

*도담탕과 마찬가지로 천남성, 반하가 들어간다. 담음을 치료하는 것이 목적이다.

13-33 半薑湯

治胸隔痰飮 唯吐涎沫
半夏 生薑各三錢

반강탕
흉격의 담음으로 구토하거나 침이 올라오는 것을 치료한다.

반하, 생강 3돈

*辛丑本의 계지반하생강탕[462]으로 이어진 것으로 보인다. 계지반하생강탕은 허한으로 구토하는 증상을 치료한다.

461) 備忘錄에는 '淸州白元子'로 되어 있다.
462) 桂枝半夏生薑湯
生薑 三錢 桂枝 半夏 各二錢 白芍藥 白朮 陳皮 甘草灸 各一錢
治虛寒嘔吐 水結胸 等證

13-34 茵陳治黃疸[463] 苦楝皮治蛔蟲 益母草治虛勞病[464] 蘇木紅花治瘀血 玄胡索海粉治積塊 甘藷[465]鹽液治浮腫
糯米甘藷[275]糖液治浮腫 米糖治眩暈 鐵液水治四肢不仁 項赤蛇金蛇酒治口鼻[466]燥渴 狗肉湯治瘟疫

인진은 황달을 치료하고, 고련피는 회충을 치료하고, 익모초는 허로병을 치료하고, 소목, 홍화는 어혈을 치료하고 현호색, 해분은 적괴를 치료하고, 감자와 간수는 부종을 치료하고, 찹쌀과 감자의 엿물은 부종을 치료하고, 쌀엿은 현훈을 치료하고, 철액수는 사지불인을 치료하고, 항적사 금사주는 입과 코가 건조하고 마르는 것을 치료하고, 개고기탕은 온역을 치료한다.

*다양한 약재나 음식을 통해 증상을 치료하는 것이 기재되었다. 인진은 황달에 대표적으로 쓰는 약재이다. 동무는 少陰人 황달에 인진을 활용하였다. 고련피는 회충뿐만 아니라 요충, 십이지장충 치료에도 쓰이는 약재이다. 익모초는 甲午本에서는 곽향정기산, 인삼앵속각탕, 삼십오미음에서, 辛丑本에서는 산밀탕에서 활용되었다. 草本卷에서는 허로병을 치료한다고 하였다.

소목과 홍화는 대표적인 어혈약이다. 동무는 少陰人 어혈에 활용하였다. 해분은 군소의 알집 덩어리이다. 주로 痰을 제거하는 효능이 있다. 현호색은 어혈로 인한 통증에 활용하는 약물이다. 동무는 少陰人의 적체와 종괴를 어혈과 담음으로 보고 치료한 것으로 보인다.

감자는 甲午本에서 山人甘藷飯[467]으로 부종 치료에 활용하였다. 감자는 맛이 달고 담백하여 腸胃를 소통한다고 하였다. 海鹽自然汁 역시 甲午本에서 부종에 활용하였고, 辛丑本에서도 부종에 활용하였다.[468] 찹쌀이나 감자로 엿물을 만들어 부종에 활용하였다. 찹쌀과 감자 모두 少陰人의 비위허약으로 발생한 부종에 활용한 것으로 보인다. 즉, 이뇨의 목적이 아니라 허약한 脾氣를 보완하여 더 이상 붓지 않도록 한 것이다.

463) 手抄本과 朝醫學에는 모두 '茵陳黃疸治'로 되어 있으나, 문맥상 고쳤다.
464) 朝醫學에는 '治虛勞者'로 되어 있다.
465) 朝醫學에는 '甘薯(土豆)'로 되어 있다.
466) 手抄本에서는 '鼻'로 되어 있고, 朝醫學에는 '臭'로 되어 있다.
467) 山人甘藷飯
東北道山谷中所種甘藷 俗謂之北甘藷 有黃黑二種
黃者 一叢結顆不過四五枚. 黑者 一叢結顆多至數十枚 諸藷中此二種最佳
其味甘淡流通腸胃 去皮切片 與稷粟米雜半於朝夕炊飯中食之 或全用藷食不用米 三四五六月常食則 雖極危之浮腫無不快差.
少陰人浮腫危證又急證也 不可不急治而必欲得眞方 當用甘藷飯 若倉卒甘藷難得則 可用 海鹽自然汁 薑朮破積湯 三十五味飮也.
甘藷一種有色赤者 名曰德藷. 德藷與南甘藷日本藷 性味膩滑 不可用於浮腫又不可常食.
468) 辛 8-14
嘗見 少陰人浮腫 有醫 敎以服海鹽 自然汁 日半匙 四五日服 浮腫大減 一月服 永爲完健 病不再發.

쌀엿으로 현훈을 치료한 것은 少陰人의 비위허약으로 인한 허훈을 치료한 것으로 보인다. 철액수는 辛丑本에서 반신불수병에 활용하였다.[469] 四肢不仁은 중풍(stroke)으로 인한 증상으로 보인다. 철액수는 무쇠를 물에 넣어 우려낸 물을 의미한다. 주 성분은 산화철이다. 무쇠라는 것은 항상 熱氣를 닿는 것이기 때문에 이런 특성을 少陰人의 부족한 熱氣를 보충하는 의미로 사용한 것인지, 아니면 철분 부족을 해결하여 사지불인이 치료가 되었는지는 정확히 알 수가 없다.

辛丑本에서 항적사로 이질을 치료하였고[470], 금사주로는 인후통을 치료하였다.[471] 草本卷 저술 당시에도 항적사와 금사주에 대한 경험이 있었다. 口鼻燥渴은 咽喉病에 나타나는 증상을 의미한다고 볼 수 있다. 개고기를 탕으로 끓여 급성 열성 전염병을 치료하였다. 少陽人의 경우에는 개고기는 금기이다.

右少人藥方之第二統

469) 辛 8-21
嘗見 少陰人 半身不遂病 有醫 教以服鐵液水 得效.

470) 辛 8-16
嘗見 少陰人 痢疾 有醫 教以服項赤蛇煎湯 卽效
項赤蛇 去頭斷尾 納二疊紬囊中 藥缸內 別設橫木 懸空掛之 用水五碗 煎取一碗服
二疊紬囊 懸空掛煎者 恐犯蛇骨故也 蛇骨有毒.

471) 辛 8-15
嘗見 少陰人 咽喉痛 經年不愈 有醫 教以服金蛇酒 卽效 金蛇酒 卽金色黃章蛇釀酒者也.

14-1 太陰麻黃湯

治外感 其證[472] 無汗惡寒 乾嘔逆[473] 或嘔吐涎沫
麻黃 三錢 杏仁 黃芩 各二錢

태음마황탕
외감으로 無汗 惡寒 乾嘔逆 또는 嘔吐 涎沫 증상을 치료한다.

마황 3돈, 행인 2돈, 황금 2돈

※외감병으로 땀이 나지 않고 오한을 호소하며 오심 증상 또는 가래나 침을 토할 때 사용한다. 표증과 리증이 같이 나타난다. 장중경의 마황탕[474]에서 계지, 감초, 생강, 대조를 제외하고 황금을 추가하였다. 이 처방은 甲午本의 마황발표탕[475]으로 발전하였다. 길경, 맥문동, 오미자, 백과가 추가되었다. 맥문동, 오미자를 통해 肺元를 보충하는 개념을 담았다. 辛丑本에서 마황발표탕[476]으로 계승되었다. 甲午本에 있던 오미자, 백과가 빠졌다. 동무가 太陰人 외감병을 치료하기 위해 여러 고민을 했던 것을 알 수 있다.

14-2 寧神承陰煎

治風寒緊觸者 麻黃振發之 疫氣緩[477]感者 此方和解之
桔梗 二錢 麥門冬 五味子 山藥 遠志 元肉 黃芩 杏仁 各一錢 白果 五分

영신승음전
풍한에 갑자기 감촉된 자는 마황으로 떨쳐 발산하고, 역기에 서서히 감촉된 자는 이 처방으로 和解한다.

472) 朝醫學에는 '諸證'으로 되어 있다.
473) 朝醫學에는 '嘔逆'으로 되어 있고, 手抄本과 備忘錄에는 '乾嘔逆'으로 되어 있다.
474) 麻黃湯
麻黃 三錢 桂枝 二錢 甘草 六分 杏仁 十枚 薑 三片 棗 二枚
475) 麻黃發表湯
桔梗 三錢 黃芩 麥門冬 各二錢 五味子 麻黃 杏仁 各一錢 白果 三枚.
476) 麻黃發表湯
桔梗 三錢 麻黃 一錢五分 麥門冬 黃芩 杏仁 各一錢
477) 手抄本에는 '緩'으로 되어 있고, 朝醫學에는 '後'로 되어 있다.

길경 2돈, 맥문동, 오미자, 산약, 원지, 용안육, 황금, 행인 1돈, 백과 5푼

*태음마황탕은 풍한에 갑자기 감촉되어 급하게 병이 발현될 때 사용함을 유추할 수 있다. 마황이 3돈이 들어 있으며, 草 11-3에서 일상적이 외감에 기한이 빠를 때 마황이 신속하고, 촉박한 힘이 있다고 하였다. 전염성 질환에 걸렸을 때 병의 기한이 길고, 환자의 컨디션 자체가 약해져 있다면 급하게 치료해서는 안 된다. 이때는 조화롭게 풀어주는 방법을 선택해야 한다. 영신승음전에는 마황이 없다. 太陰人 표병의 치료에 있어 대부분 처방에서 마황을 활용하는데 예외적으로 빠졌다. 영신승음전은 생맥산[478]에서 기본 아이디어를 얻은 것으로 보인다. 寧神은 정신을 편안하게 한다는 뜻이고, 承陰은 음기를 이어지게 한다는 의미이다. 太陰人은 肝大肺小하기 때문에 神氣血精 중 神이 약하다. 따라서 영신승음탕은 윤폐하는 약을 통해 肺元을 보충하여 정신도 안정시키고 疫氣도 치료하고자 의도를 담은 것으로 보인다.

14-3 九味天門冬湯

治思慮 怔忡 虛弱 不寢[479] 遺精 夢泄等證
天門冬 麥門冬 山藥 遠志 石菖蒲 酸棗仁 元肉 柏子仁 甘菊花 各一錢

구미천문동탕
사려가 과다하고 가슴이 두근거리고 허약하거나 불면, 遺精, 夢泄 등의 증상을 치료한다.

천문동, 맥문동, 산약, 원지, 석창포, 산조인, 용안육, 백자인, 감국화 1돈

*甲午本에서 太陰人 몽설병은 사려과다로 손상되어 발생한다고 하였다. 청심산약탕[480]과 청심연자탕[481]을 치료약으로 제시하였다.[482] 草本卷의 구미천문동탕과 주치증이 비슷하다. 구미천문동탕의 약물 구성도 청심산약탕, 청심연자탕과 많은 유사성을 보인다. 辛丑本에서 몽설병에 주처방을 열다한소탕을 제시하였다. 혹 공진흑원단, 녹용대보탕도 쓸 수 있다고 하였다. 몽설병은 허로의 중증이라고 하였으며 원인은 도모하고 사려하는 것

478) 生脈散
麥門冬 二錢 人蔘 五味子 各一錢 夏月 代熟水飮之 令人 氣力湧出○ 今考更定 此方 當去 人蔘
479) 手抄本에는 '不寢'으로 되어 있고, 朝醫學에는 '不眠'으로 되어 있다.
480) 淸心山藥湯
山藥 三錢 遠志 二錢 天門冬 麥門冬 蓮子肉 柏子仁 酸棗仁 龍眼肉 桔梗 黃芩 石菖蒲 各一錢 甘菊花 五分.
481) 淸心蓮子湯
蓮子肉 三錢 麥門冬 二錢 天門冬 山藥 遠志 柏子仁 酸棗仁 龍眼肉 桔梗 黃芩 石菖蒲 各一錢 甘菊花 五分.
482) 甲 13-7
太陰人一證 有夢泄病 其病爲虛勞而 思慮所傷也 太重且難不可不急治 必禁嗜欲戒侈樂
此證 當用 淸心山藥湯 淸心蓮子湯加龍骨一錢.

이 과도해서 생긴다고 보았다. 甲午本과 거의 같은 관점이다. 다만 처방을 열다한소탕[483]으로 바꾼 것은 파격적이다. 열다한소탕은 구미천문동탕이나 청심산약탕, 청심연자탕과는 처방구성이 많이 다르다. 辛丑本에서 청심연자탕[484]의 사용례는 없지만 처방은 제시되었다. 허로 몽설병 치료를 열다한소탕으로 새롭게 제시하긴 했지만 청심연자탕을 폐기하지는 않았다. 실제 임상에서 太陰人의 리열병에서 나타나는 정신과적 증상이나 허로에 청심연자탕은 많이 사용된다.

14-4 淸心側柏葉湯

治吐血
天門冬 側柏葉 各三錢 蓮子肉 生藕節 白茅根 各二錢[485]

청심측백엽탕
토혈을 치료한다.

천문동, 측백엽 3돈, 연자육, 생우절, 백모근 2돈

※측백엽, 백모근, 우절은 지혈작용이 뚜렷한 약재이다. 동무도 상기 약재를 통해 太陰人의 토혈증상을 치료하고자 한 것으로 보인다.

14-5 解熱升陰湯

治全身濕瘡神效
葛根 藁本 各四錢 天門冬 麥門冬 黃芩 蘿菔子[486] 升麻 各一錢半[487] 五味子 杏仁 桔梗 白芷 各一錢

해열승음탕
전신의 습창을 치료하는 데 신효하다.

갈근, 고본 4돈, 천문동, 맥문동, 황금, 나복자, 승마 1돈 반, 오미자, 행인, 길경, 백지 1돈

483) 熱多寒少湯
葛根 四錢 黃芩 藁本 各二錢 蘿菖子 桔梗 升麻 白芷 各一錢
484) 淸心蓮子湯
蓮子肉 山藥 各二錢 天門冬 麥門冬 遠志 石菖蒲 酸棗仁 龍眼肉 柏子仁 黃芩 蘿菖子 各一錢 甘菊花 三分
485) 朝醫學에는 一錢'으로 되어 있고, 手抄本과 備忘錄에는 '二錢'으로 되어 있다.
486) 手抄本에는 '蘿菔皮子'로 되어 있다.
487) 手抄本과 朝醫學에는 '一錢半'으로 되어 있고, 備忘錄에는 '二錢'으로 되어 있다.

*전신의 진물을 동반한 피부염에 사용한다. 藁本을 4돈이나 사용하였다. 藁本은 甲午本에서는 거의 사용되지 않았고, 辛丑本에서 다시 적극적으로 사용되었다. 辛丑本에서 갈근해기탕[488], 열다한소탕[489]에 활용되었다. 해열승음탕의 처방구성은 열다한소탕에 보폐원탕[490]을 합방한 것과 비슷하다. 동의사상신편에 肺消를 치료하는 만금문무탕[491]이 수록되어 있는데 해열승음탕과 유사하다. 열다한소탕은 太陰人 조열병의 대표적인 약이다. 辛丑本에서 조열병의 원인을 "辛 13-25 蓋此病原委 侈樂無厭 慾火外馳 肝熱大盛 肺燥太枯之故也."라고 하였다. 만금문무탕은 열다한소탕을 통해 肝熱과 肺燥을 동시에 해결하는데, 肺燥가 더 심해져 肺消에 이르렀을 때 肺元을 치료하기 위해 맥문동, 천문동, 오미자를 추가한 것으로 보인다. 草本卷의 해열승음탕의 방제 목적이 열다한소탕을 거쳐 만금문무탕까지 이어진 것으로 보인다. 즉 解熱은 肝熱을 해소한다는 것이고 升陰은 肺燥를 潤하게 한다고 볼 수 있다.

14-6 升淸解鬱湯

治痰鬱症用

天門冬 葛根 黃芩 蘿菔子 各二錢 升麻 五味子 麥門冬 酸棗仁 桔梗 杏仁 麻黃 大黃 各一錢

승청해울탕

담울증을 치료하는 데 사용한다.

천문동, 갈근, 황금, 나복자 2돈, 승마, 오미자, 맥문동, 산조인, 길경, 행인, 마황, 대황 1돈

*갈근 대황과 마황을 같이 쓰는 것이 특징적이다. 보통은 같이 쓰지는 않는다. 갈근, 대황은 太陰人 리열병의 간열을 제거하는 목적으로 쓰고 마황은 太陰人 표한병에서 解表의 목적으로 사용한다. 처방명을 살펴보면 맑은 기운을 올리고 울체를 푼다는 뜻을 가지고 있다. 그리고 담음이 울체된 것을 치료한다고 하였다. 담음이 울체된 것은 나복자와 길경을 통해 해결하고 승마와 마황을 통해 표 부위까지 맑은 기운을 올리는 것이 목적으로 보인다.

---

488) 葛根解肌湯
葛根 三錢 黃芩 藁本 各一錢五分 桔梗 升麻 白芷 各一錢

489) 熱多寒少湯
葛根 四錢 黃芩 藁本 各二錢 蘿菖子 大黃 桔梗 升麻 白芷 各一錢

490) 補肺元湯
麥門冬 三錢 桔梗 二錢 五味子 一錢
加 山藥 薏苡仁 蘿菖子 各一錢 則尤妙

491) 萬金文武湯
葛根 四錢 海松子 黃芩 藁本 各二錢 天門冬 麥門冬 五味子 大黃 蘿菖子 桔梗 升麻 白芷 各一錢

14-7 生脈散[492)]

麥門冬 三錢 五味子 二錢 桔梗 一錢

생맥산
맥문동 3돈, 오미자 2돈, 길경 1돈

※기존 생맥산에서 少陰人 약인 인삼을 제거하고 길경을 추가하였다. 甲午本에서 길경, 생맥산으로 이어졌고, 辛丑本에서 보폐원탕으로 계승되었다. 辛丑本의 보폐원탕과 草本卷의 생맥산은 처방용량 구성이 동일하다. 辛丑本에서 동무가 생맥산이 아니라 보폐원탕으로 이름을 바꾼 것은 의미가 있다. 太陰人의 肺元을 보충하는 것에 대한 치료의 목적이 확고해진 것으로 보인다.

14-8 山藥和胃煎

治胃氣不和 飮食無味
山藥 薏米[493)] 黃栗 各三錢

산약화위전
胃氣가 조화롭지 않고 음식 맛을 못 느끼는 것을 치료한다.

산약, 의이인, 황율 3돈

※太陰人이 소화가 안 되고 입맛이 없을 때 활용한다.

14-9 皂角黃芩大黃湯

治疫氣 感冒 大便秘結
大黃 三錢 元芩[494)] 二錢 皂角 一錢

조각황금대황탕
疫氣感冒로 인한 大便秘結을 치료한다.

492) 朝醫學에는 生脈散 조문 전체가 빠져 있다.
493) 薏苡仁을 手抄本에서는 모두 '薏米'로 표현하였고, 朝醫學에서는 모두 '苡米'로 표현하였다.
494) 朝醫學에는 '黃芩'으로 되어 있다.

대황 3돈, 원금 2돈, 조각 1돈

*급성 열성 전염병에 걸려 대변이 막혔을 때 사용한다. 대황을 3돈이나 사용하였고, 조협 또한 자극성이 뚜렷한 약재이다. 원금은 황금을 의미한다. 기원은 이성구고환[495]이다. 辛 13-10에서 공신은 "皀角 開關竅 發其表 大黃 瀉諸火 通其裏"라고 하였다. 동무도 이러한 약성을 바탕으로 활용한 것으로 보인다. 甲午本에서 조각대황탕[496]으로 활용되었고, 辛丑本에서도 조각대황탕[497]으로 활용되었다. 특히 辛丑本에서 승마 3돈, 대황, 조각은 약력이 준맹하기 때문에 3~4첩 이상은 쓰지 않도록 하였다.

14-10 靑礞石滾痰丸

大黃 黃芩 靑礞石 作丸

청몽석곤담환
대황, 황금 청몽석으로 환을 만든다.

*곤담환은 습열로 인한 담적을 치료하는 대표적인 약이다.[498] 청몽석은 알루미늄, 규소, 산소, 철, 마그네슘을 주성분으로 하는 함수 층상 규산염 광물이다. 맛을 달고 짜고 성질은 차다. 거담의 목적으로 쓰는 약재이다. 동의보감의 곤담환에서 침향을 제외하고 사용한 것으로 보인다.

495) 二聖救苦丸
大黃 四兩 猪牙皀角 二兩 麵糊和丸 菉豆大 五七十丸 一服卽汗 一汗卽愈
○ 此方 出於龔信萬病回春書中 治天行瘟疫

496) 皀角大黃湯
大黃 四錢 黃芩 麻黃 升麻 桔梗 猪牙皀角 各一錢.

497) 皀角大黃湯
升麻 葛根 各三錢 大黃 皀角 各一錢
○ 用之者 不可過三四貼 升麻三錢 大黃 皀角 同局藥力峻猛故也.

498) 東醫寶鑑 痰飮通治藥
滾痰丸
治濕熱痰積, 變生百病. 大黃(酒蒸)、黃芩(去朽) 各八兩. 靑礞石 一兩(同焰硝一兩入罐內盖定, 鹽泥固濟曬乾, 火煅紅, 候冷取出, 以礞石如金色爲度), 沈香 五錢. 右爲末, 滴水和丸梧子大, 茶淸, 溫水任下四五十丸. 服藥必須臨睡, 送下至咽, 卽便仰臥, 令藥在咽膈之間徐徐而下. 漸逐惡物入腹入腸, 方能見效.

14-11 石菖蒲酒

治痞悶[499]沈滯 日服一二盃 或三四盃[500]
牛黃治中風 熊膽解疫氣 麝香治痞悶 黃栗治泄瀉
太陰人浮腫有黃栗得效 太陰人滿身瘡有大服麝香而得效者

석창포주
막힌 듯하고 답답하고 심하게 체한 것을 치료한다. 하루에 1~2잔 혹은 3~4잔을 복용한다.
우황은 中風을 치료하고 웅담은 疫氣를 풀고, 사향은 痞悶을 치료하고, 황율은 설사를 치료한다.

太陰人 부종에 황율로 효과를 얻은 바가 있었고, 太陰人 滿身瘡에 사향을 많이 복용하여 득효한 자가 있었다.

※석창포로 술을 담가 소화불량이나 식체를 치료하였다. 辛丑本에서 중풍에 석창포, 우황, 웅담, 사향을 모두 활용하였다.[501] 草本卷에서 우황과 웅담은 모두 해표약으로 重症에 활용하였다. 우황, 웅담 모두 방향성이 강한 약재로 울체된 기운을 외부로 통하게 하는 효과를 가지고 있다. 석창포와 사향도 방향성이 뚜렷한 약재이다. 웅담은 운기병 즉, 유행성 감염병에 환자가 기력이 약할 때 경청한 힘을 바탕으로 완만하게 발표하는 목적으로 활용하였다. 辛丑本에서도 장감병이나 온병에 사용하였다. 疫氣 즉 전염성이 뚜렷한 질환에 웅담을 활용하였다. 사향은 辛丑本에서 중독되어 토하거나 설사할 때 사용하였다.[502] 우황청심원과 공진흑원단에도 넣어서 활용하였다. 사향도 밖으로 통하게 하는 작용이 뚜렷하여 痞悶을 치료할 수 있다. 滿身瘡에 쓴 이유도 강력한 透表 효과를 활용한 것으로 보인다. 황율은 건율을 의미한다. 황율은 동무가 太陰人 설사나 부종에 기존 의서에서 용례를 찾기 힘들 정도로 폭넓게 활용하였다. 방약합편의 消蟲神奇湯에서 栗皮를 활용한 것 정도 찾을 수 있다. 밤 알맹이 자체를 처방에 넣어서 쓰는 것의 동무의 독창적인 방제법으로 사료된다.

499) 朝醫學에는 '痞滿'으로 되어 있다.
500) 朝醫學에는 '盅'으로 되어 있다.
501) 瓜蒂散
瓜蒂 炒黃爲末 三五分 溫水調下 或 乾瓜蒂 一錢 急煎湯用
○ 治卒中風 臆膈格格 有窒塞聲 及目瞪者 必可用.
此藥 此病此證 可用 他病他證 必不可用
胸腹痛 寒咳喘 尤忌用. 雖滯食物 不可用此藥 而用他藥
502) 辛 13-40
中毒吐瀉 宜用麝香

대변이 무르거나 설사할 때 의이인과 같이 활용할 수 있다.[503] 甲午本에서는 황율오미자고를 사용하여 腹脹浮腫을 치료하였다. 부종이 시작될 때 황율 2~3말을 구워 먹거나 삶아 먹으면 설사를 5~6일 하고 낫는다고 하였다.[504] 辛丑本에서 浮腫에 건율제조탕[505]을 활용하였다.

14-12 麥龍湯

治太[506]下血

麥門冬 杏仁 各二錢 麻黃 桔梗 元肉 遠志 石菖蒲 天門冬[507] 黃芩 五味子 蘿菔子 各一錢

맥룡탕

심한 하혈을 치료한다.

맥문동, 행인 2돈, 마황, 길경, 용안육, 원지, 석창포, 천문동, 황금, 오미자, 나복자 1돈

*토혈에는 청심측백엽탕을 사용하였다. 하혈에 사용하는 맥룡탕에는 청심측백엽탕에 들어있는 측백엽 우절 백모근과 같은 지혈제가 보이지 않는다.

503) 辛 12-9
論曰 太陰人病 寒厥四日 而無汗者 重證也
寒厥五日 而無汗者 險證也
當用熊膽散 或寒多熱少湯 加螬蠐五七九箇
大便滑者 必用乾栗 薏苡仁 等屬
大便燥者 必用葛根 大黃 等屬
若額上眉稜上 有汗 則待其自愈 而病解後 用藥調理 否則恐生後病.

504) 甲 13-4
太陰人一證 有腹脹浮腫病 其病太重而危也 不可不急治 當用 黃栗五味子膏
浮腫始發 黃栗二三斗炙食煮食則 泄瀉五六日大下而病愈.
然浮腫危證也 三年內不再發然後 方可論生 禁嗜慾戒侈樂 調養攝身之道 必在其人.

505) 乾栗螬蠐湯
乾栗 百箇 螬蠐 十箇.
湯服 或 炙食 黃栗 螬蠐 十箇 作末 別用 黃栗湯水 調下
○ 治浮腫表症寒多者 宜用

506) 朝醫學에는 '大'로 되어 있다.

507) 朝醫學에는 '天冬, 麥冬'으로 되어 있다.

14-13 治淋湯

麥門冬 山藥 桔梗 五味子 蘿菔子 元肉 黃芩 薏米 各二錢 龍骨 柏子仁 杏仁 天門冬 石菖蒲 升麻 各一錢 乾栗 七枚

치림탕

맥문동, 산약, 길경, 오미자, 나복자, 용안육, 황금, 의이인 2돈, 용골, 백자인, 행인, 천문동, 석창포, 승마 1돈, 건율 7매

※소변이 잘 나오지 않을 때 사용한 처방이다. 용골이 들어간 것이 특징이다. 安身 작용이 있는 용골을 쓴 것으로 보아 요로감염뿐만 아니라 과민성 방광 같은 심인성 소변불리에도 활용 가능할 것으로 보인다.

14-14 桔麥石龍湯

治上虛 下浮氣用

桔梗 麥門冬 各二錢 薏米 五味子 元肉 遠志 杏仁 麻黃 石菖蒲 蘿菔子 各一錢[508]

길맥석용탕

上虛을 치료하고 浮氣를 내리는 데 사용한다.

길경, 맥문동 2돈, 의이인, 오미자, 용안육, 원지, 행인, 마황, 석창포, 나복자 1돈

※辛丑本의 조위승청탕[509]과 비슷한 구성약물을 보인다. 조위승청탕은 위장을 고르게 하고 맑은 기운을 올리는 처방이다. 上虛라는 것은 상초가 虛하다는 의미이다. 길경, 맥문동, 석창포, 마황을 활용하여 맑은 기운을 상부로 보내고, 의이인, 나복자를 활용하여 胃氣를 조화롭게 하여 부종을 아래로 빼 준다고 볼 수 있다. 길맥석용탕의 의미가 조위승청탕으로 이어졌다고 볼 수 있다. 의이인, 건율, 나복자로 위기를 고르게 하면서 부종은 대변이나 소변을 통해 제거하고, 마황, 길경, 맥문동, 오미자, 석창포, 원진, 천문동, 산조인, 용안육으로 상초를 보충하여 최종적으로 맑은 기운이 상부로 퍼지도록 하는 것이 조위승청탕의 의미이다. 태음조위탕이나 조위승청탕과 같은 구성의 처방은 甲午本에서는 찾기 어렵다. 동무가 草本卷에서 만들었던 처방을 甲午本에서 辛丑本으로 개초하는 과정에서 다시 새롭게 도입한 것으로 보인다. 太陰人 병증약리에 대해 辛丑本에서 명확해진 것이다.

---

508) 手抄本과 朝醫學에는 '各二錢'으로 되어 있으나, 문맥상 '各一錢'이 합당하여 고쳤다.

509) 調胃升淸湯
薏苡仁 乾栗 各三錢 蘿葍子 一錢五分 麻黃 桔梗 麥門冬 五味子 石菖蒲 遠志 天門冬 酸棗仁 龍眼肉 各一錢

14-15 葛根蘿菔子湯

治小便不利 及淋疾用
葛根 四錢 蘿菔子 二錢 黃芩 桔梗 藁本 白芷 升麻 大黃 各一錢

갈근나복자탕
소변불리 임질을 치료한다.

갈근 4돈, 나복자 2돈, 황금, 길경, 고본, 백지, 승마, 대황 1돈

*갈근나복자탕은 처방 구성을 보면 辛丑本 열다한소탕과 유사하다. 갈근나복자탕은 辛丑本에서 太陰人 표열증설사에 제시되었다.[510] 이때 처방 구성을 살펴보면, 尹完重의 동의수세보원 보유방에 갈근나복자탕[511]이 나오는데 많이 다르다. 胃脘寒證 瘟病에서 瘟病으로 인해 熱證을 동반한 경우에는 주로 裏熱病에 쓰는 약재인 升摩와 黃芩을 추가해서 升笒調胃湯으로 치료하였는데, 위의 表熱證泄瀉 역시 같은 경우로 볼 수 있다. 갈근나복자탕의 약물 구성을 보면 太陰調胃湯[512]에 葛根과 黃芩을 추가한 처방이다. 즉, 太陰人 위완한증 온병에 활용한 升笒調胃湯에서 升麻 대신 葛根을 활용한 것이다. 결론적으로 草本卷의 갈근나복자탕과 辛丑本의 갈근나복자탕은 같은 계열의 처방으로 볼 수 없다. 草本卷의 갈근나복자탕을 辛丑本 관점에서 활용한다면 조열병으로 인해 소변을 자주 보지만 시원하지 않을 때 쓸 수 있다.

14-16 乾栗葛根湯

治腸病痢疾 頓服[513]
乾栗 二兩 葛根 四錢 蘿菔子 小白皮 各二錢 麻黃 杏仁 麥門冬 桔梗 石菖蒲 各一錢

건율갈근탕
腸病 痢疾**을 치료하는데, 한 번에 먹는다.**

건율 2냥, 갈근 4돈, 나복자, 저근백피 2돈, 마황, 행인, 맥문동, 길경, 석창포 1돈

510) 辛 13-10
太陰人證 有泄瀉病 表寒證泄瀉 當用太陰調胃湯
表熱證泄瀉 當用葛根蘿葍子湯.
511) 葛根蘿蔔子湯
葛根 薏苡仁 各三錢 麥門冬 一錢五分 蘿葍子 桔梗 五味子 黃芩 麻黃 石菖蒲 各一錢
512) 太陰調胃湯
薏苡仁 乾栗 各三錢 蘿葍子 二錢 五味子 麥門冬 石菖蒲 桔梗 麻黃 各一錢
513) 朝醫學에는 '塡服'으로 되어 있다.

※건율과 갈근을 같이 활용하는 것이 특징적이다. 보통 갈근과 마황 또는 갈근과 건율은 같이 활용하지 않는다. 이 처방 구성을 보면 건율, 저근백피, 길경이 들어 있다. 甲午本에서 이질에 길경저근피탕[514]을 활용하였다. 하리농혈은 매우 중증이고 저근백피를 이질치료의 핵심으로 보았다.[515] 辛丑本에서는 이질에 건율저근피탕[516]을 사용하였다. 草本卷 저술 당시에는 이질 치료의 핵심 약재를 갈근과 건율로 보았다. 하지만 저근백피에 대한 경험이 누적이 되면서 甲午本 당시에는 길경과 배합하여 치료하는 것을 최선으로 생각했다. 辛丑本으로 개초하는 과정에서 최종적으로 이질 치료의 핵심 약재는 저근백피와 건율로 결정하였다. 동무가 이질을 치료하기 위해 많은 고민과 선택이 있었던 것으로 보인다. 辛丑本에서 太陰人에게 저근백피를 활용하였다.[517] 치험례를 보면 "평소에 정충이 있고 땀이 안 나고 숨도 짧고 목에 맺히는 느낌이 있는 기침을 하였다. 그러다가 갑자기 설사가 수십 일 동안 그치지 않았다. 즉, 표병의 중증이다. 태음조위탕에 저근백피 1돈을 가하고 하루에 2번 10일간 복용하니 설사가 그쳤고, 이어서 30일간 쓰니 매일 얼굴에 땀이 가득하고 소증 또한 감소하였다."라고 하였다. 아직 온병에 걸리기 전 소증으로 설사 증상은 없었는데 갑자기 심한 설사가 생겨서 이때 저근백피를 추가해서 복용하자 설사도 좋아지고 소증까지도 좋아졌다. 더 살펴보면 "그러다 집안에 급성 열성 감염병이 돌았는데 가족을 챙기다가 태음조위탕+저근백피를 며칠 먹지 못했고 본인도 결국 전염되었다. 그때 발열이 심하여 태음조위탕에 승마, 황금을 추가해서 복용하였고, 대변불통이 생겼을 때는 갈근승기탕을 복용하였다. 그리고 나서 온병이 나았고 조리 목적으로 태음조위탕에 승마, 황금을 추가해서 40일간 복용하자 전염성도 감소하였고 소병 또한 완치되었다."라고 하였다.

이 치험례에서 동무는 이질이나 설사와 같은 腸病에 저근백피를 적극적으로 활용한 것을 알 수 있다.

---

514) 桔梗樗根皮湯
樗根白皮 五錢 桔梗 三錢 爲末糊丸一服盡. 治痢疾.

515) 甲 13-3
太陰人一證 有下痢膿血病 其病太重證也 不可不急治 當用 桔梗樗根皮丸
樗根皮 每日服五錢 連三日服則 痢病必無不愈
樗根皮 藥力太重 五錢以上 不可過四五服

516) 乾栗樗根皮湯
乾栗 一兩 樗根白皮 三四五錢
○ 治痢疾 或湯服 或丸服而 丸服者 或單用樗根白皮 五錢

517) 辛 12-10
嘗治 太陰人 胃脘寒證 瘟病
有一太陰人 素有怔忡 無汗 氣短 結咳矣
忽焉又添出一證 泄瀉 數十日不止 卽表病之重者也
用太陰調胃湯 加樗根皮一錢 日再服十日 泄瀉 方止 連用三十日 每日流汗滿面 素證亦減
而忽其家五六人 一時瘟疫 此人 緣於救病 數日不服藥矣.
此人 又染瘟病瘟證 粥食無味 全不入口
仍以太陰調胃湯 加升麻 黃芩 各一錢 連用十日 汗流滿面 疫氣少減
而有二日大便不通之證
仍用葛根承氣湯 五日 而五日內 粥食大倍 疫氣大減而病解.
又用太陰調胃湯 加升麻 黃芩 四十日調理 疫氣旣減 素病亦完.

14-17 升陰葛根湯

晝用[518] 夜則加五味子 便秘加大黃
葛根 三錢 升麻 二錢 桔梗 杏仁 棗仁 黃芩 白芷 蘿菔子 各一錢

승음갈근탕
낮에 사용한다. 밤에는 오미자를 가하고 변비에는 대황을 가한다.

갈근 3돈, 승마 2돈, 길경, 행인, 산조인, 황금, 백지, 나복자 1돈

*해열승음탕에서 갈근이 줄고 고본, 천문동, 맥문동, 오미자가 빠진 처방이다. 해열승음탕에 비해서 潤材는 줄었고 전체적인 약재 양도 적기 때문에 全身濕瘡과 같은 심각하지 않은 상태에 쓸 수 있다. 밤에 오미자를 추가하는 이유는 부족한 升陰을 강화하기 위함으로 보인다. 변비가 있을 때는 대황으로 肝熱을 제거한다.

14-18 補肺生脈湯

此藥朝服[519]
麥門冬 山藥 桔梗 五味子 黃芩[520] 薏米 乾栗 各一錢

보폐생맥탕
이 약은 아침에 먹는다.

맥문동, 산약, 길경, 오미자, 황금, 의이인, 건율 1돈

*14-7의 생맥산을 변형한 처방으로 보인다. 산약, 황금, 의이인, 건율을 추가하였다. 甲午本의 길경생맥산[521]과 처방구성이 유사하다. 草本卷의 보폐생맥탕이 길경생맥산으로 계승된 것으로 보인다. 草本卷에서 생맥산은 辛丑本의 보폐원탕과 처방 구성 용량이 같다. 辛丑本에서 보폐원탕에 산약, 의이인, 나복자를 1돈 가하면 더욱 묘하다고 하였다.[522] 이는 보폐생맥탕과 유사성을 보인다. 정리하면 草本卷의 생맥산, 보폐생맥탕은

518) 朝醫學에는 '熏用'으로 되어 있다.
519) 朝醫學에는 '早服'으로 되어 있다.
520) 手抄本에는 '黃'이라고만 쓰여 있고, 朝醫學에는 '黃芩'으로 되어 있다.
521) 桔梗生脈散
麥門冬 三錢 山藥 桔梗 黃芩 黃栗 五味子 各二錢 白果 三枚.
522) 補肺元湯
麥門冬 三錢 桔梗 二錢 五味子 一錢
加 山藥 薏苡仁 蘿菖子 各一錢 則尤妙

甲午本의 길경생맥산으로 이어졌고, 辛丑本의 보폐원탕으로 계승되었다.

14-19 清升葛根湯

治便滑則減藁本 便秘則加大黃
葛根 三錢 升麻 二錢 麥門冬 桔梗 五味子 天門冬 黃芩 白芷 酸棗仁 杏仁 藁本 各一錢

청승갈근탕
치료할 때 대변이 묽으면 고본을 빼고 변비이면 대황을 가한다.

갈근 3돈, 승마 2돈, 맥문동, 길경, 오미자, 천문동, 황금, 백지, 산조인, 행인, 고본 1돈

*처방구성은 해열승음탕과 비슷하다. 辛丑本 관점에서 보면 전체적인 구성은 열다한소탕에 보폐원탕을 합방한 것과 유사하다. 이 처방 역시 간열폐조를 동시에 다스리기 위한 목적으로 보인다. 그렇게 하여 맑은 기운을 상초로 올리도록 의도한 것으로 보인다. 동무는 고본의 성질을 차다고 본 것 같다. 따라서 대변이 묽을 때는 빼라고 하였다. 만약 변비의 상황이면 대황을 추가한다. 辛丑本에서 고본은 조열병이 심할 때 대황을 같이 추가하여 사용하였다.[523] 고본은 草本卷에서는 적극적으로 사용하다가 甲午本에서는 잘 사용하지 않았다. 辛丑本에서 肺燥라는 太陰人 병리적 상황을 동무가 명확하게 설정하였고, 이때 치료의 요약으로 고본을 다시 사용한 것으로 보인다. 간열은 대황으로 해결하고 폐조는 고본으로 해결하는 것을 궁리한 것이다. 淸升시켜 肺燥를 해결하는 목적이 처방이 청승갈근탕이고, 이러한 생각이 辛丑本에서 다시 명확해진 것으로 보인다.

523) 辛 13-23
論曰 此病 非少陽人 消渴也 卽太陰人燥熱也
此證 不當用腎氣丸 當用熱多寒少湯 加藁本 大黃.

辛 13-24
嘗治 太陰人 年五十近衰者 燥熱病 引飮 小便多 大便秘者
用熱多寒少湯 藁本二錢 加大黃一錢 二十貼 得效矣
後一月餘 用他醫藥五貼 此人 更病
復用熱多寒少湯 加藁本 大黃 五六十貼 用藥時間 其病僅僅支撑 後終不免死
又嘗治 太陰人 年少者 燥熱病
用此方 三百貼 得支撑一周年 此病 亦不免死 此人 得病一周年 或間用他醫方 未知緣何故也.
蓋燥熱 至於飮一溲二 而病劇則難治.
凡太陰人 大便秘燥 小便覺多 而引飮者 不可不早治豫防.

14-20 葛根二黃湯

葛根 薏米 各一錢半 麥門冬 蘿菔子 桔梗各一錢 白芷 麻黃 黃芩 升麻 杏仁 各七分

갈근이황탕
갈근, 의이인 1돈 반, 맥문동, 나복자, 길경 1돈, 백지, 마황, 황금, 승마, 행인 7푼

*갈근을 마황과 같이 활용한 처방이다. 건율갈근탕과 승청해울탕도 갈근을 마황과 같이 활용하였다. 甲午本에서는 마황정천탕, 승마개뇌탕에서 같이 활용하였고, 辛丑本에서는 갈근과 마황을 동시에 활용한 처방은 없다. 辛丑本에서 胃脘受寒表寒病, 肝受熱裏熱病으로 한열을 명확히 구분하여 편명을 정했다. 마황은 표한병에 갈근은 리열병에 쓴다는 생각이 명확해진 것으로 보인다. 그 이유는 素病에 대한 생각이 辛丑本에서 명확해졌기 때문이다.

辛 12-12
大凡瘟疫 先察其人素病如何 則表裏虛實 可知已
　素病寒者 得瘟病 則亦寒證也
　素病熱者 得瘟病 則亦熱證也
　素病輕者 得瘟病 則重證也
　素病重者 得瘟病 則險證也

급성 열성 감염병이라도 우선 그 환자의 소병을 살펴 표리허실을 가히 알 수 있다고 하였다. 평소에 표한병이면 급성 열성 전염병이더라도 표한병으로 치료해야 하고, 평소 리열병이면 급성 열성 전염병이더라도 리열병으로 치료해야 한다. 따라서 표한병에 쓰는 마황과 리열병에 쓰는 갈근을 중심으로 처방을 명확히 구별하여 제시하였다. 마황을 중심으로 마황발표탕, 태음조위탕, 조위승청탕, 마황정천탕, 마황정통탕을 창방하였고, 갈근을 중심으로 갈근해기탕, 열다한소탕, 갈근승기탕을 창방하였다. 이 과정에서 草本卷이나 甲午本처럼 갈근과 마황을 같이 쓰는 처방은 사라졌다.

14-21 加葛根湯

葛根 薏米 各二錢[524] 麥門冬 一錢半 蘿菔子 桔梗 石菖蒲 元芩 五味子 麻黃 各一錢
若[525]小便秘燥澁則 加大黃一錢
淋疾則 去五味子 加大黃一錢

524) 朝醫學에는 '一錢'으로 되어 있다.
525) 手抄本과 朝醫學에는 모두 '右'으로 되어 있으나, 문맥을 고려하여 '若'으로 고쳤다.

不拘[526]初用十五六貼

가갈근탕
갈근, 의이인 2돈, 맥문동 1돈 반, 나복자, 길경, 석창포, 원금, 오미자, 마황 1돈

만약 소변이 막히고 깔깔하여 잘 나오지 않으면 대황 1돈을 가한다.
임질이면 오미자를 제거하고, 대황 1돈을 가한다.
처음부터 15~16첩을 쓰는 것에 구애받아서는 안 된다.

*가갈근탕도 갈근과 마황을 같이 활용하였다. 갈근을 통해 간열을 제거하고, 마황으로 해표하는 것을 동시에 하는 것이 좋다고 생각한 것이다. 14-15 갈근나복자탕은 소변불리와 임질을 치료한다고 하였다. 갈근나복자탕에서는 오미자는 없고 대황이 들어있다. 가갈근탕으로 소변불리나 임질을 치료할 때 변형한 처방이 갈근나복자탕이라고 볼 수 있다.

14-22 天門冬潤肺湯

治目痛 鼻乾 憎寒壯熱[527] 頭痛 腰痛 燥澁者用
天門冬 三錢[528] 黃芩 二錢 麥門冬 酸棗仁 升麻 葛根 桔梗 杏仁 五味子 大黃 各一錢

천문동윤폐탕
目痛 鼻乾 憎寒壯熱 頭痛 腰痛 大便燥澁을 치료하는 데 사용한다.

천문동 3돈, 황금 2돈, 맥문동, 산조인, 승마, 갈근, 길경, 행인, 오미자, 대황 1돈

*甲午本의 천문동윤폐탕[529]과 구성약물 용량이 같다. 甲午本에서도 온병에 걸려 目疼, 鼻乾, 增寒,壯熱燥澁이 나타날 때 사용하였다.[530] 주치증과 처방용량 구성이 草本卷과 거의 일치한다. 草本卷에서 潤肺, 承陰, 補肺, 淸升, 升陰이라는 용어를 처방명에 활용하였다. 모두 肺燥를 치료하는 목적을 담고 있다. 草本卷 저술 당시부터 동무는 간열폐

526) 朝醫學에는 '枸'로 되어 있다.
527) 朝醫學에는 '憎汗壯熱'로 되어 있다.
528) 朝醫學에는 '三錢'이 빠져 있다.
529) 天門冬潤肺湯
天門冬 三錢 黃芩 二錢 麥門冬 酸棗仁 升麻 葛根 桔梗 杏仁 五味子 大黃 各一錢.
本方加鹿茸 一錢 ○名曰 鹿茸潤肺湯.
530) 甲 12-22
今考更定 已上諸證 目疼鼻乾增寒壯熱燥澁者 當用 葛根解肌湯 天門冬潤肺湯.
頭面項頰赤腫者 當用 皂角大黃湯.
體熱腹滿自利者 當用 桔梗生脈散.

조에 대한 개념이 있었던 것으로 보인다. 천문동윤폐탕도 辛丑本의 관점에서 보면 열다한소탕과 보폐원탕의 합방이다. 辛丑本에서 보폐원탕을 리열병에 직접적으로 활용한 예는 보이지 않는다. 표한병과 리열병에 쓰는 처방에 대한 구별을 명확히 하고자 한 것 같다. 草本卷과 甲午本에서는 맥문동, 천문동, 오미자를 통해서 리열병에 동반된 肺燥를 해결하고자 했지만 辛丑本에서는 고본을 활용하여 리열병에 동반된 肺燥를 해결하고 한 것으로 보인다. 표한병에서 나타나는 肺燥는 고본을 쓰지 않고 맥문동, 천문동, 오미자를 통해 해결하였다.

14-23 黃栗小白皮湯

治痢疾
黃栗 一兩 桔梗 三錢 小白皮 一錢

황율소백피탕
이질을 치료한다.

황율 1냥, 길경 3돈, 저근백피 1돈

*腸病痢疾을 치료하는 건율갈근탕에서 이질을 집중적으로 치료하기 위해 만든 처방 중 하나가 황율소백피탕이다. 甲午本의 황율저근피탕에서 오미자가 빠진 것과 처방구성 용량이 같다. 甲午本에서 이질에는 길경저근피환[531]을 사용하였고, 황율저근피탕은 腹痛自利病[532]과 食滯痞滿, 腿脚無力病[533]에 활용하였다. 즉, 이질 치료에는 草本卷과 달리 황율을 사용하지 않았다. 황율은 腸病의 범주로 볼 수 있는 腹痛自利病과 食滯痞滿에 썼다. 저근백피를 대변이 무른 양상에 활용하는 것에 대해서는 결론이 났지만, 염증성일 때는(下痢膿血) 황율을 쓰지 않고 길경만 선택한 것으로 보인다. 하지만 辛丑本에서는 이질에 저근백피의 양을 증량하고 길경을 제외한 건율저근피탕[534]을 사용하였다. 길경은 이질치료에 있어서 필수적이지는 않다고 辛丑本에서 새롭게 결론을 내린 것으로 보인다. 결론적으로 동무는 이질이라는 염증을 동반한 감염성 설사를 치료함에 太陰人의 경우에 많은 고민을 한 것으로 보인다. 핵심 약재를 황율, 길경, 저근백피로 정하였다. 草

531) 桔梗樗根皮湯
樗根白皮 五錢 桔梗 三錢 爲末糊丸一服盡. 治痢疾.
532) 甲 13-1
論曰 太陰人一證 有腹痛自利病 當用 桔梗生脈散 黃栗樗根皮湯.
533) 甲 13-2
太陰人一證 有食滯痞滿 腿脚無力病 其病太重證也 不可不急治 當用 桔梗生脈散 黃栗樗根皮湯.
534) 乾栗樗根皮湯
乾栗 一兩 樗根白皮 三四五錢
○ 治痢疾 或湯服 或丸服而 丸服者 或單用樗根白皮 五錢

本卷에서는 세 가지를 모두 활용하였고, 甲午本에서는 길경과 저근백피를 활용하였고, 辛丑本에서는 황율과 저근백피를 활용하였다. 草本卷부터 辛丑本을 통해 기존에 거의 약재로 활용되지 않던 건율에 대해 동무만의 독창적 사용법이 완성된 것으로 보인다.

14-24 桔樗湯[535)]

治痢疾
樗白皮 五錢 桔梗 三錢 爲末糊丸

길저탕
이질을 치료한다.

저근백피 5돈, 길경 3돈을 가루로 만들어 풀로 반죽하여 환을 만든다.

※저근백피와 길경을 활용하여 이질을 치료하였다. 甲午本의 길경저근피환과 처방구성 용량이 일치한다. 황율소백피탕에서 황율을 제외하고 저근백피 용량을 높였다. 길저탕과 황율소백피탕의 공통 약물은 길경과 저근백피이다. 草本卷에서도 황율을 제외한 길경과 저근백피만을 활용해 이질을 치료하고자 시도했다. 甲午本에서는 저근백피와 함께 배합할 때 황율을 쓸 경우와 길경을 쓸 경우를 분리한 것으로 보인다. 길경저근피환으로 이질을 치료하였고, 황율저근피탕과는 구별해서 사용하였다. 辛丑本에서는 다시 생각을 바꿔 이질 치료에 있어 집중적으로 치료할 때는 건율과 저근백피의 조합을 선택한 것으로 보인다.

표 40. 이질 치료 비교

	草本卷	甲午本	辛丑本
痢疾	건율갈근탕 (건율, 갈근, 길경, 저근백피) 황율소백피탕 (황율, 길경, 저근백피) 길저탕 (길경, 저근백피)	길경저근피환 (길경, 저근백피)	건율저근피탕 (건율, 저근백피)

535) 手抄本에는 '吉樗湯'으로 적고 있으며, 朝醫學에는 '桔樗湯'이란 처방명이 없고, 桔樗湯의 처방 내용은 '黃栗小白皮湯'에 잘못 설명하고 있다.

14-25 淸心山藥湯

治虛勞 夢泄 腹痛 泄瀉 舌卷不語中風[536)]
山藥三錢 遠志二錢 天門冬 麥門冬 蓮子 柏子仁 酸棗仁 元肉[537)] 桔梗 黃芩 石菖蒲 各一錢 甘菊五分

청심산약탕
*虛勞 夢泄 腹痛 泄瀉 舌卷不語中風*을 **치료한다.**

산약 3돈, 원지 2돈, 천문동, 맥문동, 연자육, 백자인, 산조인, 용안육, 길경, 황금, 석창포 1돈, 감국 5푼

*甲午本의 청심산약탕과 처방구성 용량이 동일하다. 無腹痛下利하면서 舌卷不語中風病이 있을 때 사용하였고[538)], 허로로 인한 몽설병에도 활용하였다.[539)] 草本卷과의 차이는 복통의 유무이다. 甲午本에서 복통의 유무를 중시하였다. 중풍의 경우 복통이 있으면 裏之表病으로 보았고, 없으면 裏之裏病으로 보았다.[540)] 裏之裏病은 편소한 장국까지 병이 들어 保命之主가 흔들리는 위중한 병태를 의미한다. 이러한 구분은 辛丑本에서는 모두 삭제되었다. 동무가 볼 때 복통의 유무를 가지고 경중을 나누는 것은 의미가 없다고 본 것 같다. 다시 정리하면 청심산약탕은 草本卷 당시에는 허로로 인해 몽설병이 있거나 복통을 동반한 설사나 중풍이 발생했을 때 사용하였다. 甲午本 저술 당시에는 太陰人 리병의 경중을 구별함에 복통의 유무가 중요하다고 생각하여 청심산약탕은 복통을 동반하지 않고 설사하는 경우에 쓰고, 복통을 동반해서 설사하거나 체하고 속이 더부룩하고 다

536) 朝醫學에는 中風 뒤에 '等證'이란 말이 더 있다.
537) 手抄本에는 '龍肉', 朝醫學에는 '元肉'으로 되어 있다. 모두 龍眼肉을 지칭하는 것이다.
538) 甲 13-6
太陰人一證 無腹痛下利而 有舌卷不語中風病 危急證也 不可瞬息遲滯而急治
當用 牛黃救急 因用 淸心山藥湯 淸心蓮子湯.
539) 甲 13-7
太陰人一證 有夢泄病 其病爲虛勞而 思慮所傷也 太重且難不可不急治 必禁嗜欲戒侈樂
此證 當用 淸心山藥湯 淸心蓮子湯加龍骨一錢.
540) 甲 13-9
太陰人 惡寒發熱長感病 爲表之表病
陽毒燥澁 爲表之裏病
腹痛自利食滯痞滿痢疾浮腫 爲裏之表病
虛勞夢泄與無腹痛中風 爲裏之裏病.
表裏之表病 氣勢緩而易治
表裏之裏病 氣勢急而難治.

甲 13-10
太陰人 中風有二證 有腹痛中風 裏之表病也
無腹痛中風 裏之裏病也.

리에 힘이 없을 때 길경생맥산, 황율저근피탕을 사용하였다.[541] 辛丑本에서는 복통의 유무로 경중을 구별하는 것은 사라졌다. 설사가 있을 때 겉으로 드러나는 한열을 살펴 약을 쓰거나[542], 음식을 먹고 속이 더부룩하고 다리에 힘이 없는 경우에도 표리병을 나눠서 소병이 표한병이면 태음조위탕, 조위승청탕, 녹용대보탕을, 리열병이면 공진흑원단을 사용하였다.[543] 중풍 치료에 있어서도 복통의 유무를 나누지 않았다. 면색을 통해 표리병을 구분하여 치료하였다. 面色青白而眼合은 胃脘受寒表寒病으로 보고 웅담산, 우황청심원, 석창포원지산을 사용하였으며, 面色黃赤黑 多有目瞪은 肝受熱裏熱病으로 보고 과체산을 사용하였다.[544] 즉, 辛丑本은 太陰人의 소병으로 표한병인지 리열병인지를 구별하는 것에 대한 새로운 시각을 통해 개초한 것이다.

청심산약탕은 辛丑本의 청심연자탕[545]과 유사하다. 청심연자탕은 처방만 있고 언제 사용하는지에 대한 내용이 辛丑本에 기술되어 있지 않다. 동무가 辛丑本으로 개초하는 과정에서 열다한소탕을 통해 간수열리열병의 역증인 조열병을 치료하는 관점이 생기면서 甲午本까지 활용하던 청심산약탕이나 청심연자탕[546]을 차마 삭제하지 못한 것으로 보인다. 甲午本에서 허로몽설에는 청심산약탕과 청심연자탕을 사용했지만 辛丑本에서는 열다한소탕, 공진흑원단, 녹용대보탕을 사용하였다.[547] 허로 몽설 역시 간열폐조로 인해 나타나는 병태이기 때문에 열다한소탕의 갈근과 대황으로 간열을 치료하고, 고본으로 폐조를 치료하는 것이 낫다고 판단한 것이다. 병이 더 진행되어 간열은 뚜렷하지 않고 폐조가 극

---

541) 甲 13-1
論曰 太陰人一證 有腹痛自利病 當用 桔梗生脈散 黃栗樗根皮湯.

甲 13-2
太陰人一證 有食滯痞滿 腿脚無力病 其病太重證也 不可不急治 當用 桔梗生脈散 黃栗樗根皮湯.

542) 辛 13-30
太陰人證 有泄瀉病 表寒證泄瀉 當用太陰調胃湯
表熱證泄瀉 當用葛根蘿葍子湯.

543) 辛 13-29
太陰人證 有食後痞滿 腿脚無力病 宜用拱辰黑元丹 鹿茸大補湯 太陰調胃湯 調胃升淸湯.

544) 辛 13-38
太陰人證 有卒中風病
胸臆格格 有窒塞聲 而目瞪者 必用瓜蔕散
手足拘攣 眼合者 當用牛黃淸心丸.
<u>素面色黃赤黑者 多有目瞪者 素面色青白者 多有眼合者</u>
<u>面色青白而眼合者 手足拘攣 則其病急危也 不必待拘攣</u>
<u>但見眼合 而素面色青白者 必急用淸心丸 古方淸心丸 每每神效</u>.
<u>目瞪者 亦急發而稍緩死 眼合者 急發急死 然 目瞪者 亦不可以緩論 而急治之</u>.

545) 淸心蓮子湯
蓮子肉 山藥 各二錢 天門冬 麥門冬 遠志 石菖蒲 酸棗仁 龍眼肉 柏子仁 黃芩 蘿葍子 各一錢 甘菊花 三分

546) 淸心蓮子湯
蓮子肉 三錢 麥門冬 二錢 天門冬 山藥 遠志 柏子仁 酸棗仁 龍眼肉 桔梗 黃芩 石菖蒲 各一錢 甘菊花 五分.

547) 辛 13-37
太陰人證 有夢泄病 一月內 三四發者 虛勞 重證也
大便秘一日 則宜用熱多寒少湯 加大黃一錢
大便每日不秘 則加龍骨 減大黃 或用拱辰黑元丹 鹿茸大補湯.
此病 出於謀慮太多 思想無窮.

심해지면 공진흑원단[548]이나 녹용대보탕[549]을 쓰는 것이 낫다고 판단한 것이다. 결국 청심연자탕은 공진흑원단과 열다한소탕 중간 정도의 처방이라고 볼 수 있다. 표병에 주로 쓰는 마황과 오미자가 없기 때문에 청심연자탕은 辛丑本 관점에서 리열병약으로 분류하는 것이 맞다. 하지만 辛丑本 관점에서 보면 매우 계륵 같은 처방이다. 辛丑本에 간수열리열병 치료에 있어 핵심은 간열을 우선 조절하고 부수적으로 肺燥를 보완하는 것인데, 청심연자탕은 황금을 제외하고는 간열을 조절하는 힘이 너무 약하다. 肺燥을 보완하는 위주로 약물이 구성되어 있지만 동무 생각에는 차라리 공진흑원단으로 보완하는 것이 더 낫다고 본 것이다. 그래서 버리기는 아깝고, 조열병에 공진흑원단을 쓰지 못하는 상황에 써볼 수 있기 때문에 남겨둔 것으로 보인다.

14-26 升麻開腦湯

治寒厥四五日汗不出者
升麻 三錢 麥門冬 天門冬 五味子 酸棗仁 元芩[550] 麻黃 桔梗 杏仁 葛根 款冬花 白芷 大黃 各一錢

승마개뇌탕
한궐에 걸린 지 4~5일이 지나도 땀이 나지 않는 것을 치료한다.

승마 3돈, 맥문동, 천문동, 오미자, 산조인, 원금, 마황, 길경, 행인, 갈근, 관동화, 백지, 대황 1돈

*甲午本의 승마개뇌탕과 처방구성 용량이 동일하다. 甲午本에서도 한궐에 웅담산 대용으로 사용하였다.[551] 웅담은 방향성이 강한 약재로 한궐과 같은 운기병에 해표를 목적으로 활용하는 약재이다. 승마개뇌탕은 開腦라는 표현에서 볼 수 있듯이 머리 쪽을 발표시켜 주는 목적의 처방이다. 승마와 마황을 활용해 상부를 발표시키면서 운기병에서 나타나는 고열 증상은 갈근 대황을 통해 치료하고자 한 것으로 보인다.

---

548) 拱辰黑元丹
鹿茸 四五六兩 山藥 天門冬 各四兩 蠐螬 一二兩 麝香 五錢
煮烏梅肉爲膏 和丸梧子大 溫湯下五七十丸 或燒酒下. (燒酒랑 같이 먹는다.)
○ 虛弱人裏症多者 宜用

549) 鹿茸大補湯
鹿茸 二三四錢 麥門冬 薏苡仁 各一錢五分 山藥 天門冬 五味子 杏仁 麻黃 各一錢
○ 虛弱人 表症寒證多者 宜用

550) 朝醫學에는 '黃芩'으로 되어 있다.

551) 甲12-9
今考更定 太陰人病 寒厥四日而無汗者重證也
寒厥五日而無汗爲危證也
當用 葛根解肌湯 調下熊膽三分 又連用葛根解肌湯二三服.
翌日則 晝服桔梗生脈散 夜服葛根解肌湯. 每日如此服 或八九日十餘日 以至於病快解.
若熊膽闕材則當用 升麻開腦湯二三服.

14-27 桔梗元肉湯

治小兒腿膝曲而無力者 用十餘貼得效
葛根 桔梗 各二錢 麥門冬 黃芩 元肉 各一錢半 白芷 五味子 椿皮 各一錢

길경원육탕
소아의 대퇴와 무릎이 굽고 힘이 없는 것을 치료한다. 10여 첩을 사용하면 효과를 얻는다.

갈근, 길경 2돈, 맥문동, 황금, 용안육 1돈 반, 백지, 오미자, 춘피 1돈

※소아의 퇴각무력병에 사용하였다. 춘피는 참죽나무 수피이다. 甲午本, 辛丑本에서도 太陰人 퇴각무력병을 치료하는 내용이 나온다. 太陰人에게 이런 증상이 자주 나타나는 이유는 吸聚之氣가 너무 과도하고 呼散之氣가 극도로 부족하여 결국 겉의 근육까지 제대로 영양이 전달되지 않아 발생하는 것이다. 마치 거미체형처럼 체간부는 살이 찌는데 팔다리는 가늘어져 발생한다.

14-28 註調胃湯[552)]

治吐血則止[553)]
本方 加 麥門冬 五錢 鹿角膠 蓮肉 側柏葉 各一錢

주조위탕
토혈을 치료하고 즉시 그친다.

본방에 맥문동 5돈, 녹각교, 연자육, 측백엽 1돈

※청심측백엽탕과 마찬가지로 측백엽과 연자육을 활용하였다. 녹각교를 사용한 것이 특징이다. 맥문동과 녹각교를 통해 토혈로 인해 손상된 음혈을 보충해주는 목적이 보인다.

14-29 黃栗五味子膏

黃栗灸 百枚 五味子 三十粒[554)]

552) 朝醫學에는 '註調胃湯'으로 되어 있으며, 手抄本과 朝醫學 모두 처방의 구성약물에 대한 설명이 없다.
553) 朝醫學에는 '則止'가 빠져 있다.
554) 朝醫學에는 '百十粒'으로 되어 있다.

或三四用付每[555] 治浮腫

황율오미자고
구운 황율 100매, 오미자 30알

혹 3~4번 사용하여 매번 부종을 치료한다.

*甲午本의 황율오미자고[556]와 처방구성 용량이 동일하다. 甲午本에서 부종에 사용하였다.[557] 석창포주에 대한 설명에서 황율은 설사에 사용한다고 하였다. 여기서는 부종에 활용하였다. 辛丑本에서는 오미자 대신 제조를 활용하였다.[558] 건율제조탕[559]에 제조를 사용하고, 갈근부평탕[560]에서도 제조를 사용하였다. 제조는 草本卷, 甲午本에 사용되지 않았다. 辛丑本을 개초하면서 부종치료에 새로운 경험을 하여 제조를 활용한 것으로 보인다. 이때도 浮腫表症寒多와 浮腫裏症熱多를 나눠 치료한 것이 특징적이다. 동무가 辛丑本에서 太陰人 병증론을 개초하면서 표한병과 리열병에 대한 구별을 얼마나 신경썼는지를 알 수 있다.

14-30 地榆元肉湯

治太陰人便血病神效
地榆炒黑 七錢 元肉 椿皮 各三錢 酸棗仁 條芩[561] 各 一錢

555) 朝醫學에는 '式三回用 六付'로 되어 있다. 手抄本의 글씨는 분명하지 않아 정확한 의미를 알 수 없다.
556) 黃栗五味子膏: 黃栗 一百枚 五味子 三十粒
一服盡日再服則當用黃栗二百枚 日三服則當用黃栗三百枚 生栗炙食最良. 治浮腫.
557) 辛 13-4
太陰人一證 有腹脹浮腫病 其病太重而危也 不可不急治 當用 黃栗五味子膏
浮腫始發 黃栗二三斗炙食煮食則 泄瀉五六日大下而病愈.
然浮腫危證也 三年內不再發然後 方可論生 禁嗜慾戒侈樂 調養攝身之道 必在其人.
558) 辛 13-35
太陰人 有腹脹浮腫病 當用乾栗蠐螬湯
此病 極危險證 而十生九死之病也 雖用藥病愈 三年內 不再發然後 方可論生
侈樂禁嗜慾 三年內 宜恭敬心身 調養愼攝 必在其人矣.
559) 乾栗蠐螬湯
乾栗 百箇 蠐螬 十箇.
湯服 或 灸食 黃栗 蠐螬 十箇 作末 別用 黃栗湯水 調下
○ 治浮腫表症寒多者 宜用
560) 葛根浮萍湯
葛根 三錢 蘿蔔子 黃芩 各二錢 紫背浮萍 大黃 各一錢 蠐螬 十箇
○ 治浮腫裏症熱多者 宜用
561) 朝醫學에는 '黃芩'으로 되어 있다.

지유원육탕
太陰人 便血病을 치료하는 데 신효하다.

지유초흑 7돈, 용안육, 춘피 3돈, 산조인 조금 1돈

*지유는 대표적인 지혈제이다. 草本卷에서 太陰人의 치료에 있어 토혈, 변혈 등에 대해 기존 의가들이 지혈제로 활용한 약재들을 적극적으로 사용하였다. 甲午本과 辛丑本에 이런 출혈증상에 대한 내용은 없다.

14-31 茘枝核湯

治頹疝症 囊中[562]腫 玉莖水腫
茘枝核 三錢 蘿菔子 黃芩[563] 各二錢[564] 柏子仁 白芷 杏仁 浮萍 大黃 各一錢

여지핵탕
頹疝症 囊中腫 玉莖水腫을 치료한다.

여지핵 3돈, 나복자, 황금 2돈, 백자인, 백지, 행인, 부평, 대황 1돈

*頹疝症은 고환이 붓고 아픈 증상을 의미한다. 囊中腫도 고환이 붓는 것을 의미한다. 玉莖水腫은 음경이 붓는 것을 의미한다. 모두 생식기 쪽이 붓는 것을 의미한다. 여지핵은 무환자나무 열매의 씨를 의미하는데 疝痛에 사용하는 약재이다. 부평을 辛丑本에서 갈근부평탕으로 浮腫裏症熱多한 사람한테 사용하였고, 甲午本에서 부평대황탕[565]에 활용하였다. 여지핵탕에 부평을 활용하여 부종을 치료한 草本卷의 경험이 甲午本과 辛丑本으로 이어진 것으로 보인다.

右太陰人藥方終

562) 朝醫學에는 '中'이 없다.
563) 手抄本에는 '黃芩'으로 되어 있다.
564) 朝醫學에는 '一錢半'으로 되어 있다.
565) 浮萍大黃湯
大黃 四錢 黃芩 紫背浮萍 各二錢.

15-1 乾柿湯

治太陽人表證[566)]
乾柿 五加皮 蕎麥 各三錢

건시탕
太陽人 표증을 치료한다.

건시, 오가피, 교맥 3돈

※건시는 곶감을 의미한다. 草本卷에서는 중요하게 사용하였지만 甲午本 辛丑本에서는 사용되지 않았다. 건시탕이라는 처방은 사라지고 오가피장척탕을 太陽人 표증에 활용하였다.

甲-五加皮壯脊湯
五加皮 四錢 木瓜 青松節 各二錢 葡萄根 蘆根 櫻桃肉 各一錢 蕎麥米 半匙
青松節 闕材則 以好松葉代之.
右方治表證.

※甲午本 辛丑本에서도 오가피와 교맥은 그대로 사용되었다. 오가피장척탕은 太陽人의 해역병에 사용한 처방이다. 太陽人 외감요척병론이라는 관점이 생기면서 건시보다는 오가피에 더 비중을 둔 것으로 보인다.

15-2 獼猴桃湯

治太陽人裏證[313)]
獼猴桃 葡萄 各三錢 木果 二錢 白芍藥 生甘草 各一錢

미후도탕
太陽人 리증을 치료한다.

미후도 포도 3돈, 목과 2돈, 백작약, 생감초 1돈

566) 手抄本과 朝醫學에는 모두 '症'으로 되어 있으나, '證'으로 고쳤다.

*少陰人 약재인 백작약과 감초를 太陽人에게도 사용하였다. 甲午本, 辛丑本에서는 이러한 활용은 보이지 않는다. 미후도탕 대신 미후도식장탕을 太陽人 리증에 활용하였다.

甲－獼猴藤植腸湯
獼猴桃 四錢 木瓜 葡萄根 各二錢 蘆根 櫻桃肉 五加皮 松花 各一錢 杵頭糠 半匙
獼猴桃 闕材則 以藤代之.
右方治裏證.

미후도식장탕은 太陽人 열격병에 사용한 처방이다. 太陽人 내촉소장병론이라는 관점이 생기면서 처방을 변경한 것으로 보인다. 동무는 太陽人 치료에 있어 표병은 오가피, 리병은 미후도를 주 약재로 설정하였다.

15-3 **論曰 太少陰陽人中 太陽人數原來稀[567]少 故其病證治法見於古方者亦稀少 反胃症獼猴桃 小兒脚氣之病五加皮 則古方得者也 我稟臟自是太陽人 雖終身以經驗 而終不如古人爛高經驗於太陰少陰少陽三種人病藥之熟審也 夫藥驗不廣者 病驗不廣故也 菜果自是補肝之藥 則菜果中肝藥爲多也**

논하여 이르길 "太少陰陽인 중 太陽人 수는 원래 희소한 까닭에 그 병증을 치료하는 방법은 고방에서 볼 때 역시 희소하다. 반위증에 미후도를 쓰고 소아각기에 오가피를 쓰는 것은 고방에서 얻은 것이다. 내가 太陽人의 장부를 품부받아 비록 종신토록 경험했지만 끝내 고인이 오랜 경험으로 太陰人, 少陰人, 少陽人 세 종류 사람의 병과 약을 충분히 찾은 것만 못하다. 무릇 약의 경험이 넓지 못한 것은 병의 경험이 넓지 못하기 때문이다. 채소와 과일은 간을 보하는 약이니 채소와 과일 중에는 肝藥이 많다."

*동무 스스로 太陽人이라 밝히고 있다. 본인 太陽人이기 때문에 스스로 자신의 병을 고치기 위해 기존 의가의 여러 처방이나 치법을 연구했지만 결국 반위증에 미후도를 쓰고 소아각기에 오가피를 쓰는 것 정도를 찾을 수밖에 없었다. 그 이유는 太陽人이 희소하여 太陽人 병에 대한 기록이나 경험도 희소하기 때문이다. 채소나 과일은 간을 보하는 약이라고 하였는데, 그 관점을 바탕으로 건시, 미후도, 포도를 약으로 사용한 것으로 보인다. 오가피장척탕에서는 모과, 포도근, 앵도육과 같은 과일을 활용하였고, 미후도식장탕에서는 미후도, 모과, 포도근, 앵도육과 같은 과일을 활용하였다. 甲午本, 辛丑本에서는 "凡菜果之屬 淸平疏淡之藥 皆爲肝藥 蛤屬 亦補肝"라고 하였다. 채소와 과일은 맑고 고르고 소통시키고 담백한 약이라서 간약이라고 하였고, 조개류 역시 간을 보한다고 보았다.

567) 手抄本에는 '希'로 되어 있다.

肺大肝小한 太陽人을 치료하기 위한 치료의 핵심을 補肝으로 보았다.

15-4 **獐肝爲少陰人藥則眞的無疑 鹿茸爲少陰人藥則猶加疑 少陰人有服鹿茸顯效 其後又見太陰人二人有服鹿血顯效 皆未得其實不敢眞決**

노루간이 少陰人 약이라는 것은 진실로 의심이 없지만, 녹용이 少陰人 약이라는 것은 아직 의심스럽다.
少陰人이 녹용을 복용하여 현저한 효과가 있었는데, 그 후 또 太陰人 2명이 녹혈을 복용하여 현저한 효과가 있는 것을 보았다. 모두 진실됨을 아직 얻지 못하여 감히 결정하지 못하였다.

*노루 간은 辛丑本에서 少陰人 인후병에 사용하였다.[568] 少陰人 부종과 허로에도 활용하였다.[569] 노루 간이 少陰人 약이라는 것은 辛丑本까지도 의심이 없었던 것으로 보인다. 하지만 甲午本 辛丑本에서 녹용은 太陰人에게만 사용하였다. 甲午本 이후로는 녹용은 太陰人 약이라고 결론을 내린 것으로 보인다.

15-5 **升麻自是腎藥 白芍藥自是肝藥 而炒用則入於脾藥 今玆新方不泥古方 後人亦不可必泥今方 加減之妙[570] 變通之數 益求其善[571]**

승마는 당연히 腎藥이고 백작약은 당연히 간약이지만 초해서 쓰면 脾로 들어가는 약이다.
지금 이 신방은 고방에 얽매이지 않았으니 후인들은 또한 반드시 지금 처방에 얽매여서는 안 된다. 가감하는 오묘함과 변통하는 수를 더욱 최선의 방법을 구해야 한다.

*승마는 草本卷뿐만 아니라 甲午本 辛丑本에서도 太陰人에게 활용하였다. 신약이라고 표현한 것은 오기로 보인다. 백작약은 미후도탕에서 사용하였고, 少陰人에게도 활용하였다. 草本卷 저술 당시에는 법제에 따라 약성을 다르게 사용할 수 있다고 본 것 같다. 하지만 甲午本, 辛丑本에서는 少陰人에게만 사용하였다.

568) 辛 17-14少陰人 有咽喉證 其病太重 而爲緩病也 不可等閒任置 當用蔘桂八物湯 或用獐肝 金蛇酒.
569) 辛 8-13
嘗見 少陰人浮腫 獐肝一部 切片作膾 一服盡 連用五部 其病卽效
又有 少陰人 服獐肝一部 眼力倍常 眞氣湧出
少陽人虛勞病 服獐肝一部 其人 吐血而死.
570) 朝醫學에는 '炒'로 되어 있다.
571) 朝醫學에는 '變通之 故益求其善'으로 되어 있다.

처방을 가감하고 변통하는 것을 자유롭게 하여 최선의 방법을 찾으라고 하였다. 그러한 생각은 辛丑本 저술 당시까지 이어졌다. 처방의 변화를 보면 동무가 최선의 처방을 만들기 위해 많은 노력을 했는지 알 수 있다. 만약 동무가 더 오래 살았다면 辛丑本 처방도 많은 변화가 있었을 것으로 보인다.

右藥方之第四統

16-1 寸關尺部位之論 雖不合理 然其二十七脈大略有參驗
沈遲脈少陰之驗也
緊張脈太陰之驗也
其餘脈少陽之棄枝葉之美也

촌관척부위의 이론은 비록 불합리하지만 27맥의 대략은 참고하고 경험함이 있다.
沈遲脈은 少陰人의 경험이다.
緊張脈은 太陰人의 경험이다.
그 나머지 맥은 少陽人의 것으로 지엽의 아름다움을 버렸다.

*한의학에서 맥은 굉장히 중요한 진단 도구로 사용되었다. 동무도 맥에 대해서 궁리하였지만 불합리한 측면이 있다고 보았다. 27맥은 참고하고 경험할 가치는 있다고 하였다. 하지만 동무는 지엽적인 것들은 다 제거하고 간단하게 요약하였다. 가라앉고 느린 맥은 少陰人에게 경험할 수 있는 맥이고, 긴장감이 있고 넓은 맥은 太陰人에게 경험할 수 있는 맥이다. 그 나머지 맥들은 모두 少陽人 맥이다. 太陽人 특유의 과감함이 보인다. 辛丑本에서 太陰人의 맥은 長而緊하다고 하였고, 少陰人의 맥은 緩而弱하다고 하였다. 太陰人 맥은 草本卷의 관점과 비슷하지만 少陰人 맥은 달라졌다. 少陽人 맥에 대한 설명은 나오지 않는다. 동무는 辛丑本 의원론에서 "若夫脈法者 執證之一端也 其理在於浮沈遲數 而不必究其奇妙之致也"라고 하였다. 맥법이라는 것은 증을 찾는 하나의 단서이니 기묘함에 이르도록 궁구할 필요는 없고, 浮沈遲數에 그 이치가 있다고 하였다. 草本卷과 마찬가지로 27맥을 모두 살필 수 있는 기묘한 경지에 이르는 것은 불합리하다고 본 것이다. 浮沈은 표리를 살핀다는 것이고, 遲數은 한열을 살핀다는 것이다. 즉, 맥이라는 것은 표리한열을 변별하는 과정에서 참고하는 정도로 쓰면 되지 복잡하게 궁구할 필요는 없다고 본 것이다.

16-2 少陽人 受穀之胃氣闊[572] 而出粕之大腸膀胱氣窄 比如釀酒之瓮上下緊封 熱氣自生
少陰人 受穀胃氣窄 而出粕之大腸膀胱氣闊 而比如灌畓[573]之泉舊灌已泄 新灌疊至 生冷氣自生也

572) 手抄本에는 '濶', 朝醫學에는 '闊'로 되어 있다. '濶'은 '闊'의 俗字이다.
573) 朝醫學에는 '水田'으로 되어 있다.

少陽人은 곡식을 받아들이는 胃氣가 넓지만 찌꺼기를 배출하는 대장과 방광의 기운은 좁다. 비유하면 술 빚는 항아리를 상하를 꼭 막아 두면 열기가 저절로 생기는 것 같다.
少陰人은 곡식을 받아들이는 胃氣는 좁지만 찌꺼기를 내보내는 대장과 방광의 기운은 넓다. 비유하면 논에 물을 보내주는 샘은 오래전 보내준 것은 이미 빠져나가고 새로 보내준 것이 자꾸 이르면 생냉한 기운이 저절로 생기는 것과 같다.

*10-41의 내용과 비슷하다.[574] 少陽人은 脾大腎小하기 때문에 위장이 저장하는 힘이 좋지만 대장과 방광을 통해 배출되는 힘은 약하다. 그 결과 위장에서 마치 술이 발효될 때 열이 나듯이 열기가 생겨난다. 少陰人은 腎大脾小하여 위장이 저장하는 힘은 약하지만 대장과 방광을 통해 배출되는 힘은 강하다. 따라서 위장에 머무는 것보다 나가는 것이 과하여 열기가 위장에서 저장될 여유가 없으니 계속 위장은 생냉해진다. 이러한 생각을 바탕으로 치료 원칙을 少陽人은 淸腸으로 少陰人은 溫裏로 설정한 것이다.

太陰人은 위완을 통해 호산시키는 힘은 약하고 소장을 통해 흡취하는 힘이 강하다. 따라서 치료의 원칙을 通外로 정한 것이다. 太陽人은 위완을 통해 호산시키는 힘은 강하고 소장을 통해 흡취하는 힘이 약하다. 따라서 치료의 원칙을 固中으로 정한 것이다.

16-3 **古者痘疹必用藥矣 用藥而愈殺人 故最後得一計 冷水一碗 敬禱大監天 大監非眞有其靈 致敬則必愼風寒 必謹醫藥 是故兒多生也 非但痘疹也 百病皆有限 有二三日病 有三四十日病 有二三年之病 有十餘年之病 愼攝風寒 平心靜意 知足知止則 雖是膏肓之病 豈無必愈道乎**

옛날 사람들은 두진에 반드시 약을 사용하였다. 약을 사용하면 더욱더 사람을 죽이게 되었다. 따라서 최후에 얻은 계책이 냉수 한 사발로 하늘의 대감신에게 공경하며 기도했다. 대감신은 진실로 신령함이 있는 것은 아니지만 지극히 공경하면 반드시 풍한을 삼가고 의약을 조심하였다. 이와 같은 까닭에 어린아이들이 많이 살았다. 단지 두진뿐만 아니라 모든 병에 모두 한계가 있다. 2~3일 병이 있고, 30~40일 병이 있고, 2~3년 병이 있고, 10여 년 병이 있으니, 풍한을 삼가고 섭생하고, 마음을 편안하게 하고 뜻을 고요하게 하여 제 분수를 알아 만족하고 그만둘 때를 알면 비록 고황의 병이라도 어찌 반드시 낫는 법이 없겠는가?

---

574) 草 10-41
問 水穀之入於腸胃也 爲其所化一也 而少陽驅殼常病於熱 少陰驅殼185)常病于寒者何也
曰 少陽人受穀之胃濶 而泄穀之大腸窄 譬如甕中酒釀宿釀密封則 熱氣易生也
少陰人泄穀之大腸濶 而受穀之胃窄 譬如停溜之水泉生泉益來則 寒氣易生也
是故 少陽大便一日數三次益好 少陰大便二三日一次無妨

*두진과 같은 전염병은 치료가 쉽지 않은 병이다. 약을 잘못 쓰면 오히려 병이 악화될 수 있다. 전파를 방지하고 새로운 감염이 발생하지 않도록 생활습관을 관리하는 것이 오히려 나을 수도 있다. 풍한을 삼간다는 것이 바로 이것을 의미한다. 적절하게 격리된 상태에서 몸과 마음을 정갈하게 섭생하는 것이 약을 함부로 쓰는 것보다 더 나을 수 있다.

白免十一月六月
題于魯山
1951년 11월 6일
노산 김구익이 적었다.